新潮文庫

あとのない仮名

山本周五郎著

新潮社版

2283

目次

討九郎馳走……七
義経の女……三一
主計は忙しい……四一
桑の木物語……八三
竹柏記……一六七
妻の中の女……二六九
しづやしづ……三三五
あとのない仮名……三八五

解説　木村久邇典

あとのない仮名

討《とう》九《く》郎《ろう》馳《ち》走《そう》

一

「しばらく、しばらくお待ち下さい」兼高討九郎《とうくろう》はそわそわしながら急に面《おもて》をあげて云《い》った、「ただいまお達しの御意《ぎょい》、いまいちど仰《おお》せ聞けられとうございます」

「その必要はない」老職水野主馬《しゅめ》は、討九郎がそう云うだろうとかねて期していたようすで、あらぬ方へ眼《め》をやりながら云った、「きたる六月より徒士組《かちぐみ》支配を免じ、馳《ち》走番《そうばん》仰せつけらる、それだけのことだ、わかったら退《さが》ってよろしい」

「それは、その、御上意でございますか」

「勿論《もちろん》のことだ」

「もしや人違いではございませんか、兼高には与右衛門もおり、玄蕃《げんば》もおります、わたくしに馳走番のお達しはちと解《げ》しかねまするが」

「穏やかならぬぞ兼高」主馬は屹《きっ》とふり向いた、「お上の御意を不服だと申すのか」

「もったいない、決してさようなことはございません、決してさような」

「では有難くお受けをするがよい」

「……はあ」

討九郎は手をあげて額をこすった。陽《ひ》にやけた逞《たくま》しい額から、横鬢《よこびん》のあたりを手でこすりながら、しばらく太息《といき》をついたり膝《ひざ》をもじもじさせていた。彼がそんなに落着かないようすを見せるのは初めてである。よっぽど去就に悩んでいたらしいが、やがて心をきめたとみえて、太い眉《まゆ》をぴくりとさせながら云いだした。

「まことに我儘《わがまま》な申しようではございますが、ご老職もご承知のように、わたくしは無骨者で礼儀作法に疎《うと》く、まことの野人でございまして、とても馳走番などという堅苦しいお役は勤まりかねるかと存じます」

「だからどうだと申すのだ」

「つまりその、あれでございます、その、わたくし如《ご》き者には」

「お受けはならぬというのか」

「ひらに、ひらに」討九郎は両手をおろしながら云った、「ご老職の格別のお口添えをもちまして、この儀はご免ねがえますよう、おとりなしのほど、ひらにおねがい申しまする」彼の額には汗が滲《にじ》みだしていた。

「御上意にそむいてもお受けはならぬと申すのだな」

「勤まりかねるお役とわかっているものを、お受け申してあやまちを仕でかしますよりは、初めから辞退するのが至当だと存じます」

主馬は眉をひそめてじっと討九郎をみつめていたが、やがてしずかに頷《うなず》いた。

「よし、ではそのように言上しよう」

討九郎は退出した。――ばかなことだと思った。おそらくなにかの間違いだろうとも思った。

兼高討九郎は五百石の番頭《ばんがしら》で、徒士組の支配をしている。年はそのとき二十六歳、まだ独身なので、方々からずいぶん縁談があるが耳もかさない。彼はじぶんで云うとおりの無骨者で、野人で、この数年来徒士組に野戦の訓練をさせることに熱中していた。――岡崎は西国諸藩に対する江戸幕府の第一線である、どのようにも武を練って万一の場合に備えなければならない、彼はそういう信念をもっていた。これは決して架空な心配ではなかった。幕府はすでに三代家光の世になっていたが、泰平の礎《いしずえ》はまだ不動のものではない。一例をあげてみると、寛永十一年に家光が上洛《じょうらく》したとき、帰りには名古屋城へたち寄ると云いながら、ある事情から遽《にわ》かにそれをとりやめて彦根城へはいったことがある。万端の支度をして待っていた大納言義直《だいなごんよしなお》はひじょうに怒り、――かようなお扱いをうけては、天下に対して尾州の面目が立たぬ、しょせん城にたてこもって将軍家にひと合戦いどむよりほかはない。

と決心した。そのときは紀伊の頼宣《よりのぶ》が強諫《きょうかん》して事なきを得たが、三家ですらひとつ間違うとそういうことになる状態なので、岡崎の位置はまことに重要だったのである。……だから討九郎の野戦訓練は徹底的だった。寒暑晴雨にかかわらず、矢矧《やはぎ》川をはさんで常に武者押しの行われない日はない。そして或《ある》いはその先頭に馬を駆り、また采配《さいはい》を手に疾呼《しっこ》する彼の姿を見ないことはなかった。しかもそういうときの彼は精気溌剌《はつらつ》として、全身が炸裂《さくれつ》する弾丸のようにみえ、その圧力をもって百千の人数を自由自在に動かしていた。

これが兼高討九郎の本領であった。不愛相で口下手で、性質はどちらかというと粗暴で人づきの悪い方だから、城中の勤めなどあまり評判がよくない。ただ徒士組を指揮して野戦の訓練をするときだけが、もっとも得意でもありその人柄《ひとがら》にぴったりしているのだ。……ところで馳走番とはどういう役だろうか。

二

岡崎は東海道の主要な駅の一にあたっているので、参観《さんきん》交代で上下する諸大名がたえず泊るし、尾張、紀伊の両家はじめ幕府重職の宿泊することも多い。それで「作法触れ」「馳走触れ」というものがあった。作法触れというのは町役人の方のつとめで、町の騒音をとりしまり、道を清めたり、水手桶《みずておけ》を出したり盛り砂をしたりするのである。馳走触れというのは、宿泊する大名の格式によって、出迎え見送り、宿所の世話、接待、饗応《きょうおう》などをすることで、おもに町奉行がその衝《しょう》に当っていたけれども、べつに専任の者がいて城中とのあいだを斡旋《あっせん》した。これが馳走番である。ことに尾州家や紀州家が泊るおりには、「おはなし相手」にも出なければならないので、規式作法に精《くわ》しく、またはしの利《き》く者でなければ勤まらぬ役だった。

討九郎がなかばは呆《あき》れ、なかばは怒った理由が、これでよくわかるであろう。馳走番と彼とではおよそ縁の遠いはなしである。——なにかの間違いだろう。そう思ったのも無理ではあるまい。しかし老職にはっきりことわったので、彼はそのことについては安心していた。ところがその翌日のことであった。登城しようとしているところへ使者が馬をとばして来て、「お上《かみ》のお召しです」とつたえた。

「直ぐにおあがり下さい、浄瑠璃郭《じょうるりくるわ》においであそばします」

「うけたまわった、すぐに伺候つかまつる」

馳走番のことだなと直感した彼は、叱《しか》られたときの答弁を考えながら、馬をとばして登城した。

浄瑠璃郭というのは岡崎城の東北の隅《すみ》にある一画で、鉄砲的場がある。討九郎が参入したとき城主水野忠善《ただよし》はそこで射撃の稽古《けいこ》をしているところだった。……忠善はそのとき四十一歳、こがらな肥えた軀《からだ》つきで、鉢《はち》のひらいた大きな頭と、への字なりの口つきに特徴のある、精悍《せいかん》な風貌《ふうぼう》をしていた。

「もっと寄れ」討九郎が伺候の言上をすると、忠善はふり向きもせず、銃をとって遠い的を狙《ねら》いながら云った、「……昨日、主馬から申し達した沙汰《さた》、辞退をねがい出たそうだな」

「はっ、まことにおそれながら」

「いいわけ無用」

だあん！　銃口が火を吹いた。討九郎にはその爆音が主君の叱咤《しった》の声と思われた。忠善はまだ煙を吐いている銃を侍臣にわたし、弾丸《たま》ごめのしてあるべつの銃を受け取って、ふたたび的を狙いながら云った。

「無骨者で礼儀作法にうといから勤まらぬと申したそうだが、余には余の思うところがあって命ずるのだ、辞退はならんぞ」

「……はっ」討九郎はきっと唇《くちびる》を嚙《か》んだ。

「わかったら退ってよし」

叱られたらこうと、考えて来た答弁を口にするひまもなく、討九郎が平伏する頭上で、だあんッ！　とまた銃口から火花がはしった。その二発の銃声は、あきらかに忠善の怒りの表明にちがいない、討九郎は一言もなく退出した。

その年は参観出府にあたっていたので、六月にはいるとすぐ忠善は江戸へ去った。討九郎は馳走番になったものの、はじめから軽侮している役目なので、ともするとばかばかしいという気持がさきにたち、心からお役を勤めるという気が出てこなかった。たとえば、馳走番として大名の宿所へ挨拶《あいさつ》に出ると、そのまま帰れるときもあるし、留められて盃《さかずき》を貰《もら》うおりもある、そういうときにはしぜんとはなし相手をしなければならない、それも興味のある話題でもあればかくべつだが、相手が大名のことだからはなすことはおよそきまっている。

——万松寺どの（監物《けんもつ》忠善の父、大阪夏の陣に殊功あり）の逸話を聞きたい。

——岡崎の槍組《やりぐみ》は評判であるがどのような調練をするか。

——御神君より拝領の兜《かぶと》があると聞くが拝見ねがいたい。

——監物どのは岡崎城にいちにんも婦人を置かぬと聞いておるが、事実か、事実なら側近の用に不自由と思われるがどうか。

——岡崎はかくべつ武士気質のはげしい処《ところ》だというが、いったいその岡崎気質とはどのようなものか。

そういう程度の質問が多い。討九郎はいつも相手にならず、

——一向に存じません。

——わたくしには相わかりません。

たいていそんな風に答えて知らん顔をしていた。それも思いきった不愛相さで、まったく馳走番などという感じではない。一緒にゆく町奉行がたまりかねて、いくたびも注意をしたが、——拙者には拙者の勤めかたがござる、これでいけなければお役ご免をねがうより致方《いたしかた》がござらぬ。そう云うだけで敢《あ》えて改めようとしないばかりか、さあ来いという態度さえ示すのだった。

三

夏去り、秋去り、やがて新しい春二月を迎えた。

討九郎の馳走番はともかくも無事に十月あまり続いた。そのような勤めぶりでたいした過ちも起らなかったことに就いては、彼はその主君忠善にもっと感謝しなくてはならなかったのである。なぜなら、監物忠善はそのころ無双の荒大名として定評があったので、そのような風変りな馳走番が出ても、宿泊する諸侯の方で早合点をして、——また監物のいやがらせであろう、これはうっかり文句をつけると、どんな理屈でやりこめられるかも知れない、触らぬ神に祟《たた》りなし。という程に考え、わざと知らぬ顔で済ませたのである。

討九郎はむろんそんなことには気がつかなかった。彼にはいつまで経《た》ってもその役目がつまらなくて、じぶんが馬鹿にでもなってしまいそうに思えた。だいいちはげしい野戦訓練できたえて来た五躰《ごたい》のふしぶしが、始終むずむずと疼《うず》くようでやりきれなかったのである。こうして二月のなかばになった一日、彼は老職の部屋へ呼ばれた。いってみるとそこには、家老の拝郷《はいごう》源左衛門と水野主馬とがいた。

「今日は少し相談がある」主馬がまず口を切った、「……これはお上《かみ》からのお沙汰ではないが、馳走番をしばらく交代して貰いたいと思うのだ、ながくではない、この月いっぱいでよい、役目の表はそのままで休んで呉《く》れぬか」

「むろん、そのあいだは登城に及ばず、屋敷で勝手にしていてよろしい」と源左衛門が言葉を添えた、「……承知なら今からでも下城してよいぞ」

まったく予想もしない話だった。厭《いや》で厭でたまらない役目である、本来なら即座に承知するはずなのに、討九郎は黙っていた。黙ってしばらく考えていたが、やがて面をあげると、きっぱりとした口調で拒絶した。

「せっかくの御相談ではございますが、この儀はおことわり申します」

「それはまたなぜだ」

「なにゆえかと申したいのは拙者の方でございます、だいいちお上のお沙汰でなく役目交代とはいかなる仔細《しさい》あってのことでございますか」

主馬は家老の眼を見た。まさかこう反問されようとは考えていなかったのだ、然《しか》し源左衛門はすぐ頷いて、

「そうか、ではその仔細を聞かそう」とかたちを正して云った、「じつは数日うち尾張大納言家が当城下へおはいりになる、本来は五月下旬の御参覲であるが、今年はきゅうに繰上げての御出府だとある、……尾張さまと御当家お上とは、かねてより些《いささ》かゆくたてのあるおあいだがらであるし、またお上の留守城へお迎え申すことゆえ、馳走触れも格別吟味をせねばならぬ、そのほう従来の勤めぶりで、万一にも大納言家の御意にさからう等のことあっては一大事と考え、重役どもあい諮《はか》ったうえ一時お役を交代したらということになったのだ」

討九郎はようやく老職たちの気持がわかった。大納言義直と水野忠善とは、ずいぶん以前から反目のあいだがらにあった。たとえばあるとき江戸城中において、義直が忠善にむかい、

――岡崎は名古屋の押えなりと聞くがまことであるか。

こう訊《たず》ねた。忠善はその言下に仰せのとおりと答えた。遠慮の無さすぎる返事であ

る。義直はしいて笑いながら、

——では余が軍勢を催して攻め寄せたらみごと防戦してみせるか。

——仰せまでもなきこと、尾州家に於《お》いて西三十三カ国の軍勢をかり催し給うとも、岡崎一城にて二十日はくいとめてみせまする。

そう云って忠善は昂然《こうぜん》と額をあげていた。それからまたある年、忠善はみずから家臣二人をともなって名古屋に潜入し、尾張家の武備を探索し、その城濠《しろぼり》の深浅まで密偵《ていい》したことがある。そのとき義直に偶然それを発見され、危うく捕縛されかかったが身をもってのがれた。義直はこのときのことを憎み、あのおり忠善を討ちもらしたのはなにより残念なことだ。とのちのちまで口惜《くや》しがっていた。

そういうわけで、尾張家とはむずかしい関係にあったから、主君の留守城でもしまちがいでもあってはと老臣たちが考えたのは無理のないはなしなのである。討九郎はその仔細を了解した。

「よく相わかりました、しかし」と彼は眉をあげて云った、「大納言家だから拙者ではお役が勤まらぬというお考えは些か合点がまいりません、たとえ御三家、御三卿《きょう》、将軍家が御宿泊あそばしましょうとも、お上より仰せつけられました馳走番は拙者の役目でございます、せっかくのおはなしではございますが、お役交代はおことわり申します」そして彼は屹と口を閉じた。

四

討九郎の言句には一歩もゆずらぬ決意があった。そうなるともう説得のしようはない、源左衛門と主馬は交代を断念した、しかしこのたびだけは特にあやまちのないようにと、繰り返し念を押したのである。

数日のちに尾張家の行列が岡崎へ到着し義直は宿所へはいった。……尾州、紀州の宿泊する際は、城下町はほら貝、鐘、太鼓を禁じられる。町奉行が小頭《こがしら》一人足軽三人をつれて城下はずれまで出迎え、つづいて宿所へ到着の祝儀《しゅうぎ》を述べに出る、そして城中から家老が馳走番をともなって伺候、家老は祝儀を言上して退去し、馳走番が残るのである。

討九郎が義直の御前へ呼ばれたのは宵《よい》の七時ごろだった。義直はそのとき四十八歳、白面の肥えた軀つきで、眦《めじり》の切れあがった双眸《そうぼう》にはげしい光りのある、英毅《えいき》濶達《かったつ》な風貌をもっていた。まえにも記したが、将軍家光の仕方が無礼であるといってまさに兵を挙げようとしたことがあるし、寛永十八年にはまた家光の世嗣《せいし》竹千代（のちの四代家綱）が山王社に詣《もう》ずるに当り、尾、紀、水三家に供奉《ぐぶ》を求めたところ、

――大納言の官職にある者が、無官の人に供奉する例を聞かず、もし竹千代どのが将軍家の子であるからというなら、われらは東照神君の子である。いずれにしても供奉はならぬ。こうかたく拒絶した。このとき使者に立ったのは酒井忠勝と松平信綱であったが、それでは竹千代に先だって参詣《さんけい》するということで落着した。

将軍家に対してさえ斯《こ》ういう人だった。その直情径行の資質が、そのまま相貌にあらわれている。御前へ進んだ討九郎は、ひと眼《め》みてつよい圧迫を感じた。

「馳走役《ちそうやく》たいぎである、盃をとらすぞ」

「……はっ」

「ゆるす、近う、近う」

かさねて云《い》われたから、討九郎は膝行《しっこう》して義直の側《そば》近くすすんだ。……老臣の宿所はべつであるが、それにしても、そのとき座にいたのは若侍七八名で、重役と思える者はいちにんもみえなかった。

「そのほう兼高と申したな」

「……はっ」彼はしずかに面をあげた。

「矢矧川は当国の要害であると聞くが、水上より河口まで何里ほどであるか」

「はっ、およそ四十二里三十町ございます」

「………」義直はちょっと口を噤《つぐ》んだ、言下に答えられるとは思わなかったのである、それでしばらく討九郎の顔をみまもっていたが、「では岡崎城の石垣に要した石の総数はどうだ」

「はっ」討九郎はまたたきもせずに、「櫓下《やぐらした》を除きまして総数二万七千八百個ほどの石を以《もっ》て築いてございます」

「なかなか精しいな、では濠の深さは」

「常の水位一丈三尺と心得ます」

「矢矧川に架けた橋の数はどれほどか」

「八橋、十七渡舟にございます」

義直はぎろっと眼を光らせながら「兼高、面をあげい」ときめつけるように云った、

「いままで申したことは全部でたらめであろう、どうだ」「いかにも」討九郎は平然と、

「仰《おお》せのとおりみんなでたらめでございます」

こう答え、平然と義直を見あげていた。あまりに人を食った態度である。義直の眉《まゆ》がぴくっと見えるほどひきつった。

「はじめからでたらめを申すつもりだったのか、それとも存ぜぬゆえ致方なく申したのか」喉元《のどもと》へ白刃をつきつけるような調子だった。

「恐れながら、お訊ねの条々くらいは、岡崎の家人として存ぜぬ者は一人もござりません、もちろんはじめからでたらめを申すつもりにてお答えつかまつったのでございます、それとも、……右ようの儀につき、いちいち真実を言上つかまつるものと思召《おぼしめ》しでございましたか」

橋、渡舟、城濠の深浅は城郭の機密である。誰がそんなことを本当に云うものか、そういう意味が討九郎の眉宇《びう》にありありとみえた。将軍家光に対してさえむざとはゆずらぬ義直も、討九郎の反問には言句に窮した。

「なかなか申すの」義直はにっと笑いながら、「役目たいぎであった、欣三郎《きんざぶろう》あいしてとらせろ」そう云って座を立った。

五

討九郎はそれから酒をしいられた。酒豪の者をそろえたとみえて、七八人いた若侍たちがいり替りたち替り相手をする。負けてはならぬと思って片はしからひきうけていたが、さすがの彼もついには泥酔《でいすい》し、十二時の刻《とき》を聞くころには、もうその座にいたたまれなくなった。

「もはや一滴もなりません、明日のお役がございますからこれにて」

止められるのを振り切るように、よろよろと討九郎は立ちあがった。待っていた家士たちに、左右から支えられながら外へ出ると、更《ふ》けた街すじは昼をあざむく月夜だった。主従四人はおのれたちの影を踏みながら、ひっそりと寝しずまった街を半町あまり黙って歩いたが、ふと討九郎が歩をとめて、

「弥五郎、松之丞、寄れ」

と低く呼んだ。そして二人を近くまねいて口早になにごとか囁《ささや》いた。

「は、心得ました」彼らは面をひきしめた。

「すぐまいれ、ぬかるな」

二人は袴《はかま》の股立《ももだち》をとりながら、町家の軒先づたいに、いま来たほうへ走っていった。

屋敷へ帰った討九郎は、着物も脱がず、居間へはいって仰反《あおのけ》に倒れるとそのまま鼾声《かんせい》たかく寝こんでしまった。叩《たた》きのめされたように、ぐっすりと眠った。明けがたになって、焼けつくような喉の渇きに眼がさめ、枕許《まくらもと》の水を飲んでいると、庭の方で松之丞の声がした。……討九郎は起きあがって廊下へ出た。まだ酔いがさめていないので、ひどく足がふらついた。

「松之丞か」暗い庭の向うへ呼びかけると、霜ばしらを踏み砕きながら松之丞が走って来た。

「どうだ、なにも変りはなかったか」

「は、唯今《ただいま》まで見張っておりましたが、なにごともございませんでした」

「弥五郎はどうした」

「もう戻るころだと存じます」

「一緒ではなかったのか」

「は、念のため老臣がたの宿所を見てまいると申しまして」

云いかけて松之丞はふりかえった。討九郎も裏門の方へ眼をやった。誰か走って来る跫音《あしおと》がしたのである。それは貝塚弥五郎だった。黙って縁先まで走って来た彼は、そこに主人の姿をみいだすと息を喘《あえ》がせながら、

「申上げます、老臣がたの宿所裏手より、騎馬にていちにん出た者がございます」

「いずれへまいった」

「外濠に沿って、まっすぐ矢矧川の方へ駆ってまいりました」

討九郎の酔眼がきらりと光った。彼は屹《きっ》と暁天《ぎょうてん》をねめあげたが、

「よし！　松之丞、馬曳《ひ》け」

そう云って大剣をとりに戻った。弥五郎を供に馬をとばして屋敷を出た討九郎はまっすぐに矢矧川の堤へ出ると、ほのぼのと薄明のうごきはじめた河畔をすかし見なが

ら、馬足をゆるめて川上の方へうたせていった。こうしておよそ十二三町ほどのぼったとき、「あっ」と弥五郎が低く叫びながら、手をあげて川の上を指さした、「渡っております」

二人のいるところから更に半町ほど上に当って、いましも馬で川を渡して来る者の姿が見えた。討九郎はただちに馬を下りて弥五郎に預け、

「堤の下に隠れておれ、出るな」と云って走りだした。

よほど馬術にすぐれた者とみえる。水上の方で四五日豪雨がつづき、川は水嵩《みずかさ》も増し流れも常よりはげしくなっている。その流れを巧みに乗り切って、疲れたようすもなく浅瀬へとあがって来た。……もちろん此方《こちら》から渡って、また渡し戻したものに違いない。岸へ乗りつけると、馬を下りた。そこにはかねて着替えの包が置いてあったのである。

討九郎は堤を駆け下りながら、

「何者だ」と叫んだ。不意をつかれて、相手は愕然《がくぜん》と身をひらき、いま脱《と》ったばかりの大剣を拾った。討九郎はその面前へつめ寄りながら、「貴公いまこの川の瀬ぶみをしたな」

「…………」相手はとびだしそうな眼でこちらを見た。

「何者だ、名乗れ」

「せ、瀬ぶみではない」相手は舌の硬《こわ》ばった声で叫んだ、「拙者は尾張家の家臣だ、水馬の稽古《けいこ》をしにまいったのだ、誰のさしずでもない、おのれのための馬術の稽古をしていたのだ」

「それにしては場所が悪いぞ」討九郎はそう云いながら大剣を抜いた、「矢矧川は岡崎の要害だ、いや江戸幕府を護《まも》る要害なのだ、その瀬ぶみをしたからは、たとえそれが大納言家の申付けだとしても生かしては置けぬ、抜け！」

相手ものがれぬ場合と覚悟していたらしい、討九郎が「抜け！」と叫ぶより疾《はや》く、いきなり真向から抜き打ちをしかけた。……凍《い》てる明けがたのしじまを破って、劈《つんざ》くような絶叫がとび、灰色の空に剣光がはしった。しかしそれは一刹那《いっせつな》のことで討九郎の剣が大きく一閃《いっせん》したとみると、相手は悲鳴をあげながら横ざまに川の浅瀬へ転倒した。討九郎は大股《おおまた》に近寄り、差添を抜きながら、ぐっと相手の濡《ぬ》れた衿《えり》がみを取った。

六

大納言義直の行列が宿所を発したのは、その朝の八時であった。……家老、町奉行らは連尺町まで見送りに出たが、討九郎の姿はみえなかった。かくて行列は城下町をぬけ、畷道《なわてみち》にかかったが、どうしたことかふいに乗物がとまってしまった。

「どうしたのだ」

義直の声で使番《つかいばん》が走って行った、彼はすぐに戻って来た。

「申上げます、お供先の路傍に梟首《さらしくび》がございますので、とりのぞくよう掛け合っております、いましばらく」

「……梟首だと？」

義直の顔色が変った。するとそこへ供頭がはせつけて来た。

「申上げます」

「なんだ」義直は身をのりだした。

「お行列みちすじに梟首がございますので、とりのぞくよう厳重に申し談じましたるところ、岡崎家臣兼高討九郎なる者まかり出で、大法を犯したる曲者《くせもの》の梟首なればとりのぞくことかなわず、たって所望なれば押し破って通られよと申し、鉄砲三十挺《ちょう》火縄《なわ》をかけて動きませぬ、いかがつかまつりましょうや」

「兼高、兼高と申したか」義直は唇《くちびる》を嚙《か》んだが、「よい、そのままやれ」そして行列は動きだした。

畷道に高く梟首をかけ、徒士組《かちぐみ》三十人に鉄砲を持たせて、二人の番頭《ばんがしら》が警護していた。一人は川越無右衛門、一人は兼高討九郎、かけた首はいうまでもなく矢矧川の瀬ぶみをした尾州家の家臣のものである。……しずかに行列がそこへさしかかったとき、義直は乗物を停《と》めさせた。そしてぐっと身をのりだしながら、高くかかげた梟首と、平伏している警護の者たちを見やった。

「……兼高、面をあげい」はげしい声だった、「そこにあるのは、いかなる罪を犯した者の首か、また、どうして余の通行にさきだって梟《か》けたのだ、仔細《しさい》聞こう」

「恐れながらお直《じき》に申上げます」討九郎もぐっと面をあげた、「これなる者は今早朝、矢矧川を馬にて瀬ぶみつかまつりました、申すまでもなく矢矧川は岡崎の要害、これなくして岡崎の護りはございません、これを瀬ぶみされ平地の如《ごと》く相成りましては、岡崎一城あって甲斐《かい》なき仕儀となります、依《よ》ってすなわち討ち止め、要害をさぐる大罪人としてこれに梟首つかまつりました、……また、大納言さま御みちすじにかけました仔細は」と云いさして討九郎はきっと義直を眄《み》た、「この者みずから、恐れおおくも尾州さま御家中《かちゆう》なりと名乗りました、進退窮しての痴言《たわごと》とは存じましたが、万一にも事実なれば天下の大事ゆえ、無礼をもかえりみずこれに梟し、恐れながら御尊眼をけがしましてございます、……この首級《しるし》まこと御家臣にござりましょうや否《いな》や、篤《とく》と御尊鑑をねがいまする」

膝《ひざ》づめにのっぴきさせぬ言句だった。うしろには川越無右衛門はじめ、徒士組三十人が鉄砲を構え、すわといえば切って放たんず意気ごみである。……理非は明白だ、これ以上なにかするとすればそれは合戦である。義直はつきあげてくる忿怒《いかり》をけんめいに抑えながら、

「……見知りはない」とひと言、「乗物やれ」そう云って顔をそむけてしまった。

大納言義直は斯うして岡崎を去ったが、そのあとで仔細を聞いた老臣たちは驚き、すぐ討九郎に謹慎を命じたうえ、江戸表へ急使をもってこれを報告した。監物忠善からは折返し使者が来た。老臣たちへはなんと云う口上だかわからない。討九郎へは墨付だった。それには次のような意味が書いてあった。

申し遣わすこと、そのほうに馳走番を命じたる仔細、いまこそ合点まいりたるべし。

よき仕方なり褒《ほ》めとらす。

余が帰国までその心得おこたるべからず。

討九郎ははっと眼がさめたように思った。じぶんを馳走番にえらんだ主君の真意がいまはじめてわかったのである。だあん！　いつか鉄砲的場で、頭上に炸裂《さくれつ》した主君

の鉄砲の音が、まざまざと耳底によみがえってきた。彼は墨付を押し戴《いただ》きながら「……殿」と云って平伏した。

（昭和十七年三月成武堂刊『内蔵允留守』所収）

義《よし》経《つね》の女《むすめ》

そのとき千珠《せんじゅ》は、屋形の廂《ひさし》にいて、京から来た文《ふみ》を読んでいた。建久《けんきゅう》二年の、正月もまだ中ごろのことだったが、伊豆のくには暖かくて、簀子縁《すのこえん》のさきにある蔀格子《しとみごうし》から、やわらかい午後の光といっしょに、さかりの梅の香が噎《む》せるほどもよく薫《にお》ってきた。文のぬしは千珠にとっては義理の姉にあたり、讃岐《さぬき》といって、二条院に仕えているひとだった。歌人としても名だかいひとだけに、やさしく巧みな手つきで「去年十一月に都へのぼった頼朝の、参内の儀のゆかしく美しかった」ことや、「その供をしてのぼった兄の駿河守《するがのかみ》（広綱）にひさびさで逢《あ》えたよろこび」などを眼《め》に見るように書きつらねたうえ「つたないもので恥かしいけれど」といって五六首の歌が添えてあった。千珠はそこまで読んできて、ふとその歌の中の一首につよく心をひきつけられた、それはふしぎなほど心をひく歌だったので、われ知らずそっと口のなかで繰り返してみた。

あと絶えて浅茅《あさじ》が末になりにけりたのめし宿の庭の白露

いかにもはかなく寂しげな詠《よ》みぶりである。口ずさんでいると、荒涼とした秋の野末に、たった独りゆき暮れたような、かなしいたよりない気持になって、千珠は思わずほっと太息《といき》をついた。そしてそのまま、内庭のほうへ眼をやってぼんやりしていると、中門のあたりでにわかに騒がしい物音が聞え、あわただしく廊を踏んで良人《おっと》の有綱がはいって来た。つねには起《た》ち居《い》のおだやかな良人なのに、はいって来たようすも乱《ろう》がわしく、顔つきもいくらか蒼《あお》ざめているので、千珠はなにも聞かぬうちから胸がおどった。

「千珠、、、ことができた」と有綱は低いこえで云《い》った、「河越城《かわごえ》へにわかに鎌倉《かまくら》から兵が寄せて、重頼どのをお討ち申したというぞ」

千珠の額がさっと蒼くなった、それはまことでございますか、そう訊《き》こうとしたけれど、舌が硬《こわ》ばってしまったし、訊くまでもないということがすぐに頭へひらめいた。

「急ぎの使者で、くわしいことがわからないから、すぐようすをさぐらせに人をやった、鎌倉へも使《つかい》をだしたが、伊予守《いよのかみ》どののゆかりになってお討たれなすったとすれば……」

そこまで云いかけて、有綱はあとをつづけることができなくなり、「わが身もそなたも、心をきめておかなければ」とつぶやくように云って、対屋《たいのや》のほうへ出ていってしまった。

いよいよそのときが来た。千珠はそう思った。二年まえ、文治《ぶんじ》五年の夏に、伊予守義経がみちのくの衣川《ころもがわ》で討たれたときから、こうした日が来るのではないかと案じていた。そのときが来たのである。河越太郎重頼は義経の舅《しゅうと》にあたる、重頼の女《むすめ》が義経の妻になっていたのだ、千珠は義経の女《むすめ》である、舅が討たれたとすれば、女である千珠が無事である筈《はず》はない、良人の云うとおりで、まさしく心をきめなければならぬときだ。みぐるしいふるまいをしてはいけない、千珠はそう自分をたしなめながら、しずかに立って身舎《もや》へはいった。

今にもと思っていたが、なにごともなく日が経《た》っていった。河越へやった者も、鎌倉へやった者も帰って来たけれど、太郎重頼の討たれたことが精《くわ》しくわかっただけで、なんのためという理由はわからなかった、「たしかに伊予守どののゆかりに座したのだ」有綱もそう云うし、千珠もそれに違いないと思いながら、けれどもしやするとほかに理由があるのではないかという気持もして、いかにも落ちつかぬ日をおくっていた。十日ほどして、京から頼朝が帰って来た。日本総追捕使《そうついぶし》征夷《せいい》大将軍としての晴れの帰国だった。有綱は駿河のくにまで迎えに出た。頼朝はきげんよく会い、ひきで物などあって、有綱はたいそうめんぼくをほどこした。それから供の中にいる筈の、兄の駿河守広綱に逢おうとすると、そこで思いがけぬことを知った。広綱はなにゆえか、帰国の途中でふいに姿を隠してしまい、どこへいったかゆくえがしれないというので

ある、

——河越のことを聞いたからだ。

有綱はそう直感した。そこですぐにいとま乞《ご》いをして伊豆へ帰ると、屋形の内はいろめきたっていた、留守の間に鎌倉から「千珠どのを鎌倉へさしだすように」という使者が来たというのである。

「いずれひと合戦と存じまして、その支度をしているところでございます」

留守の侍たちはいきごんでそう云った。庭には楯《たて》が運び出されていた。弓を張る者、矢を揃《そろ》える者たちが右往左往している、厩《うまや》のあたりから遠侍《とおさぶらい》へかけて、甲冑《かっちゅう》を着ける物音や叫び交す侍たちの、けたたましい声があふれていた。よしと云って有綱は奥へはいった。有綱は屋形の内をそこ此処《ここ》とたずねまわったうえ、ようやく持仏の間にいる妻をみつけた。

「千珠いよいよ時が来た」

そう云って有綱が坐《すわ》ると、千珠はしずかに向き直って、「御前のごしゅびはいかがでございましたか」と訊いた。有綱は気ぜわしくそのときのことを語った、頼朝が案外きげんよく会ったこと、ひきで物のこと、そして兄広綱のことなど。……千珠はしずかにうなずきながら聞いていたが、やがて「あらためてお話し申したいことがございます」とかたちを正して云った。

「わたくしを鎌倉へやって下さいませ」

　有綱はおどろいて眼をみはった、千珠は良人のおどろくさまをかなしげに見あげながら、「このたびのことは千珠ひとりにかぎり、お屋形にはなんのおかかわりもないのでございますから」

「ばかなことを云ってはいけない」

「いいえお聞き下さいまし」千珠はしずかに押し切って云った、「鎌倉の大殿（頼朝）が父伊予守をお討ちあそばしたのは、御自分の小さなおにくしみだけではございません。平氏は武家でありながら、都に住み、公卿《くぎょう》ぶりに染まって、あらぬ栄華に耽《ふけ》ったため、亡《ほろ》びました。大殿にはそれを前車の戒めにあそばして、征夷の府を鎌倉に置き、武家が天下の守護人であること、身を質素に持し、倹約をまもり、心をたけく男々《おお》しく、武士らしき武士となることをきびしくお示しあそばしました」

父のことを女《むすめ》としてあげつらうのは申しわけないがといって、千珠は眼を伏せながらつづけた、「父伊予守はもと京に育ち、また木曾《きそ》殿（義仲）の変には都にあって、内裏《だいり》へものぼり、公卿がたとも往来して、おふるまいもとかく華美になりました。そのうえ合戦のみごとさは世に隠れもなく、下人《げにん》の末までがはなやかに評判をするありさまでした、これは大殿の、武士はあくまで質実剛直でなくてはならぬ、武家の本分をまもって世の模範となれという、きびしい御政治とは合わぬものです、御勘気のおお根はそこにありました、しかも世の人々はみな父伊予守のはなばなしさに心をひかれています、新しい質実な政治をおこない、乱れた天下を泰平にするためには、衣川のかなしい戦は無くてはならなかったのだと存じます」

「それはよくわかった、けれどもそのおにくしみがなぜ千珠にまで及ぶのだ、河越殿はなぜ討たれたのか」

「伊予守のゆかりでもし反旗でもあげるようなことがあってはならぬ、そうおぼしめしてでございましょう、それが禍《わざわ》いの根を刈ることになって、世の中がおさまり、天下が泰平になるのでしたら、河越さまの御さいごもあだではなく、千珠も死ぬことはいといませぬ、わたくしは覚悟をきめました、どうぞ鎌倉へおやり下さいまし」

そう云って千珠は、心のきまった、いかにも爽《さわ》やかな眉《まゆ》をあげて良人を見、いつぞや京の義姉《あね》から来た文をとりだして「このお歌を読んで下さいまし」とそこへひろげた。それは「あと絶えて浅茅が末になりにけり……」というあの一首だった。

「わたくしはお歌の意味をこうだと存じました。

兄ぎみ駿河守さまはおゆくえ知れず、今またあなたさまが千珠の縁にひかされて、鎌倉へ弓をひかれるようなことになりましては、世の中を騒がす罪も大きく、故三位《さんみ》（頼政《よりまさ》）さまのお血筋も絶えて、まったく浅茅が末のあさましい終りとなってしまいます」

妻への情に負けて、多くの人を傷つけ、世を騒がし、ひいては家を廃絶するような、みれんなことはして呉《く》れぬよう、自分ひとりの命はもういずれとも覚悟をきめているから、千珠は心をこめてそうねがった。有綱には妻の心がよくわかった、その言葉にも誤りはない、今はなにごとをおいても天下を統一し、世を泰平にしなければならぬときである、そして妻はおおしくもおのれの覚悟をきめているのだ、——だが、そうだからといって、みすみす妻ひとりを死なせにやれるだろうか。

有綱は苦しくかなしく、胸いっぱいにそう叫びたかった、おそらくその気持がわかったのであろう、千珠は涼しげに微笑さえうかべながら云った、

「千珠は命をめされるかも知れません、けれどもそれは、世のために大きく生きることだとおぼしめして下さいませ」

有綱は眼にいっぱい涙をため、やさしく妻を見まもりながらうなずいていた。それから数日して、或《ある》晴れた日の朝、千珠は迎えの輿《こし》に乗って鎌倉へと去った。

附記　千珠という名は仮のものである、義経の女《むすめ》というだけで名が伝わっていないため、筆者がかりにそう呼んだにすぎない。またその生死のほども、明らかに記した書をまだ見ない。駿河守広綱は、のちに醍醐寺《だいごじ》へはいって出家したそうである。二条院の讃岐という人は「沖の石の讃岐」といわれて、新古今集などにも多く歌を載せられている。

（「少女之友」昭和十八年十二月号）

主計《かずえ》は忙しい

一

持って生れた性分というやつは面白い。こいつは大抵いじくっても直らないもののようである。筆者の若い知人に、いつも「つまらない、つまらない」と云《い》う青年がいた。なにがそんなにつまらないのかと訊《き》くと、「なにもかもつまらないんです、別に理由はないんで、ただつまらなくってしようがないんですから」と答える、「――なにしろ尋常三年生のときからこっちずっとつまらないんです」こう云って欠伸《あくび》をした。それからまた、「こいつは遺伝かもしれません、親父もよくそう云ってましたからね」などと云いだした、「――うちは百姓ですが、親父はなんにもしやしません。一日じゅう座敷に坐《すわ》って、莨《たばこ》をふかしたり寝ころんだり、古いぼろ三味線を持ち出して来て、ぽつんぽつん糸を弾《はじ》いたりしているんです、そんなものすぐに抛《ほう》りだして、欠伸をして寝ころんじまう、そうしちゃあ溜息《ためいき》をついて、ああつまらねえ、よくそう云ってましたよ」要するに親の代からつまらないというわけで、さすが物に動ぜざる筆者も、これには挨拶《あいさつ》の言葉がなかった。

牧野主計《かずえ》はひじょうに多忙である。彼の日常をみればわかるが、こっちの頭がちらくらするほど忙しい、もちろんそういう位置にもいたわけだが、性分がもう少しどっちかへずれていたら、それほど忙しがらずとも済んだ筈《はず》である。——とにかくまず御紹介するとして、赤坂氷川下《ひかわした》まで来て頂きたい、そこに原田市郎左衛門の大きな町道場がある、門の前に下男が二人いて、しきりに掃いたり水を撒《ま》いたりしているが、なにかみつけたとみえ、一人が高箒《たかぼうき》を控えて笑いながらこう云った。

「おいみな、また韋駄天《いだてん》が飛んで来るぜ」

「いやはやどうも」片方も苦笑する、「——足もとから土煙りが立ってる、どうしてまああんなに忙しいのだろう」

「避《よ》けろ避けろ、轢《ひ》き殺されるぞ」

向うから走って来る者がある。色の白いやや肥《ふと》った軀《からだ》で背丈は五尺八九寸、かたちのいい眉《まゆ》にきゅっとひき緊《しま》った唇《くちびる》、ちょっと下三白《したさんぱく》だが品のいい眼《め》で、なかなかぬきんでた風格である。——これが御紹介する牧野主計だ、父は永井上総守直陳《かずさのかみなおのぶ》の家臣で、九百五十石の江戸やしき勘定奉行、彼はその二男で年は二十五になる。三年まえから原田道場の師範代をつとめ、同時に会計も事務もひきうけていた。それは師範の市郎左衛門が病気がちなのに、折江という娘が一人しかなく、それらの事を托《たく》す者がなかったからである。……で、彼は走って来た。正に下男どもの云う如《ごと》く足もとから土煙りを立てて、だがこれは今朝に限ったことではなく、いつもこのとおりだから御承知が願いたい。

「お早うございます」二人は道を避けて挨拶した、「――いいお日和《ひより》でございます」

主計はかれらの前を風のように擦過した。

「ああお早う、いい日和だな、いつも精が出るな、御苦労」

こう答えたのであるが、二人の耳にはあいうえおという風にしか聞えなかった。――主計は脇《わき》の入口からとびこんで、自分に当てられた着替え部屋へはいった。弥一郎という十三歳になる内門人の少年が、手になにか持って、口をもぐもぐさせながら追って来た。

「牧野先生お早うございます。木下さんが来て待っておいでですよ」

「木下、――どこの木下だ」

「めだまですよ、めだまの木下さんです」

「そういうことを云ってはいかんと云ってあるだろう、なにを喰《た》べてるんだ、一つよこせ」少年の持っている紙袋へ手を入れ、二つ三つ摘《つま》んで口へ抛りこむ、「――なんだ、松華堂の玉露糖じゃないか、こんな贅沢《ぜいたく》なものをどうしたんだ、買い食いをするひまがあったら少しは稽古《けいこ》をしろ」

「いいえ買い食いなんて」少年はひどく狼狽《ろうばい》した、「——これは貰《もら》ったんですよ、本当です、武田さんに貰って」

だが主計はもう廊下へ出ていた。いちど道場を覗《のぞ》いて、「すぐ始めるぞ」と声をかけ、そのまま接待へはいっていった。——木下六郎兵衛は川越《かわごえ》の秋元但馬守《あきもとたじまのかみ》の家臣で、牧野とは遠縁に当っていたし、主計とはごく幼い頃《ころ》からの親しい友だった。一人息子で父が去年亡《な》くなってから、家督を継いで母とふたりで暮している。木下も母親も暢《のん》気《き》な性分で、ときたま訪ねる主計には、自分の家より気楽で居ごこちがよかった。

「やあ待たせて済まなかった、ばかに暑いじゃないか、春でも来たようじゃないか」こう云いながら主計は坐る、「——たいへん待ったかね、しかしばかに早くどうしたんだ」

「相変らずおちつかないな」六郎兵衛はにやにやする、「——第一に暑くなんかない、寧《むし》ろ今朝は冷えるよ、寒いと云ってもいいくらいだ、第二にそうたいして待ちゃあしない、つい今しがた来たばかりさ、第三に早く来ることは知っている筈だ、昨日ちゃんとそう云ってあるんだから」

「昨日だって、おまえが、……おれにか？」

「おい冗談じゃないぞ」六郎兵衛は口をへの字なりに曲げた、「——それじゃあ頼んでおいたことも忘れたのか」

「ああそうか、そうか、あれは今日かね」

主計はにやっと笑う、相手もにやっと笑う。だが主計はまだ頼まれた用件というのを思いだせない、そこで話を転じようと、一種の表情をするとたんに、六郎兵衛はちゃんと察して答えを出してやった。

「忘れたんだな、金だよ」

「ああ金」主計はびくっとした、「——金だって、おいおい金ってなんの金だい」

「おまえが忙しい人間でなければ、おれは殴るところだぜ」六郎兵衛は拳骨《げんこつ》を握ってみせた、「——七日の式の費用がどうしても足らない、済まないが五枚だけ頼むと」

「ああわかったわかった、そうかあれはおまえか、同じような話が三つあったんでどれがどれだかつい眼移りがしちゃって」

「へえーそういうのも眼移りかね」

「まあ怒るなよ、慥《たし》かに五枚ひきうけた、しかし明日じゃいけないかね、忘れたというわけじゃないが、なにがあれしてなんだもんだからね、ついあれしてなにがその」

「明日でもいいさ、しかし早くないと困る」

「おれが届けるよ、暗いうちならいいだろう」

「明るくなってからでもいいさ、じゃあ忙しいだろうから帰る」六郎兵衛はこう云って立上った、「――金五枚、明早朝、こんど忘れたら本当に怒るぞ」

「もちろん大丈夫、心得た、が、――おい、式をやるってなんの式だい」

六郎兵衛は振返って大きな眼玉（そのためにそういう綽名《あだな》のある）を剝《む》いてこっちを睨《にら》みつけた。そしてなにも云わずにさっさと玄関のほうへ出ていった。――主計は部屋へもどるとすぐ、稽古着になって道場へとびだした。そのころ原田道場といえば江戸でも指折りの存在で、内外あわせると三百人あまりの門人を擁し、主計を筆頭に四人の師範代が教えていた。あるじ市郎左衛門はいま病弱のため殆《ほと》んど教授をしないが、梶派《かじは》一刀流では遠近に知られた武道家である。彼の師は梶新左衛門といって、小野二郎右衛門忠勝の直系であるが、その小野派一刀流から出て新しく自分で「梶派」を建て、将軍家の手直し番にまで上った人物である。その梶派の二代を継いだのが原田市郎左衛門なのだから、筆頭師範代をつとめる牧野主計もそうありふれた腕でないことは慥かだ。

道場では武田平之助と亘理《わたり》又十郎が稽古をつけていた。もうひとりの師範代は坐って見ていたが、主計が来ると眼で招いた。杉原兵庫助《ひょうごのすけ》といって三人のうちではいちばん腕が立ち、教えかたが軟らかいので門人たちに好かれていた。

「あれを見て下さい、武田のを」兵庫助はこう囁《ささや》いた。

「——またいやなことを始めました」

主計はそっちを見やった。

武田平之助は市郎左衛門の子飼いからの門弟で、ひところは筆頭師範代に擬せられたほどであったが、この一二年酒をおぼえたためか手筋が荒《すさ》んで暴《あら》あらしくなり、どうかすると無法な奇手をあみだして、市郎左衛門の怒りをかうようなことがたびたびだった。——いまも井上という上位の門人と立ち合っているが、躰《たい》の構え足の踏みかたが異様である。慥かになにか法外れな手を案じだしたらしい。主計は眉をしかめると、声をあげながらそっちへずかずか近寄っていった。

「ちょっと厳しそうじゃないか、井上には無理だ、おれが代ろう」

「——厳しそうだって」平之助は竹刀《しない》をさげてこっちを見た、「——そんなことがあるものか、ほんのちょっとしたくふうだよ」

「みせて貰おう」

「いいけれども、やるなら胴を着けてくれないか」

平之助はこう云って唇で笑った。自分より上を遣うものに胴を着けろと云うのは、それだけの自信があってのことだろうが礼儀ではない、寧ろ傲慢《ごうまん》ともいうべきで、こういう修業をする者としては、極めて不心得な態度である。主計はそれならと云って、すなおに胴を着けた。

二人は位取りをした。互いに中段である、ごくあたりまえな中段にとって呼吸五つばかり、後ろへひいた主計の右足の踵《きびす》がすっと僅《わず》かに浮いたが、同じ刹那《せつな》に平之助の竹刀が弧を描いて左から主計の腰を斬《き》り上げた、もちろん軽い手である、しかし斬り上げた竹刀はそのまま電光のように返って主計の逆胴をはっしと斬って取った。

「まいった——」

主計は二間ばかりとび退ってこう叫んだ。それからすぐ相手のそばへいって、ずいぶん厳しいなと低いこえで囁いた。

「少し厳しすぎる、ほかの者にはいけないな、やるときはおれを相手にするがいい、まちがうととんだことになるよ」

二

平之助は苦い顔でなにか云おうとしたが、主計はもう振返って、「さあ河村いこうか」と次の者に稽古をいどんでいた。——二時間して道場をあがると、裸になって裏の井戸端へとびだした。ふつうは雑用をする内門人に世話をさせるのだが、彼はひとりでがらがら水を汲《く》みあげ、五六杯肩から浴びて膚《はだ》の赤くなるまで手拭《てぬぐい》で擦《こす》る。春とはいっても二月初旬のことでまだかなり寒いが、これは真冬の烈風や雪の日でも同じことだ。……きゅっきゅっと音のするほど軀を擦っていると、庭をまわって一人の娘がこっちへ来た。この家《や》のむすめ折江である、上わ背もあるし手も足ものびのびとした豊かな軀つきで、眉の長い眼もとのやさしいおっとりとした顔だちをしていた。

「やあこれは」主計は吃驚《びっくり》して、まだ濡《ぬ》れている軀へ浴衣《ゆかた》をひっかけた、「――これはどうも、お早うございます、いや、もうそれほど早くはありませんな、どうなさいました、なにか御用ですか」

「こんなところへまいって失礼ですけれど、お部屋ではいつもお人がいらっしゃいますので」折江はこう云って彼の眼を見た、「――それにもう、ずいぶん日も経《た》っておりますから、どうなすったかと思いまして」

「と仰《おっ》しゃると、――ああそうですか、節句のお支度のことですね」

「いいえ、いつかお話し下すったあの、――あのことでございますわ」

「わかりました、妹の琴をお譲りする話でしょう」主計はにこりと笑う、「――大丈夫ですよ、まだ話してはありませんがあいつ嫁にゆくんですから。琴を三面も持って嫁にゆけやしません、必ずお譲りするようにしますから安心していらっしゃい」

「わたくし琴のことなど申上げてはおりませんわ」

「琴でもない」主計は狼狽する、「――と云うといったい、……ああ、ああわかった、あれですね、あの古竜堂で持って来た茶壺《ちゃつぼ》」

そのとき向うで弥一郎が呼びたてた。

「牧野先生お客ですよ」

「よし、いまゆく」

「わたくし明後日《あさって》から松乃をつれて江の島へまいります」折江は口早にこう云った、「――往《ゆ》き帰り十日はかかると存じますから、そのあいだに話をおきめになって下さいまし、こんどこそお願い致します」

「はあ承知しました、しかし江の島へいらっしゃるって、なんです、なにか御用でもあるんですか」

「お客さまが待っておいでですわ、もういらっしゃいまし」折江はやれやれという風に頭を振った、「――江の島から鎌倉《かまくら》へ見物にゆくということは半年もまえからの話で、よく御存じの筈ではございませんの、貴方《あなた》のお忙しいことを知っていますから、がまん致しますけれど、……いいえようございますわ、いらっしゃいまし、ただあのことだけはお忘れのないようにお願い致しましてよ」

「はあ慥かに、必ずこんどは大丈夫です」

接待には五人の客が待っていた。三人は若い武家の入門希望者であった、彼はそれを杉原兵庫助にひきついだ。腕の程度をみて入門の諾否をきめるのである。他の一人は榎町《えのきちょう》の秋元但馬守の家臣で、「出稽古に来て貰いたい」という相談、もう一人は下谷《したや》の横川又右衛門という剣法師範の使者で、「三月某日、芝愛宕山《あたごやま》で奉納試合をするが、そのとき当道場からも参加して貰えますか」という申込みであった。この二つは自分の一存ではきめられない、待たせておいて師の部屋へいった。――そこはこの建物の西の端にあり、榁《むろ》の木を林にした庭に面し、西側の窓の外は竹藪《たけやぶ》になっていた。市郎左衛門はその窓に倚《よ》って、鶯《うぐいす》の鳴くのを聞いていた。まだ五十二の若さであるが、病弱になってから生やした顎髯《あごひげ》が殆んど白く、骨立った頰《ほお》やするどい眼のあたりに非凡な人のひらめきが感じられるけれども、全体としては憔悴《しょうすい》の色がかなり強くあらわれていた。

「秋元侯はやかましいので評判だ、亘理や杉原では到底いけないだろう、そこもとはもう手一杯であろうし、お断わりするほうがよくはないか」

「私《わたし》でよければまいります、決して手一杯などということはございませんから」主計はこう云《い》ってすぐ次へ移る、「――奉納試合はどう致しますか、下谷の横川というのは慥か念流だと思いますが、ちょっとかんばしくない噂《うわさ》を耳にしたことがあります」

「こちらに総稽古があるからと云って断わるがよかろう、益もないことだ」

「はい、では私これから稽古に出ます」

接待へ戻って二人にそれぞれ返辞をし、出るしたくをしているとまた客だ。一人は相模屋《さがみや》吉兵衛という武具屋、これは道場で使う面籠手《めんこて》や竹刀の修理新調を扱っている。一人は大工の棟梁《とうりょう》で、道場の一部を直す相談である。かれらとの話が済むなり石井勇作という内門人に道具を持たせて主計は出た。——麻布《あざぶ》六本木の脇坂《わきざか》家から飯倉の松平伊賀、次に芝桜川町の松平右京家、愛宕下の島津兵部、そして金杉橋《かなすぎばし》の戸田大学という順である。戸田を済ませて出るともう町は黄昏《たそがれ》だった。

「やあ御苦労、帰っていいよ」主計は勇作にこう云った、「——おれは用事があって銀座のほうへまわるからな、じゃあ」

そしてさっさと歩きだした。——勇作はそれを見送りながらにやにや笑った。出稽古の帰りには三日にいちど必ず「銀座へまわる」と云って別れる、半年ばかりまえからのことでおかしいと思ったから或日《あるひ》そのあとを跟《つ》けてみた。すると銀座などというのは嘘《うそ》で、芝神明《しばしんめい》のはなやかな町へゆき、とある横町の粋《いき》な造りの家《うち》へはいる、近所できくと荻江節《おぎえぶし》を教える家《うち》だそうで、師匠は園次《そのじ》という美しいので評判の女だということであった。

——あの忙しいからだでよくそこまで手がまわるな、呆《あき》れたものだ。道場へ帰ってその話をすると、みんなそう云ってあっけにとられた。中にはまたそのくらいの道楽がなければ却《かえ》って躯が続かんだろうと云う者もあり、先生の耳へはいれないようにと注意しあったものである。——そんなことがあろうとは夢にも知らず、主計は例のいそぎ足で神明へやって来ると、問題の「粋な造りの家」へやあ御免と云いながら無遠慮に上りこんだ。

「あら牧野さんですか、ちょっと待って下さいな」

襖《ふすま》の向うでそう云う声がしたとき、すでに主計はその襖をあけていた。

「あらいけません、こんな恰好《かっこう》なのよ」

いま風呂《ふろ》から帰ったところらしい。肌《はだ》ぬぎになって鏡へ向っていた女が、両袖《りょうそで》で胸を隠しながら振返った。——これが園次である。なるほど美しい。柔らかな肉付きのやや肥えた軀つきであるが、背丈が小づくりで関節が緊《しま》っているから、寧ろかたちよく瘦《や》せてみえるくらいだ、年はもう三十二になるのだが、二十三四より上にはみえない。こんなしょうばいに似合わず、仇《あだ》っぽいというよりやぼったい感じで、それが一種のひと懐《なつ》っこい美しさを表わしていた。

「これはどうも」主計は少しも騒がず、「――向うの部屋はあいているかね」

「ええおしたくが出来てるでしょう」

「じゃあ御免を蒙《こうむ》るよ」こう云って次の間へゆく、そこは女主人の寝間らしく、色なまめかしい道具《やぐ》がのべてある、主計は羽織《はおり》と袴《はかま》をぬいだなり、その中へもぐりこんで寝てしまった。――これは相当けしからぬ仕掛けである、彼ほどの人間がかくの如《ごと》きじだらくな振舞をするとはなにごとであるか、読者はこう敦圉《とんぎょ》されるかもしれない、だが心配は御無用、一時間ぐっすり眠った彼はとび起きて顔を洗うと、園次を相手にまじめくさって荻江節の稽古を始めた。

「いいえそうじゃないんですよ、ようござんすか、つつんつんつん、ちちちつんつつん、萩《はぎ》のしずくのはらはらと、しいずうく――こう張るんです、はい」

「私は張ってる積りなんだがね、――萩の、しいずうくう……」

「いいえ、しいずうく――ですよ、はい」

まる一時間「萩のしずく」でいじめられ、汗のしずくを拭って立上ると、まっしぐらに虎の門外にある永井家の上屋敷《かみ》へ帰り、殆んど門限ぎりぎりにとびこんだ。家では朝が早いから父も妹もたいていは寝ている、母親だけはどんなにおそくとも食事のしたくをして待っていてくれるが、この頃《ごろ》は特に帰りのおそいことが続くので、それとなしに探るような眼《め》で見られるのがうるさかった。

「あたしたちの後だけれど風呂へおはいりなさらないか、暫《しばら》くはいらないのでしょう」

「なに毎日二三度も水を浴びますから」

「水では垢《あか》はおちませんよ、ざっと流していらっしゃいな、そのあいだにお汁を温ためておきますから」

「いや御飯にして下さい、全然はら、ぺ、こ、です、やあ鯉《こい》ですね」彼は膳《ぜん》の前へ坐《すわ》る、

「——すると源助が来たんですか」

「たまきの御祝儀《ごしゅうぎ》の日を思い違えたんだそうです、またあさって持って来ると云ってましたよ、あなたお汁をあがらないの」

「鯉濃汁《こいこく》があるんですか、もちろん頂きますとも」

「この頃だいぶお帰りがおそいのですね」母親は汁を温ために立ちながら云った、

「——お忙しいのだろうけれど、こんなにおそくなるのなら食事をなすって来なければ毒ですよ」

「でも食事は家のに限りますからね、母上のお手料理を頂いてはよそのは喰《た》べられやしません、まったくですよ」彼は母の追及を避けるために無意味な言葉を続ける、

「――源助はまたあさって来るんですか、へえ、百姓はうまくいってるんですね、下男としても使える男だ、だから百姓でも相当でしょうね、いちど私も会いたいのだけれどこう忙しくては……」

三

武家は朝の早いものであるが、牧野ではどこより早起きで名がある。一年じゅうとおして午前四時には全家族が朝食をする定《きま》りで、病臥《びょうが》公用でない限りこの家法から除外されることは決してない、――主計は三時ちょっと過ぎに起きると、顔を洗うまえに妹の部屋へいった。たまきは鏡に向って髪を梳《す》いていた、今年十八歳になる、軀《からだ》も大柄《おおがら》だし顔かたちも派手なので、主計は「饅頭牡丹《まんじゅうぼたん》」という綽名《あだな》をつけ、たいへん泣かれたし父親に怒られたことがあった。

「やあお早う、もう起きてたのかい」
「あらこんな処《ところ》へいらしってはいやですわ」
「すぐゆくよ、ほう、いい髪をしているな」彼はこう云いながら側《そば》へ寄る、「――ずいぶんみごとじゃないか、これは知らなかった、丈《たけ》なす黒髪というやつだね」
「もうたくさん、あちらへいらしって」

「じつは頼みがあるんだよ」
「ほうら、たいていそうだと思いましたわ、髪をお褒《ほ》めなさることなんぞためしがないんですから」
「そんなことがあるものか、それとこれとは別だ、おれは口では云わないがいつでもおまえを自慢にしているんだ、それでなくったって兄妹じゃないか、お世辞をつかって金を借りるなんていう他人行儀なことをするものか」
「お金ですって、――わたくしにですの」
「済まないが五両、ほんの四五日だよ」
「だって、そんなにたくさん何に御入用《ごいりよう》なんですの」
「それはいろいろあるさ、つまり竹刀を新しく買わなくちゃならないし、稽古《けいこ》着だの面だのもあるし、とにかく四五日すると道場から手当が下《さが》るんだ、それまででいいから」
「ねえ主計兄さま」たまきは櫛《くし》を措《お》いて兄を見た、「――あなたなにか隠していらっしゃいますわね、この頃はずっとお帰りもおそいし、お金もかなりお遣いなさるし、いいえわたくしはお信じ申しておりますけれど、父上や母上はたいそう心配していらっしゃいますわ、なにかわけがあるのでしたら」

「冗談じゃない、ばかなことを云っちゃあいけない、子供じゃあるまいしそんな、少しぐらい帰りがおそいからってそんな、つまらないことをいちいち疑ぐられて堪《たま》るものか、とにかく急ぐんだからちょっと五両」
「わたくし、そんなにたくさん持っていませんわ」
「だめだよ、このあいだ借りるとき見たら二十両もあったじゃないか」
「まあ呆れた、そんなことまでごらんになるなんて、恥ずかしいとお思いなさらないんでしょうか、以前はお金のことなぞ口になさることもなかったのに」
「乞食《こじき》の子だって三年経てば三つになる、さあ頼むよ」
「いやですわ、あのお金はお嫁入りに持ってゆくんですから」
「だからさ、四五日すると道場から手当が出るんだ、そうすればこれまでのものも纏《まと》めて、なんなら利を付けて返すよ、大丈夫まちがいなしなんだ、母上に云えばいらない心配をなさるし、おまえのほかに頼む者がないんだから、そう焦《じ》らさずに早く出してくれ」
「すっかりお上手になって、とてもかないませんわ」たまきはこう云って兄をやさしく睨《にら》み、手文庫をひき寄せて金を紙に包んだ、「――その代り明日のお式にはきっと出て下さいましね、今からお約束しておきましてよ」

「有難う、これでおれの面目が立つよ、しかし明日の式って、――なんだっけね」

「こころ細いのねえ、たまきのお輿入《こしい》れじゃございませんか」

「お輿入れ、ああ嫁にゆくんだっけな、知ってるよ、なに忘れるものかきっと出るさ」彼は紙包を袂《たもと》に入れて立ったが、「――ははあそれで源助が鯉を持って来たんだな、しかしまさか明日とは知らなかったぞ、来月ぐらいだと思っていたがね、本当かね」

「明日の夕方六時ですわ、もう二度と申上げませんから」

明日の六時と口のなかで繰返しながら、主計はそのまま顔を洗いに井戸端へ出ていった。とたんに会ったのが父の茂右衛門である、じろりと怖い眼でこっちを見、主計の挨拶《あいさつ》を黙って受けてすれ違った。井戸端には兄の大学がいて提灯《ちょうちん》の光の下で裸の肌を拭《ふ》いていたが、これも主計を見ると怖い眼をした。

「お早うございます、この半挿《はんぞう》はあいていますか」

「気をつけろよ」大学は低いけれども厳しい調子でこう云った、「――隠すことは顕《あら》われる、妙な噂が耳にはいるぞ」

「そんなことはありませんよ、噂なんてでたらめなもんです」

「気をつけろと云ってるんだ、でたらめであろうとなかろうといちど弘《ひろ》まった噂は消せるものじゃあない、そんな評判の立たぬように気をつけろと云うんだ」

「わかりました、気をつけます」

主計は顔だけさっさと洗い、「お先へ」と云って逃げだした。神明の家のことが知れたらしい、どこからわかったろう、誰にもみつかる筈《はず》はないんだが、——主計は首を傾《かし》げながら急いで着替えをした。朝食が済んでもまだ外はほの暗かった。主計はいつもより早く家を出ると、榎町にある秋元邸へまわり、木下六郎兵衛の住居を訪ねた。起きたばかりとみえて、六郎兵衛は冴《さ》えない顔で出て来た。

「やあ早いな、感心に忘れなかったな」

「怒られるからね、じゃあこれを」

「済まなかった、慥《たし》かに、——あがって茶でも飲んでゆかないか」

「そうしちゃあいられない、ここで失敬する」

「七日にも忘れずに頼むぞ」

「なんだっけ、七日って」

「おい大概にしろよ」六郎兵衛は睨んだ、「——昨日も式はなんだなんて云ってたが、それじゃあすっかり忘れていたんだな」

「いや忘れちゃあいないが念のために」

「おれの祝言《しゅうげん》だ」六郎兵衛はぶっつけるように云った、「――おれが結婚をするんだ、この家へ嫁が来るんだ、七日の宵《よい》に祝言の杯をあげるんだ、わかったか」

「わかったよ、忘れやあしないよ、だが、――あれは七日だっけかね、七日というと」

「今日が六日だから七日は明日だ」

「明日ね、へえー、本当だろうね」

「殴るぞ」

「いいよわかったよ」主計は後ろへ退る、「――七日の夕方だろう、来ればいいんだろう、来るよ、冗談じゃない、むやみに祝言の重なる日があるもんだ、よっぽどの吉日なんだな」

「なにをぶつぶつ云ってるんだ」

「なにこっちの話さ、じゃあ失敬」

秋元邸の門を出ると、「さあ忙しいぞ」と呟《つぶや》きながら走りだした。一日に二つの結婚があったって別にふしぎはない、黄道吉日《こうどうきちじつ》などと云って、そんな日には江戸じゅうに幾百組も結婚式があるかわからない、日本全国にしたらたいへんなものだろう、しかし妹と親友の二た組がかち合うのには弱った、おまけに祝言なんというやつはたいてい宵のくちにやるものだから、両方に義理を立てるとすればよっぽど敏捷《びんしょう》に動かないと間に合わない。

「知らなかったねこいつは、驚いた、電光石火といかなくちゃならん、やあお早う」

彼は例の如く道場まで走り続けた、「――よく精が出るな、いい日和《ひより》で御苦労」

下男たちにこう云いながら門をはいる、そしてまた忙しい一日が始まるのだった。

――さて、稽古が終って、井戸端へ軀を拭きに出たとき、彼はふと昨日そこで折江と話しあったことを思いだしてはっとした。

「慥か江の島見物にゆくと云った、それも明日だったように思うが」こう呟いて、空を見上げる、「――そうだ明日だった、なにもかもいっしょくただ、極上飛切り掛値なしの吉日なんだな、しかし、――うん、なにか頼まれた、留守のあいだになにかやっておいてくれと、……なんだっけ、はてなんだっけかしらん」

暫く考えたが思いだせなかった。しようがない訊《き》いてみようと思い、軀を拭いて着替えをすると、庭をまわって奥へいった。――折江は広縁でばあやの松乃といっしょに、なにか着物を取出して見ているところだった。

「旅のおしたくですか、これから稽古に出ますがなにか外《そと》に御用はありませんか」

「そんな心配は結構でございますよ」松乃が笑いながら答えた、「――牧野さまはそうやってしなくともよい用事を御自分から買って出ていらっしゃる、それでは幾つお軀があっても堪りませんですよ」

「なに用事はついでのある者がすればいいのさ、それからあれです」主計はさりげなく折江に呼びかけた、「――その、昨日お話のですね」

だがそのとき、向うから弥一郎が顔色を変えて走って来た。

「牧野さん来て下さい、大変です」

「大きな声をだすな、なんだ」

「武田さんが大先生に折檻《せっかん》されています、早くいって止めて下さい」

「どこだ」主計は走りだした。

「道場です、杉原さんにも誰にも手が出せないんです、とても大変なんです」

道場へいってみると、門人たちは居堪《いたたま》らなかったとみえて誰もいず、師の市郎左衛門が俯伏《うつぶ》せにうずくまっている武田平之助の背《せな》へ、竹刀《しない》でぴしぴしと烈《はげ》しい打擲《ちょうちゃく》をくれていた。

「お待ち下さい先生、お待ち下さい」

「いかん、止めるな」

「まず暫く」主計は師の軀を抱き止めた、「――おからだに障りますからお止《や》め下さい。御不興がございましたら私から申し聞かせます。どうぞこのまま、武田、向うへゆけ」

押分けながら、市郎左衛門を抱くようにし居間へ伴《つ》れていった。市郎左衛門は肩で息をしていた。そして居間へはいるなりそこへ崩れるように坐ったが、同時に顔を脇《わき》へそむけて、怒りと悲しみの入混った声音でこう云った。

「――哀れなやつだ」

四

道場へ取って返すと平之助は部屋へいったという、主計は石井勇作に「したくをしておけ」と命じておいてそっちへいった。平之助は蒼白《あおざ》めた顔で着替えをしていた。主計は近寄っていって肩を押えた。

「あの手をみつかったんだね」

「――悪いか」

「云《い》ったじゃないか、おれとだけやるがいいって、まあ坐れよ」主計は相手をそこへ坐らせ、自分も膝《ひざ》をつき合せて坐った、「――はっきり云うが悪い、あの手はいけない、昨日はいちおう負けたがあれは悪手だ、こんなことを云うだけやぼだが、刀法というものが実際の役に立つ時代は去った。刀は武家の象徴だし、刀法は精神鍛錬がおもな目的になっている、勝ち負けも大事だが、それより更に法とか品位とか気魄《きはく》などが大切だ、梶派が特にそれを重んずることは知っている筈じゃないか、なんのためにそう焦《あせ》るんだ」

「焦るのが無理か、牧野」平之助はするどい眼をあげた、「——おれは足軽の二男坊だ、十四の年からこの道場で育ち、いちどは筆頭師範代にもなりかかった、だがそれがゆき止りだった。おれはもう二十八になる、それだけの才しかないのかもしれないが、このままゆけば家を持つことはおろか妻を娶《めと》ることさえ出来ない、尋常のことをやっていたのでは平《ひら》の師範代で一生ひやめしを食わなくてはならないんだ、そこもとのような幸運に恵まれた者には、これがどんなにみじめなことかわからないだろう」

「おれが幸運に恵まれているかどうかは預かろう、しかしそこもとがもしそう考えるなら、いっそう自重しなければならぬではないか」

「自重も我慢もするだけはした、けれどもその限度がみえてきた、先生の気持もおれからはもう離れている、おれはおれの腕、おれのくふうで道を拓《ひら》くより仕方がなくなったんだ、おれのくふうした手で梶派を破るよりほかにおれの生きる道はなくなったんだ」

「しかしあの手はよくないぞ」主計はできるだけ穏やかに云った、「――刀法は幾百年という長い年月を経て、経験とくふうと錬磨《れんま》を積んできた、法にかなわぬものは亡《ほろ》び、成長すべきものが成長してきた、そこもとが今それを無視していかなる奇手を編み出そうとも、無法が法に勝てるわけはないだろう」

「おれの逆胴が無法だと云うのか」

「そこもと自身がいちばんよく知っている筈だ、もういちど云うがあれは悪いよ」

「口ではなんとでも云えるさ」平之助はぴくっと唇《くちびる》をひきつらせた、「――今そこもとはいちおう負けたと云ったな、ふん、竹刀だからそんなことが云えるんだ、あれがもし真剣なら、失敬だがそこもとの命は」

「わかった、それまでにしよう」主計はにこっと笑って手をあげた、「――ここで喧《けん》嘩《か》をしたってしようがない、それより少し休まないか、実は折江さんが明日、十日ぐらいの予定で江の島から鎌倉へ見物にゆかれるんだ、供は松乃さんと吉造ということだったと思うが、護衛役ということでそこもとにいって貰《もら》えたらいいんだが」

平之助は一種の表情でじっとこちらを見、ついで妙な笑いかたをした。

「それは、いってもいいが、しかし」

「先生のほうは後でおれからそう云おう、機《き》嫌《げん》を直して海でも見て来るがいい」主計は劬《いたわ》るようにこう云い添えた、「――念のために云っておくが、いま先生はたいへん悲しそうにしていらしったぞ、本当に悲しそうな声でこう仰《おっ》しゃった、……平之助は可哀《かわい》そうだと」

「まさにそのとおりさ」まるで意味を穿《は》きちがえた眼《め》つきだった、「――おれは哀れな人間だよ、しかし……」

主計はあとを聞かずに立上った。

かくて飛切り別誂《べつあつら》えの吉日である。朝のうち折江に、「武田が供に加わるから」と囁《ささや》いて旅へ送り出し、日程どおり馳《か》けまわるうち、弥一郎に木下家へ紋服を届けさせ、出稽古を終るとそのまま、いっさんに榎町へと走《は》せつけた。――既に日の昏《く》れで、部屋には燈《あかり》がはいっていた。小部屋へはいって届いていた物と着替える。木下の母堂はじめ見知らぬ人々が、狭い家《うち》の中をおちつきなく動きまわっている中から、正装した六郎兵衛が多少は照れた恰好《かっこう》で現われ、突袖《つきそで》などしてみながら苦笑いをしてみせた。

「忘れずによく来たね、どうだこの姿は、おかげで馬子《まご》の衣裳《いしょう》だ」

「なるほどね、髭《ひげ》を剃《そ》って髪油を付けて、熨斗目《のしめ》麻裃《あさがみしも》を着たところは捨てたものじゃあない、どうして三百石は安いもんだ」

「おまえがそう云ったってもしようがない、それに式が済めばすぐ質屋だ」

「式といえば何時なんだ」主計は袴《はかま》の紐《ひも》を緊《し》めながら云った、「――実はなるべく早く済まして貰いたいんだ、先方が来て座がきまったら帰るからね」

「なんの冗談を云うつもりなんだ」

「いや冗談どころか、もう一つあるんだ」

「幾つあってもいいさ、なにが幾つあろうとこっちはおれの祝言だ、親友のおまえが列席しないで式がやれるかどうか考えてみろ」

「それはそうだけれど、弱ったな、それはそうだけれども、こいつは弱った」

「弱るもくそもあるか、どんなことがあろうと今夜は放さないからそう思え、早くしたくをしないともう向うで来るぞ」

そして六郎兵衛は、向うへいってしまった。主計はうろうろと足袋を穿く、木下の母堂が来て裃を着るのを手伝ってくれる、口のなかで弱った弱ったと云いながら、どうやらしたくの出来たとき、玄関に人の到着したけはいがし、母堂は「まあお着きですよ」と云いながら出ていった。

「おれはどうしたらいいんだ」主計はいちど坐《すわ》ってまた立った、「――どこにいたらいいんだ、なにかするんだろうか、座敷へなにか運ぶんだろうか」

すっかりあがりぎみで、廊下へ出たとたんばったり母に会った。母、さよう、主計の生みの母である。

「ああお母さん、ど、どうなすったんです」

母は盛装していた。そして妹の手を曳《ひ》いている。妹のたまきは白無垢《しろむく》を着て、白のかいどりを重ね、裾《すそ》を長くひいていた。あれっと思って振返ると、原田という叔父夫妻と父の茂右衛門がみえた。

――ははあ、……ははあ。

主計は、ごくっと喉《のど》を鳴らした。

「いやどうも」彼は後ろへ退った、「――きれいですね、たまきは、私は来ていたんですよ、このとおりです、向うにいますから」

身を飜《ひるがえ》すという風に、彼は六郎兵衛の居間へとんでいった。そして友達を廊下の隅《すみ》へ引張ってゆくと、いきなりげらげらと笑いだした。

「どうしたんだ、ばかだね、なにが可笑《おか》しいんだ、おい、なにをそう笑うんだ」

「もうちょっと笑わしてくれ」

そしてようやく笑いやむと、相手の耳へ口を寄せて事情を囁いた。

「なんだって」六郎兵衛は例のめだまを大きく瞠《みは》った、「――おい主計、きさま、おい、それは本当のことか」

「さすがのおれも驚いた」

「こっちは呆《あき》れるよ、いくらなんだって」

こんどは、六郎兵衛が笑いだした。

「だがそうするとなんだな、おまえから借りた五両はちょいと微妙なものになるなあ」

「五両がどうしたって」

「そうじゃないか、あの金はおまえがたまきから借りておれに貸したんだろう、たまきは今夜からおれの妻だ、いいか、そうすればだな、おまえはおれに五両貸してくれたが、同時におれの妻から五両借りているわけだ」

「よしてくれ頭がちらくらする」

やがて時刻が来た。藩の重職も二人列席して、かなり華やかな盃《さかずき》が始まった。祝儀には秋元家のお側用人《そばようにん》を勤めるという老人が、おそらく自慢の芸なのだろう、さびのある枯れた声で小謡《こうたい》を二番までうたい、めでたく式が終って酒宴になった。――おちついていられない性分ばかりではない、婿《むこ》の親友というたちばもあるので、主計は立ってしきりに酒間をとりもった。なにしろ人に好かれる人間なので、初対面の客ともすぐ慇懃《いんぎん》になり、ひきとめられて盃をしいられるから、原田の叔父と向き合ったときにはかなり酔っていた。

「相変らずおちつかんな、おまえは」叔父は盃をさしながら云った、「――そうせかせか忙しくばかりしないで少しはゆとりを持つがいい、剣術のほうはどうだ」

「さっぱりいけません、これも相変らずです」

「身を固めなくちゃいかん」叔父はじろじろと甥《おい》を眺《なが》めまわした、「――もう妻帯してもいい頃《ころ》だ、おれが養子の口を捜してやるからゆくがいい、そしてもう少しおちつくんだ、おまえにはいい素質があるんだから」

「妻帯ですか」主計はふと首を傾げる、「――そうですな、妻帯、……身を固める」

そこで彼はあっと声をあげた。

――そうだ、それだった。こう思って主計は膝を撫《な》でた。折江から頼まれたのはそれだった、師の市郎左衛門に結婚の申込みをすることだ、留守のあいだに、よしきた、こんどこそ忘れないぞ。

五

明くる朝であった。道場へゆくとすぐ、主計は市郎左衛門をその居間に訪ね、いずれ正式に人は立てるがと云って、折江との結婚の内諾を乞《こ》うた。――相手にはとつぜ

んすぎるかもしれないが、なにしろ忙しいのでまた忘れたら困ると思ったのだ。市郎左衛門もほぼそれとは察していたらしい、

「そんなことを折江から聞いたようにも思うが」こう云ってふとするどくこちらを見た、「——しかし、わしは承知できない、はっきり断わる」

主計はあっと口をあいた。師の表情はこれまでになく冷やかで、どこかに嫌悪《けんお》の色さえあるようだ、主計は寧《むし》ろどぎまぎした。

「お言葉ではございますが、これは、実はもうとうから」

「断わるには理由があるのだ」

市郎左衛門は立っていったが、すぐに手紙を二通手にして戻り、それを主計の前へ押しやりながら云った。

「これを見ろ、そのうえで聞くことがあれば聞く、まさか覚えがないとは云えぬだろう」

主計はそれを手に取った。表は二つとも彼の名であり、裏は「その字」となっている、披《ひら》いてみると艶書《えんしょ》だった、それもたいそう露骨でみだらがましく、読むうちにこっちの顔が赤くなるような文句である、明らかに誰かの拵《こしら》えたしごとだ、「その字」が園次であるにしても、そんな文をよこすわけがないし貰うような覚えもない。

「これはどうしてお手にはいったのですか」
「そこもとの袂《たもと》から落ちたという」
「それでこれをお信じなさるんですか、このような下賤《げせん》なものを、しかも人にみつけられれば身を滅ぼすようなものを、私が袂に入れて落すような人間だとお思いなさるのですか」
「それではなぜそんなものが袂から落ちたのか、聞けば先頃から神明あたりのいかがわしき家《いえ》に出入《ではい》りしているそうだが、それも根のないことだと云うのか」
「慥《たし》かに神明のさる家へはまいります」主計は眼をあげて云った、「――荻江節《おぎえぶし》を教える園次と申す者の家《うち》です、半年ほどまえよりかよっておりますが、これは唄《うた》を習うためで、そのほかにはなんの意味もございません」
「なんでまた唄などを習うのだ」
「御承知のとおり私はおちつきのない性質で、自分では努めて起居にゆとりを持とうと思うのですが、生得《しょうとく》と申しましょうかなかなかそれが身に付きません、芸ごとは心をやしない気を寛《ひろ》くすると聞きましたので、柄《がら》にも合わず勘も悪くて、半年してもまだ一つの唄があがらないありさまですが、これも修業のひとつと思ってかよっているのでございます」

市郎左衛門はじっと主計を見まもった。愛している門人である、もちろん深く信じてもいた、その愛と信とが強かっただけに、却《かえ》ってそんな中傷にも肚《はら》を立てるのだ。そのうえながい病弱で心も軀《からだ》も衰えている、耐《こら》え性《しょう》がなくなってもいたことが、いま主計の弁明と彼のまぎれのない眼を見てはっきりわかった。

「それにしてもいったいなに者が、かような物を先生にごらんに入れたのでしょうか」

「それは聞くな、わかればよいのだ」

「いやそれでは済みませぬ、ただごらんに入れただけならともかく、袂から落ちたなどと云い拵えるのは——」

そこまで云いかけた主計は、とつぜん飛鳥のように立って後ろの襖《ふすま》を明けた。それまで立聞きをしていたのだろう、弥一郎があっと云って逃げようとする、

「待て、弥一郎」

主計はとびかかって、少年の肩を掴《つか》み、そこへひき据《す》えた。弥一郎は唇を白くし、がたがたと震えていた。——襖の向うで二人の対話を聞くうち、すっかり動顚《どうてん》し怯《おび》えたものらしい、ひき据えられるとすぐに、そこへ手をついて震えながら告白を始めた。

「おゆるし下さい、私はなにも知らないのです、なにも知らずにあんなことをしたのです、いやだったんですけど、怒られるのが怖かったもんですから、それに、——牧野さんが堕落するのを直すためだからと云われて」

「誰だ、そうしろと云ったのは誰だ」

「武田さんです」

主計の顔にさっとなにかがはしった、水面《みのも》を一陣の風がはしるように、——彼はいま思いだす、平之助の絶望的な状態を、法外れの奇手をあみだす苦しまぎれのもがきを、こんな下手くそな中傷の仕方を、……そしていま当人が折江に付いて旅に出たことを。

「先生、——今日の稽古《けいこ》を休ませて頂いてよろしゅうございましょうか、実は申しわけのないことですがお嬢さまに付けて頂いて武田を」

「知っている」市郎左衛門は頷《うなず》いた、「——彼の気を変えてやろうとするそこもとの計らいと察したから、気づかぬ風をして出してやったのだ」

「軽がるしいことを致しました、このままには捨ておけません」主計は立った、「——馬を拝借させて頂きます」

「主計、斬《き》ってはならんぞ」

しかし主計は、黙ってそこをとびだした。

昨日の朝から約一昼夜、女づれだからそう遠くまではゆくまい。氷川下から馬を駆って東海道をまっしぐらに西へ六郷《ろくごう》の舟渡《わた》し、川崎から鶴見、神奈川の宿《しゅく》までとばし続けで、さすがに馬が疲れだした。しかし心はせく、無理を承知で鞭《むち》をくれかくを入れ、保土《ほど》ヶ谷《や》から戸塚へと長い坂を馳《か》け登っていった。

戸塚にかかる少し手前、松並木が途切れて左右に畑と枯田のうちわたしてみえるところで、ようやく折江の一行に追いついた。——かれらを追いぬいて馬を停《と》め、とび下りて振返るのを見ると、折江と松乃とがまず声をあげ、平之助は明らかに愕《ぎょ》っとした。

「ちょっと申上げたいことがあったものですから、——吉造、この馬を預かってくれ」下男に手綱を渡した彼は、折江のそばへ来てにこっと笑った、「——先生にあのことを申上げました、まだおゆるしは頂きませんが頂いたも同様ですから」

「まあそんな」折江は少し頬《ほお》を染めながらこちらを睨《にら》んだ、「——こんなところで、そのようなことを仰しゃっては困りますわ」

「しかし、善は急げといいますからな」

「それにしても、此処《ここ》までわざわざ追っていらっしゃるなんて」

「いやほかにも一つ用があったんです、武田をお付けしましたが彼に急用が出来ましてね、ここから帰すことにしますから、どうぞあとは二人だけお伴《つ》れになって下さい、これで申上げることは済みました」主計は馬を吉造から受取った、「——松乃どの、吉造もしっかり供をたのむぞ」

「ではもうお戻りなさいますの」

「なにしろ急用ですからね、どうぞ構わずいらしって下さい、私もお見送りをせずに引返します、お帰りになるまでには、日取りもきめておく積りです」

「なんてお忙しいのでしょう」折江はついそう云《い》って笑いだした、「——ではこのまま」

御平安にと云って主計は振返り、そこに立っている平之助を促して道を戻った。

——二町あまり来て見かえると、もう折江たちの姿は松並木のかなたに隠れていた、主計はそこから左手へ三段ほどはいったところに、いま満開の梅林があるのをみつけ、「あれへいって休もう」と、馬を曳きながら狭い道へはいっていった。梅林のまわりは平坦《へいたん》なかなり広い草原になっている、主計は傍《かたわ》らの木に手綱をゆわえつけた。

「なぜ追って来たかわかるか、武田」

「云いたいことがあったら云うがいいだろう、なんの用だ」

「弥一郎がすっかり白状した」主計はじっと相手の眼を見た、「――子供だましのつまらない手だった、よせばよかったのに、あの逆胴の手よりもっと下らない」

「云うことはそれだけか」

「もう一つある、先生のお考えは知らないが道場へは帰って貰《もら》いたくない、どう考えてもおまえは不似合だ、おまえにはおまえでほかに場所があるようだ」

「帰れと云っても帰りはせんさ」

平之助は冷笑した、

「――だが土産を進呈したいから持っていってくれ」

「結構だね、貰ってゆくよ」

「かさばらない物だ」

云うと同時に絶叫して、抜打ちを仕かけた。間合も呼吸も好《い》い条件だったが、主計はその先《せん》をとって後ろへ跳び、二の太刀《たち》の来るまえに刀を抜いていた。

「例の手をやってみろ、真剣ならなんとか云ったな」主計は刀を直線にして中段に構え、にっと微笑をうかべながら云った、「――どうしてあの手が悪いかを教えてやる、来い」――

平之助はなにも云わなかった。歯をくいしめ、かっと眼を瞠り、暫《しばら》く呼吸をはかっていたが、とつぜん跳躍すると「えい」つんざくように叫んで籠手《こて》を返す、刀は主計の左脇《ひだりわき》から面上へのびたが、同じ刹那《せつな》に主計の軀が棒のようになり、その刀が大きく、のの字を描いて光った。――平之助はあっと叫び、刀をとり落してだっと左へのめったが、若木の梅のえだに軀をぶっつけて顛倒《てんとう》した。……すると彼の軀の上へはらはらと、梅の花が雪のように白く散りかかった。

「これでわかったろう」主計は丁寧に刀を拭《ぬぐ》いながら云った、「――右手の肱《ひじ》の筋を斬ったんだ、もう剣術はやめるがいい、おまえのはいつか必ず身を滅ぼす剣だ、なにかほかのことで身を立てるんだな」

平之助は倒れたまま、苦しげに喘《あえ》いでいた。

「医者に来るように云うから此処にいるがいい、じゃあ元気になれよ、気を変えればなにをしたって楽しく生きられる、縁があって会うようなときには、おまえの明るい顔がみたいものだ、――武田、正直に生きるということはそれだけでもいいものだぞ」

そして主計は馬を曳きだし、さっさと梅林から出ていった。

——医者をみつけて、武田の手当を頼んで、道場へ帰って、改めて結婚を申込んで、仲人《なこうど》を誰に頼むか。馬を駆りながら主計はこう思う。……さあ忙しいぞ。

（「講談雑誌」昭和二十四年三月号）

桑の木物語

一

その藩に伝わっている「杏花亭筆記《きょうかていひっき》」という書物には、土井悠二郎についてあらまし次のように記している。

「土井右衛門、名は悠二郎。忠左衛門茂治の二男に生れ、わけがあって七歳まで町家に育った。八歳の春から幼君のお相手として御殿へあがり、ずっとお側《そば》去らずに仕えたが、二十一のとき致仕した。

生れつき奔放にして無埒《むらち》、つねに奇矯《ききょう》のおこないが多く、宗眼日録《そうがんにちろく》には、勤めかたよろしからず、ということがしばしば挙げてある。致仕してのちは市中にかくれ、親族や旧知とも断って無為に一生を終ったという。

また上屋敷《かみやしき》の庭の奥に、いま大木になった桑の林があるのは、泰春院さまが少年のころ、彼のすすめによって植えられたと伝えられるが、このような進言をするところなども、彼の無埒な性分のあらわれであろう。——ちなみに宗眼日録は泰春院さま御一代の記録であって、御歴代の中興であると同時に、稀世《きせい》の名君といわれる侯の、生涯《しょうがい》と治績とが詳述されてある。筆者は新泉《にいいずみ》宗十郎、のちに国老となり、宗眼と号した」

以上が記事の概略であるが、はなはだかんばしくない。「生れつき奔放無埒」とか「勤めかたよろしからず」とか、だいぶてひどくやられている。大名屋敷の奥庭、——町家などでもそうだが、——桑の木を植えるなどというのは変っているが、それが奇矯というほどのことかどうか。いちがいに断言はできないだろう。

また読者の便宜のために、同じ「杏花亭筆記」にある彼の祖父の記事を、その要点だけぬいて紹介しよう。

「土井勘右衛門、虚木と号す。浄松院さまのとき留守役(世襲)より側御用に召され、老職を兼ねて信任もっとも篤《あつ》く、浄松院さま御他界ののちは、世子《せいし》の御養育に専念した。泰春院さまの英明果断の資質は、勘右衛門に負うところ多しともいう。——また他に評がある。彼は豪放磊落《らいらく》なれど、酒を好み、老年に及ぶまで遊里にでいりし、俗曲、俳諧《はいかい》に長じ、日常のようすには不拘束なことが少なくなかった」と。

これにも「他の評」として一種の批判がつけ加えてある。重職であるうえに藩主の幼君の育て役といえば、相当な人格者でなければならない筈《はず》だが、酒好きで遊里にでいりして、日常が不拘束だとするとあまり褒《ほ》めたはなしではない。——そしてこの点、悠二郎の「奔放無埒」と、なにか因果関係があるのではないだろうか。

悠二郎は双生児であった。兄を左門松太郎という。武家では双生児を嫌《きら》うので、生れるとすぐ里子にやられた。杏花亭はただ「町家」と記しているが、詳しくいうと浅草六軒町にある「舟仙」という舟宿であった。

父の忠左衛門はもの堅い性分で、留守役という社交的な勤めにいながら、酒も多くはたしなまず、たった一つ金魚を飼うという趣味のほか、碁将棋も知らないというふうだった。しかし祖父の勘右衛門はかなり道楽者だったらしい。杏花亭が記しているように、ずっと老年まで吉原や深川あたりでよく遊び、酒もつよいし、荻江《おぎえ》一中《いっちゅう》などの俗曲にも通じていたし、虚木という号で俳諧にもだいぶ凝ったそうである。——そんな関係から「舟仙」をひいきにしたのだろう、よほど気にいったとみえて、あるじ仙吉は上屋敷の家へもちょくちょくきげん伺いに来た。またおつねという女房なども、季節の魚を持ったりして、台所へあらわれることが珍しくなかった。

悠二郎を舟仙へあずけたのは祖父の勘右衛門である。父は反対であった。なんにしたところで武家の子をあずける環境ではない、母のかな女も眉《まゆ》をひそめたのであるが、虚木老はさも心得たというくちぶりで、

——こいつの相貌《そうぼう》をみるに、どうもおれに似た道楽者になるらしい、だから舟宿などへあずけるのも、毒を以《もっ》て毒を制する法である。

こう云《い》ったという。またのちには嫁に向って、嫁とはむろんかな女のことであるが、その嫁に向ってこう云ったこともあるそうだ。

――どうせ二男坊のことだ、つまらないようなところの養子にするより、いっそ当人がよければ船頭にでもなるがいいのさ、にんげん一生、あれはあれで気楽でもあるし、なかなか粋《いき》なしょうばいだからな。

たぶん酔ったきげんででも云ったものだろうが、それにしても乱暴なはなしで、当時としては相当な自由主義者だったとみえる。――ともかく、彼はこうして舟仙へあずけられた。

――あまり大事に扱ってはいけない、たいていな悪戯《いたずら》は叱《しか》らぬように、なるべく野放しに育てろ。

仙吉とおつねは虚木老からそう厳命され、そのいいつけどおりに育てた。乳母は葛《か》西《さい》のほうの農家の者であった。――彼は赤子のじぶんから勾配《こうばい》が早かった。七月目にはもうお乳には眼もくれず、誕生まえに平気で強飯《こわめし》を喰《た》べた。這《は》うのも、立つのも、歩きだすのも、すべて一般よりは三割がた早かった。

「こんな赤ん坊っておら見たこともねえ」

葛西から来た乳母はいつもこう云っていたそうだ。

「なんだってすばしっこくって、ちっとも眼《め》がはなせねえ、寝たかと思ってちょっと立ったら、いつのまにかもう土間へおりて下駄《げた》をしゃぶってるだ、ほんとにこの子には肝煎《きもい》っちまうよ」

這い歩きを始めるじぶんにはたいていの子が眼のはなせないものだ。しかし悠二郎のはとくべつだったらしい。乳母の云うとおり、なにしろすばしっこいのと桁外《けたはず》れなことばかりするので、まわりの者のおちつく暇がなかった。そのなかの一つに「梅干のたね」というのがある。それはまだやっと這い始めたころのことだが、ちょっとゆだんしているまに、鼻の穴へ梅干のたねを押し込んでしまった。鼻の両方の穴へ、梅干のたねを一つずつ自分で捻《ね》じこんだのである。そうして息が詰ったものだから、ひっくり返って、手足をばたばたさせて、泡《あわ》を吹いた。

「まったくあのときばかりは寿命がちぢまりましたね、いま思いだしてもぞっとしますよ」

おつねはずっとのちになってもしばしばそう云って身ぶるいをした。——とにかく慌《あわ》てたらしい、いろいろして、ようやく鼻の穴になにか入っているのをみつけ、毛抜を持って来て、暴れるのを乳母に押えさせて、取り出そうとしてみた、が、その物はぬるぬる滑るし鼻の入口よりはるかに大きいので、どうやってみても出すことができない、そのうちに悠二郎はぐったりと青くなった。おつねはそれを横抱きにし、はだしで家をとびだして、花川戸《はなかわど》の玄庵《げんあん》さんという医者まで夢中で走った。

——玄庵先生、うちの悠坊が。

こう悲鳴をあげて駆けこんだとき、どういう拍子《ひょうし》か悠二郎がくしゃみをして、そうして、ぎゃあと泣きだした。——そのくしゃみで片方の穴からたねがとびだしたのである。もちろん残った一つは玄庵さんが出して呉《く》れた。玄庵さんもこれには呆《あき》れてものが云えないと云ったそうだ。

自分では全く覚えがないし、ほかにもずいぶんわる悪戯をしているが、さすがの悠二郎もこの話にだけはてれた。

「気取ったってだめですよ、なにしろ鼻の穴へ梅干のたねなんだから」

こう云われると絶対に頭があがらないのであった。

祖父の虚木老はその後もずっと舟仙へあらわれた。ほぼ十日にいちどぐらいの割だろう、舟仙へやって来ると、二階で芸人たちを呼んで賑《にぎ》やかに騒いだり、舟で吉原とか深川などの遊里へでかけたりした。——それでいつかおつねが女の子を生んだとき、老は頼まれて名づけ親になったくらいである。そのとき悠二郎は四つになっていたが、おみつと名づけられたその子を珍しがって、抱こうとしたり鼻を摘《つま》んだり、口や耳へ指を入れたりするので、少しのまもゆだんができなかったそうである。

祖父がしばしば来るのは、ひとつには孫のようすを見るつもりもあったらしい。だが悠二郎はそんな妙な「じじい」などには興味がなかったので、おちついて話したことなどいちどもなかった。——そんなことより遊ぶのでいそがしい、飯を食うひまも惜しいくらいいそがしかった。なにしろ家が舟宿で、隅田川があって、浅草寺《せんそうじ》が近いのだから、遊ぶに事を欠かないのである。食事と寝るときのほか、雨が降ろうと風が吹こうと、家の中で彼の姿をみることなど殆《ほと》んどなかった。

悠二郎は五つのときすでに近所じゅうでのがき大将であった。軀《からだ》つきは瘦《や》せて小さかったが、知恵のまわるのとすばしっこいことは無敵で、たいてい年上の子と喧嘩《けんか》をしても負けたことがない、——いつも着物はかぎ裂き、手足は泥《どろ》んこ、どこかにひっ搔《か》き傷か瘤《こぶ》をでかしていないことはなかった。そうして晩飯の膳《ぜん》で、片方の眼かなにか紫色に腫《は》らした顔で、せかせか飯をかっこみながら云うのであった。

「ちきしょう、あの勝んべの野郎、みてやがれ、あしたとっ捉《つか》まえたら……」

こっちは花川戸から山の宿、今戸、橋場あたり、川を越しては小梅から向島《むこうじま》へかけて、「舟仙の悠ちゃん」と、すっかり名がとおった。子供たちばかりではなく、その子供の親たちにまで知れわたり、またそういう親たちが苦情をもちこむので、仙吉夫婦もずいぶん交際がひろくなっていった。

「おらあ仲間うちから頭《ず》が高えと云われたもんだが、このごろは悠坊のおかげですっかり腰の低いにんげんになっちゃったぜ」

「ねんがらねんじゅうあやまってるんですものね、お客のみなさんもびっくりしているわ、親方のあいそがばかによくなったって、――つまり悠坊にしつけられたってわけね」

「よして呉れ冗談じゃねえ、おめえにまでばかにされりゃあせわあねえ」

仙吉とおつねはよくこんなことを云って、くさったり笑ったりしたものであった。

――こうして七歳になった年の秋、悠二郎はとつぜん生家の土井家へひきとられた。

二

あとで聞くところによると、家へひきとると云いだしたのも祖父だったらしい。それも急に云いだしたことで、忠左衛門夫婦にはいやもおうも云うひまがなかった。ことに忠左衛門はそれまでに二度か三度、ひそかに悠二郎のようすを見にいって、

――あれはもういけない、舟仙へ呉れてやるよりしかたがない。

こう云って妻に首を振ってみせた。とうてい侍の家へいれるわけにはいかない、お

まえも諦《あきら》めろと云ったそうである。

生家へつれて来られたときの、彼の恰好《かっこう》は、相当ひとめをひくものであった。つい昨日まで川で泳いだり、蜻蛉《とんぼ》を追いまわしたり、泥まみれで喧嘩をしたりしていたのである。それがいきなり着物をきちんと着せられ、生れて初めての袴《はかま》をつけられ、腰にはこれも生れて初めての刀を差され、おまけに足袋まではかされた。髪もむろん武家ふうにきちっと結われているわけで、なにしろ軀じゅうが窮屈で息が苦しくって、今にも眼がまわってぶっ倒れそうな気持だった。

彼はまっ黒に日にやけ、眼ばかりぎょろぎょろしていた。忠左衛門はちらと見るなり、眉をしかめてそっぽを向いた。かな女はさすが母親である、彼のそのあさましい姿に胸をうたれ、抱きよせてぼろぼろ涙をこぼした。――兄の松太郎はびっくりして、ぽかんと口をあいて、そうして坐《すわ》ったまま少し後ろへ身をしさった。悠二郎はすばやくこれを見て取り、

――こいつはたいしたこたあねえ。

こう思ってふんと軽侮の鼻を鳴らした。

祖父はこのほかにも家扶《かふ》の渡辺老人や、七人の家士や、下男女中たちにも彼をひきあわせた。悠二郎はかれらがみんなくみし易《やす》いことをみぬいた。父親はにがてらしい、

家来のなかで黒板権兵衛というのも、髭《ひげ》なんぞはやして団栗《どんぐり》まなこで、ちょっとゆだんができないかもしれない。――だがほかのやつらはなっちゃねえ、芥子《からし》のきいてそうなやつは一人もいやしねえ。悠二郎は張合のないような気持で、幾たびもふんと鼻を鳴らした。

彼の新しい生活が始まった。そのなかでまいったのは、行儀作法というやつと学問であった。一日いっぱい着物を着て、袴をつけて、小さいけれども刀を差して、そうして歩くにも坐るにも、姿勢をきちんと正していなければならない。――眼を正面へ向けて静かに歩く、坐ったら胸を張って両手を膝《ひざ》に置く。言葉は明瞭《めいりよう》簡単に要点だけ云い、決してむだ口をきかない。食事はおちついて、皿小鉢《こばち》や箸《はし》の音をさせない、くちゃくちゃ嚙《か》むなどはもってのほかである。もしこれらの禁を犯すと、すぐさま「悠二郎――」と、父の叱咤《しった》がとぶのであった。

「悠二郎きちんと坐れ、着物の衿《えり》を合わせろ」

「口をむすべ、男はむやみに笑うものではない」

「静かに歩け悠二郎、廊下は馬場ではないぞ」

悠二郎、悠二郎、悠二郎。ならん、いかん、黙れ、坐れとひっきりなしである。いちどやりきれなくなってお祖父《じい》さんに訴えた、虚木老はにやにや笑って、「おまえ兄の松太郎をどう思う」と反問した。彼は言下に答えた、「あんいな真桑瓜《まくわうり》のできそくないなんか小指でちょいですよ」

「しかしその松太郎は、おまえが降参したことをちゃんとやっているではないか」

お祖父さんはとぼけたような顔でこう云った。

「するとできそくないの真桑瓜はおまえのほうじゃないのか」

ひとからこんな侮辱をうけたことはなかった。もしそれがお祖父さんでなかったら、くたくたにのして今戸焼の窯《かま》ん中へたたっこむところである。悠二郎は口惜《くや》しさのあまりぽろぽろ涙をこぼし、それをげんこで擦《こす》りながら云った。

「おいらあ、できそくないでも、真桑瓜でもありゃしねえ、なんにも、降参することなんか、ありゃしねえや」

「そうかな、本当かな」お祖父さんはまたにやにや笑った、「――怪しいもんだな」

彼は発奮した。意地っぱりならひけはとらない、ちきしょうと、歯をくいしばって頑張《がんば》った。――もちろんそれほど難行苦行というわけではない、慣れてしまえばよいので、おまけによく注意すれば手足を伸ばす隙《すき》は幾らでもある。父が役所へでかけたあと、母の眼の届かないところで好きなだけ息抜きをすることができる。またその点では彼はもともと第一流の才があったから、そういう時と処《ところ》を発見し、それを利用するのにてまひまはかからなかった。

学問のほうは茅野道之助という同藩の侍が、初め三十日ばかり素読を教えにかよって来た。

――土井へ帰るとすぐの頃で、まだ満足に坐ることもできなかった。それが机に向って、書物をひらいて、相手の読むとおりに、一字ずつ口まねをして読むのである。……字はむやみにごちゃごちゃしているし、読むことがまるっきりちんぷんかんである。足は痺《しび》れるし、眠くなるし、面白いのは欠伸《あくび》が幾らでも出ることだった。

「行儀を正しくしなければいけません」

茅野先生は眼をぎょろっと光らせた。

「膝をしゃんとしなさい、欠伸はいけません、せっかく学問をしても、欠伸をすると、そこからみんな出ていってしまいます」

悠二郎はふんと思った。出たがっているなら出してやればいい、むりに詰め込んで置くことはないじゃないかと思った。

「おれはさっきから欠伸を二十くらいしちゃったけど、じゃもうみんな出てっちゃったかね」

茅野先生は顔を代赭色《たいしゃいろ》にし、もの凄《すご》い眼つきでこっちを睨《にら》み、そうしてえへんと咳《せき》をして、さっさと素読をつづけた。——三日、四日、五日、ますますいやになり退屈になるばかりで、茅野先生の熱心なのがふしぎだった。

「こんなの読んで先生は面白いのかい」

どうも不審なのできいてみたのである。少しもわる気はなかったのだが、先生はひどく怒ってぱたりと書物をしめ、これは面白ずくでやっているのではない、とおそろしくいきまいたようなことを云った。

「これは学問です、孔子さまという聖人のおしえなのです、有難い、ごくまじめな、尊い学問です」

そうして滔々《とうとう》となにか饒舌《しゃべ》りだした。悠二郎はこいつはいいと思った、云ってることはやっぱりちんぷんかんだが、同じちんぷんかんなら聞いてるだけのほうが楽だ。第一また先生の代赭色になった顔や、自分ではよっぽどもの凄いつもりなんだろう、ぎょろぎょろ光らせる眼だまや、活溌《かっぱつ》につばきをとばして動く口など、こっちから眺《なが》めているのは相当に面白い。

——小梅の勝んべも怒るとつらがあんな色になりやがった、……あの眼だまは誰に似てるかしらん、瓦屋《かわらや》の熊だろうか。

こういう連想もいろいろ湧《わ》いてくる。

――ずいぶんよく動く口だなあ、休みなしにぱくぱくやってやがら、……そうだ、お父つぁんの飼ってる金魚ってのをまだ見てねえぞ。

これは素読なんてへんなものよりいい、これに限ると思ったので、それからは飽きてくるとこの手を使った。

「孔子っていつごろのにんげんだい」

「敬称をおつけなさい、孔子などと呼びすてにしてはいけません、聖人といわれるくらい偉大な方なのですから、――孔子さまは今から二千三百年ほどまえの方です」

これにはびっくりした。先生がやまをかけてるんだと思った。そしてそれが少しも掛値なしの年数だと聞いて、こんどは本当にびっくりした。

「へえーおっどろいた、そんなに古いとは知らなかった、へえー、そんなかね、だけどそんなに古い学問をおれたちがならって、まだなにか役に立つことがあるのかい」

茅野先生そのときは、いつもよりずっと濃い代赭色になった。それで悠二郎はこいつはいつもよりずっと長く楽しめるなと思い、思ったとおりゆっくり楽しむことができた。――茅野先生は三十日かよって来たが、それで辞職して来なくなった。卑怯《ひきょう》にも告げ口をしたらしい、悠二郎は父からこっぴどく叱られ、廊下の板の上へ半日坐らされた。

「明日から学堂へゆくのだ、学堂でふまじめなことをすると、このくらいのことでは済まぬぞ」

そういうことで、兄の松太郎といっしょに上屋敷《かみ》の中にある藩の学校へゆくことになった。

学堂では茅野先生を相手にするようにはいかなかった。生徒は七歳から十二歳まで で、おめみえ以上の者の子供に限り、三十四五人いた。おめみえ以下の者は、それぞれ学堂の教官の私宅で教わるのである。学堂には校長のほかに教官が五人いた。校長は相良税所《さがらさいしょ》という名で、身分は中老、しらが頭のごく温厚なひとであった。教官たちも怒りっぽいのと、妙に四角ばっているのが眼障りなくらいで、まずたいしたことはないと思ったのであるが、なかに一人とんでもないやつがいた。

そいつは花田欣弥《きんや》などという、いやに優しいみたような、思わせぶりな名まえだし、色の白い眉《まゆ》の濃い、なかなかの美男子でもあった。ところがそれがくわせ者であった。学堂へ通学し始めてから三日めに、彼は悠二郎を廊下へ坐らせ、拳骨《げんこつ》でこつんと額をこづいた。

五日めには濡縁《ぬれえん》のうえへ坐らされた。それはごつごつした木の丸いのを並べた縁側で、坐ると向う脛《ずね》の骨がごりごりして、今にも骨がおっぴしょれるかと思われ、痛さのあまりしまいには眼がちらくらしてきた。——こんちきしょうと歯をくいしばり、とうとう「よし」と云《い》われるまで我慢しとおしたけれど、恨み骨髄に徹し、いつかきっとこの返報をしてやる、と、心のうちに誓いを立てた。……それからも庭へはだしで立たされたり、残されたり、毎日なにか罰をくわされ、隔日にいちどは例の濡縁に坐らされた。

それは入学して三十日ばかり経ったある日のことだが、授業が終って帰ろうとすると、花田先生が彼に「残っていろ」と命じた。ちえっ、また残されか。こう思って、うんざりして、机の前に独りぽつんと残っていた。——すると、やがて花田先生が来て、菓子の入っている鉢をそこへ出しながら坐った。

「露月堂の栗饅頭《くりまんじゆう》だ、喰《た》べろ」

そして自分がまず一つ取った。悠二郎はごくっと喉《のど》が鳴り、口の中へなまつばが出て来た。しかし黙って、そっぽを向いていた。

「私はもう明日から授業をしない、二三日うちに国許《くにもと》へ立つんだ、——おまえともお別れなんだから、一つ喰べて呉れ、それから話すことがある」

三

「喰べたくありません、饅頭なんか、だい嫌《きら》いです」

そっぽを向いたままこう云った。花田先生は手に取った饅頭を鉢へ戻し、暫《しばら》くこっちの顔を見ていたが、やがて、「よし」と頷《うなず》いて坐りなおした。

「私はもう少しおまえの面倒をみたかった、いまおまえを置いてゆくのは残念なんだ、おそらく普通ではおまえのいいところがわかるまい、ただ手に負えない悪童ぐらいにみられるだろう、それがこころ残りなんだ」

先生はこう云って少し声を低くした。

「これはまだ極秘のことなんだが、おまえは近いうちに若君の御学友にあげられる筈《はず》だ。あがる者は七人いるが、そのなかでおまえと新泉小太郎の二人には、私がいちばん望みをかけている、おまえと新泉は、それぞれの能力で若君のお役に立って呉《く》れなければならない、ほかの者とは違う、自分には責任があるということを忘れずに、しっかりやって呉れ」

悠二郎はいやな気持になった。現在でさえ堅苦しくって息が詰りそうなのに、若君のお相手になんぞあがったらどうしよう。とんでもない、これは断わらなければいけないと思った。しかし花田先生は自分に反感をもっている、このひとに頼んでもだめだと考えて黙っていた。

「これで話は終りだ、おまえには少し厳しくし過ぎたかもしれないが、その代り、――これをみろ」

花田先生はこう云って、自分の袴の裾《すそ》を捲《まく》って両足の脛を出してみせた。まばらに毛の生えた、やはり色白の向う脛に、両方とも二寸ぐらいの幅で、赤く腫《は》れたような条《すじ》が四五段ずつ痕《あと》になっていた。――なんのことかわからない、ことによるとそれが血脚気というものかも知れない、悠二郎はそう思った。そしてその栗饅頭を貰《もら》って、まもなく家へ帰った。

あとで聞いたところによると、花田先生は国許の藩校の教頭を命ぜられたのだそうである。代りの中野健之助という教官が来たが、これは若いのに眼鏡をかけた、土色めいた顔の少しむくんだ、老人のように咳ばかりしている先生だった。――悠二郎がまわりの者を小突いたり、髪毛をひっ張ったり、いきなり頰《ほっ》ぺたへ墨をぬたくったりして騒がせても、眼鏡をかけたそのたるんだような顔でこっちを覗《のぞ》いて、「どなたですか、どなたですか」などとうさん臭そうに云うだけであった。

悠二郎のほうでもだんだんこつを覚えてきて、その頃からは罰をくうようなことも少なくなったが、その代りほかにひとついやなことが始まった。それは新泉小太郎との対立である、――はじめはそんな者のいることなどまったく知らなかった。みんなうすのろのとんかちだと思っていたが、花田先生から自分と並べてその名を聞かされて以来、いったいどんな野郎だろうと注意するようになった。

……そいつはまるっこい軀《からだ》で、頬ぺたが赤くて、眉毛と口のいやにきりっとした、なかなか男前なようすをしていた。いつも唇《くちびる》を固くむすび、しんとしたような眼《め》で先生の講義をじっと聞いたり、おちついたいい声でいやに上手に本を読んだりした。

「結構です、たいへん結構です」

先生はみんなにこう云って褒《ほ》めた。どの先生も小太郎がひいきらしい。

「これは新泉の書いたものだが、字というものはこう書かなくてはいけない、順に廻《まわ》してよく見ておくがよい」

そんなことが毎日のようにあった。父親の新泉宗十郎は次席家老だそうで、だから先生たちは特にひいきをしているんだ。こう思ってみたが、花田先生の云ったことが頭にひっかかって、どうにも気になってしかたがない。

――近いうち若君の御学友にあげられるだろう、そのなかでおまえと小太郎の二人に、いちばん望みをかけている。

極秘だというし、こっちはそんな窮屈な役はまっぴらだから、まだ誰にも云ってはないし、なるべくそんなことにならないように――つまり優良児童だと誤解されないように――つとめているのだが、一方ではどうしても対抗する気持が出る。おれだって花田先生には望みをかけられているんだぞ、こう云ってやりたい気持でむずむずした。

だが癪《しゃく》に障るのは相手の態度である、新泉小太郎はこっちを無視していた。乙にすまし、かえってまるっきりこっちを見ようともしない。もともと無口のほうらしいが、二度か三度こっちから話しかけたのに「そう」とか「いや」とか云うばかりで、ぜんぜん相手にしないのである。喧嘩《けんか》をふっかけてやろうと思ってもそんな隙がないし、――なにしろいまいましくって、毎日の通学が苦になるくらいだった。

兄の松太郎とはふしぎなくらい関係がなかった。同じ家に住みいっしょに学堂へも通っていたのだが、満足に口をききあった記憶もない。双生児は性質も似るというが、そうとばかりは定《きま》らないらしい。兄は幾らかぼけているみたように温和《おとな》しくて、学校へ行け「はい」剣術をやれ「はい」、勉強しろ「はい」食事だ、寝ろ、起きろ、――一日じゅうはいはいと云いなり放題になっていた。こっちはどうしたってそんなぐあいにはいかない、自分でもたまにはおちついていようと思うけれども、少しながく坐っていると眠くなるか、耳の中で蟬《せみ》が鳴くような気持になる。手足がむずむずし始め、躯のそこらが痒《かゆ》くなって、つい知らず外へとびだしてしまうのである。

「悠二郎が来てから家の中がめちゃめちゃになってしまった」

父はよくこう云って眉をしかめた。慥《たし》かにそうらしいが、責任がどっちにあるかは問題だと思う。なにしろ此処《ここ》は浅草の家と違って、大川もなければ舟もなし、見世物も草の原も砂利山もなんにもない。庭はあることはあるが、へんてこな石だの芝生だの植込だの池だの、苔《こけ》のついた石燈籠《どうろう》だの、それぞれが尺で計ったようにきっちりと、いやによそよそしく配置してあって、木の枝ひとつ折っても「こらっ」とどなられる。

「その枝はそこの樹蔭《こかげ》を生かすために伸ばしてあったのだ、それを折ってはまるでみられなくなるではないか、おろか者」

池のふちにあるへんてこな岩の、肩のところに出っ張があった。かたちが悪いからそいつを金槌《かなづち》で欠いて取ったが、そのときも同じような小言をくわされた。それから踏石、——玄関の脇《わき》の木戸口から広縁まで、平ぺったい石がとびとびに置いてある。それを踏んでゆくようになっているのだが、そいつがひどくぞんざいで、一つは左へ次は右へというふうに、へんに曲って置かれてあった。おそらく意地の悪い人間か眼の狂ったやつの仕事だろう——よし、たまには善いこともしてやるさ、悠二郎はこう思って、そいつを一列にまっすぐに置きなおした。たいして大きくも厚くもないが、重いことはべらぼうに重かった。彼は汗だくになり、終ったときには足がふらふらした。

ひとに知れない善行というものは気持のいいものだ、悠二郎は父がそれを発見したときの、驚きと嘆賞の声を想像し、疲れも忘れてぞくぞくした。——が、その結果はまるで予期に反したものだった。どう予期に反したかは云わないほうがいいだろう、……要するに彼は父の見ている前で、もういちど汗だくになって、その踏石を元のように置きなおさなければならなかった。

庭の土を掘っていたら慈姑《くわい》が出て来た。山の手というところはきてれつなことがあるもんだと思って、掘れば幾らでも出て来るので、三十五六も掘りだしたら、そいつは水仙の球根だったので怒られた。また春さき庭の一隅《いちぐう》にえたいの知れない芽が出た、きみの悪い色をしたやつがにょきにょき出たので、毒の草かなにかだと思って、きれいにひっこ抜いてやったところが、それは芍薬《しゃくやく》の芽だそうで、これにもいっぱいくわされた。

金魚のときはもっとひどくやられた。

父の居間のある広縁のさきに、睡蓮《すいれん》を浮かせた大きな鉢がある、そいつは高さが二三尺に周囲が十二三尺くらいで、父はその中で金魚を飼っていた。薄い緑色に濁ったきたならしい水の中に、赤と白の斑《まだら》なやつが十尾ばかりいるらしい。睡蓮の葉の蔭とか、濁った水を透して、いつもそいつらは妙にのたのたと、草臥《くたび》れたような泳ぎ方をしていた。

「お父さまが大切にしていらっしゃるんですから悪戯《いたずら》をしてはいけませんよ」

母は心配そうに諄《くど》くこう云った。――見ているだけならいいので、側《そば》へいっては眺めたのである。そいつらは大きくて肥えていた、なかには五寸よりもっと大きいらしい、頭のところが瘤々《こぶこぶ》で、胴が毬《まり》みたいに肥えてひどくぶざまなのもいた。そいつらは、い、い、らんちゅうとか獅子頭《ししがしら》とか云うので、育て方がひじょうにむずかしく、父の丹精は誰にもまねのできないものだったそうだ。……父はそいつらを御殿へ献上するので、いっそう大事にするということであるが、それはそうかもしれないが、悠二郎は父が案外な手ぬかりをしているのを発見した。それはなにかというと、父は大事にするあまり、金魚どもの鰭《ひれ》や尾が伸びすぎているのに気がつかない、だからそいつらは鰭や尾が邪魔になって、満足に泳ぐことができないのである。――まるで赤ん坊が振袖《ふりそで》でも着たように、軀をくねくねさせ、のたのたした草臥れたような恰好《かっこう》で、重たそうにやっとこさ泳ぐのである。

悠二郎はそいつらが可哀《かわい》そうになった。そこで鋏《はさみ》を持って来て、一尾ずつ捉《つか》まえて、その伸びすぎた鰭や尾をちょうどいいくらいに切ってやった。――そうして七尾めを切ってやっていたとき、団栗《どんぐり》まなこの黒板権兵衛にみつかったのである。彼は殺されるような声で叫び、まず母がとんで来た、それから家扶の渡辺老、兄の松太郎、誰も彼もみんな、家じゅうの人間が集まって来たには驚いた。

「私たちだって髪毛や爪《つめ》が伸びれば、切るんですから、金魚だって可哀そうじゃないでしょうか」

こう説明したけれども父はむやみに怒って、とうとう三日のあいだ暗い納戸で謹慎させられた。

四

悠二郎が若君の正篤《まさあつ》と初めて会ったのは、明くる年の三月のことであった。――そんなことにならないように、自分ではかなり努力したつもりだったが、その甲斐《かい》もなく「御学友」にあげられてしまったのである。

浄松院という先の殿さまは、六年まえに二十三歳で亡《な》くなられ、若君はまだ任官こそしないが、そのときすでに六万三千石の藩主であった。生母は清香院といって、幕府の連枝《れんし》の松平の出であり、その実兄に当る松平外記《げき》が後見になった。——政治は合議制で、江戸と国許の全老職が参画し、そのなかで土井勘右衛門は若君の御養育を兼ねていた。

若君はそのころ信太郎《のぶたろう》といったが、悠二郎たちは「若さま」と呼ぶように注意された。——若さまは大きい表御殿とはべつに、奥庭の高みにある日月亭に起居していた。そこはまわりに松や杉の林があり、花畑や広い芝生などもあった。いちばん高い丘へ登ると、西は溜池《ためいけ》から赤坂台から山王の森などがひと眼だし、東は表御殿の屋根の間から、京橋方面の下町が眺《なが》められる。……またそこを西へ下り、かこいの笠木塀《かさぎべい》を越えると、一段ずつ果樹畑とか菜園などがあって、いちばん下は小さな流れのある谷底のようになっている。そこが屋敷境で、高い築地塀《ついじべい》の向うは黒いような森の茂みだった。

——若君はおない年の八歳だった。蒼白《あおじろ》いような痩《や》せた軀で、眉毛と眼の間のはなれた、ぼうっとした顔つきだった。動作ものろくさしているし、舌っ足らずな口をきくし、見ているとじれったくなるばかりだった。

——こんなのがばか殿になるんだな。

悠二郎はこう思ったので、お相手などまじめにする気持がなく、たいてい独りでとびまわっていた。花田先生の云ったとおり、選まれたのは七人で、むろん新泉もその一人だった。――かれらは朝八時にあがり、午後三時にさがる。朝のうち講話と素読と習字をし、午後は剣術の型の稽古《けいこ》があって、そのほかは庭で遊ぶという日課だった。そして七日にいちどずつ休みがあった。

悠二郎は素読も習字もいやだったが、講話と剣術は好きだった。講話というのは古今の名将勇士とか合戦物語などで、浅草寺の境内でやっていた辻《つじ》講釈に似ていた。それで、ことによると知り合かもしれないと思って、「先生は頓珍軒鈍斎《とんちんけんどんさい》ってひと知ってますか」ためしにそうきいてみた。すると、それはどこのなに者だと聞くから、浅草の辻講釈だと云ったら、先生は怒って講話を途中でよしてしまった。

御殿へあがりだして三度目の休みの日であったが、お祖父《じい》さんが「聖堂へゆこう」といって、朝早くいっしょに屋敷を出た。家へ帰ってから初めての外出である、それだけでも嬉《うれ》しかったのに、聖堂へはゆかないで、浅草の舟仙へつれてゆかれたにはびっくりした。

「黙っているんだぞ、内証だぞ」

お祖父さんはこう念を押した。

舟仙では悠二郎を見ておつねが涙をこぼした。五つになったおみつは忘れたものか、くりくりした眼でこっちを眺め、側へ来ようとはしなかった。悠二郎は手早く袴《はかま》をぬぎ着物をぬいで、「母ちゃん、おいらの着物出して呉れよ」こう云《い》いながら髪の毛もほどいた。

「そいから頭も前のようにして呉れねえ」

「まあ坊ちゃんそんなこと仰《おっ》しゃったって、まさかあなた」

「いいから好きなようにしてやれ」虚木老はこう云って笑った、「——半年も辛抱した息抜きだ、好きなように暴れて来い」

筒袖の脛《すね》っきりの袷《あわせ》に三尺、頭もちょいとひっ括《くく》っただけの、実にさばさばした恰好になった。

「わあすげえ、こいつはすげえや」

彼はとびあがって叫んだ。

「腰んとこが軽くって軀が浮いちゃいそうだ、屋根まで跳びあがれそうだ、わあすげえ、——母ちゃん、吉べえいるかい」

「舟は危のうございますよ」

おつねがそう云ったときには、彼はもう土間から外へとびだしていた。——吉べえという若い船頭を呼びだし、舟を出させて向う河岸《がし》へいったまま、昼飯まで帰らなかった。そしてようやく帰ったときには、片方の眼のまわりを紫色に腫《は》らし、頰ぺたに三条《みすじ》もひっ搔《か》き傷ができていた。

「勝んべの野郎に貸しがあったんだよ」

彼は茶漬《ちゃづけ》をかきこみながら云った。

「小梅にゃもう一人いるんだけど、逃げちゃって出て来やしねえ、こんだ瓦屋《かわらや》の熊んとこへいくんだ、喧嘩じゃねえよ観音さまで遊ぶんだ」

薬をつけてやる暇もなく、喰《た》べ終ると箸《はし》を抛《ほう》りだして出ていった。――虚木老は虚木老で深川あたりへでかけたらしい、三時すぎてから、いいきげんに酔って帰ったが、悠二郎はそれよりずっとおくれて、泥《どろ》まみれになり、千切れた片袖をぶらぶらさせて帰って来た。

「その顔はどうしたんだ、冗談じゃない」さすがの虚木老も唸《うな》った、「――おれたちは聖堂へいったことになっているんだぞ、聖堂でおまえそんな、……冗談じゃない、だがまあ早く支度をしろ、帰りがすっかりおくれてしまった」

舟仙を出るとき、おみつが門口から顔を半分のぞかせて、にっと笑いながら云った。

「悠ちゃんのあんちゃん、また来てね」

悠二郎は黙ってさっさと歩きだした。

そのときは虚木老がうまいぐあいにごまかした。聖堂を出るとき石段で転んで、眼のまわりをそんなにし、また枸橘《からたち》の垣根で頰をひっ搔いたといった。信用したかどうか、父は黙っていたし、母もなんにも云わずに薬をつけて呉《く》れた。それから月にいちど舟仙へ出かけた。また三社《さんじゃ》祭りとか両国の花火とか、四万六千日とか草市などの、なつかしい行事のあるときには、定った日のほかにも伴《つ》れて出て呉れた。

若君と話をするようになったのは、その年の初秋のころだった。それまで若君は新泉にばかりくっついていて、彼などには眼もくれなかった。こっちはそのほうが有難い、暇さえあれば勝手にとびまわって、そのじぶんはもう広い上屋敷の隅《すみ》から隅まで知っていた。——七月はじめから小太郎が出て来なくなった。病気だということで、若君のひどく淋《さび》しそうなようすが眼についた。悠二郎はそのとき初めて声をかけた。そうして若君の気をまぎらせてやろうと思って、耳へ口を押しつけて囁《ささや》いた。

「魚をしゃくいにゆきましょうか」

若君はけげんそうな眼をしてこっちを見た。

「鮒《ふな》だの蝦《えび》だの獲《と》れるんですよ、面白いぜ」

ほかのやつらには内証だからと云って、しめし合せて、例の屋敷境の谷へ下りていった。若君は笠木塀を乗り越えるとき泣きそうになり、台地を跳び下りるとき膝《ひざ》を擦《すり》剝《む》いた。動作がのろくさして不器用で、つい舌打ちをしたくなった。

「もっとてっとり早くしなくちゃだめですよ、擦剝いたとこなんかうっちゃっときなさい、番人にみつかるとたいへんなんだから」

最後の菜園の石垣を跳び下りると、その石垣のひとところ崩れた穴から目笊《めざる》を取り出した。

——若君は不安そうにまわりを眺めまわしていた。うす暗くてじめじめした、狭い谷底のような景色にびっくりし、また不安で気持がおちつかないらしい。悠二郎はさあこっちですよと云って、蘆《あし》を掻きわけて流れのところへいった。幅三尺ばかりの、ほんの浅い泥溝《どぶ》川であるが、溜池に続いているので、そっちから小さな魚や川蝦がのぼって来るのである。悠二郎は慣れたようすで袴の股立《ももだち》をとり、はだしになって流れの中へはいると、たちまち小鮒を一尾すくいあげて来た。

「ほらね、獲れたでしょ、こいつはきんこってんだぜ、金色に光ってるだろ、金鮒ともいうけど、小梅のやつらはきんこってえんだ」

彼は小鮒を五尾と川蝦を三つばかり獲った。若君にはまったく初めての経験で、そのときはただ驚くばかりだった。眼をまるくして、ばかにでもなったような顔をしていた。

その翌日のことであるが、遊び時間になると若君が彼を呼んで、「若のところにも魚がいるよ」と云った。そこでいっしょにいってみると、小さな泉水に金魚が泳いでいた。——それはらんちゅうとか獅子頭とかいう例のぶざまなやつで、父の献上したものだということがすぐにわかった。悠二郎は急にきな臭いようないやな気持になり、脇のほうへ唾《つば》を吐いて、ちえっこんなの、と、しかめ面《づら》をして云った。

「こいつらはみんな片輪者ですよ、女の観《み》るもんだぜ、こんなの面白いのかな、なっちゃねえな」

若君は途方にくれたような顔で、しょげていた。

二日ばかりして、彼はまた若君をさそってしゃくいにいった。三度めには若君のほうからゆこうと云いだした。面白くなったらしい、笠木塀を乗り越えるのも、台地を跳び下りるのも、番人が来たときの隠れ方も、だんだんいたについてきたし、自分でも流れにはいってしゃくうようになった。

「本当はこんなもんじゃないんだぜ、橋場の川へゆきゃあ鮠《はや》だの鯉《こい》っ子だの、こんなでけえのが山と獲れるんだぜ——おれなんか綾瀬《あやせ》川でなんべんも鯉を釣《つ》っちゃった」

「——そこへは、若もゆけるの」

「いかれやしねえさ、いけると面白いんだがな、芝居もあるし、観音さまにゃあ軽業《かるわざ》もかかるしよ、ろくろっ首って見たことがあるかい」

「——若はいつか、……いつか、能を観た」

そんなぐあいに話もするが、たいていちぐはぐで、悠二郎はいつも軽侮に堪えないという顔をし、それから気の毒になって、自分の楽しい経験を詳しく物語るのであった。

新泉が出て来はじめると、若君はまた新泉をひきつけて離さなかったが、悠二郎にも疎《うと》くはしなかった。ただ二人がどうしても折り合えないということは察したとみえ、悠二郎には決して新泉の話をせず、新泉に悠二郎のことは黙っていたようだ。

若君を屋敷からぬけ出させて、浅草界隈《かいわい》の面白いところを見せてやりたい。悠二郎はその頃《ころ》からよくそう空想していた、もちろん空想するだけで、実際にやろうとも思わなかったし、そんなことが出来るとも考えなかった。しかしやがて機会がやって来て、その夢のような空想が実現できるようになったのである。

五

若君が十二歳になった年、六月から八月いっぱい、本所の下屋敷ですごすことになった。軀《からだ》が虚弱なので、医師と勘右衛門の主張で定ったらしい。女をひとりも置かず、侍もごく僅《わず》かで、学問も他の稽古もなく、七人のお相手と遊び暮していればよかった。——その下屋敷で、悠二郎は巧みに機会をつかみ、若君を外へぬけ出させたのであった。

そこでは万事がゆるやかだった。養育係としては勘右衛門がいるだけだし、御殿の造りも、塀がこいも簡略で、隠れて出入する隙《すき》は幾らでもあった。たいていは若君に「気分が悪い」と云わせ、寝所へはいるふりをして出かけるのである。それにはお相手のなかの原精一郎というのを身代りに寝所へ寝かして置いた。精一郎はずぬけたくいしんぼうで、いつも一袋の菓子で買収することができたのである。——悠二郎はぬけ出るとまず舟仙へゆき、そこで若君にも着替えをさせ、そうしてほうぼう伴れまわった。舟仙の者には若君を友達の信太郎だと紹介し、かれらの前では「おい信ちゃん」などと呼んでみせた。若君のほうにはこっちを「悠公」と呼ばせ、それで幾分かは階級をつけるつもりだったが、どうしても若君はそれに慣れず、しまいまでいに「おい」とか「ちょっと」とかいうふうにしか呼ばなかった。

悠二郎は小梅の勝んべを撲《なぐ》るところもみせた。魚の釣り方も、池のかいぼりも、大川で泳ぐことも教えた。若君もだんだん身軽に動けるようになり、わる悪戯をして追っかけられるようなばあいでも、なかなかすばやく巧みに逃げられるようになった。

——向島の長命寺の近くへいったときのことだが、寮めいたある家の側でふと思いだし、「ちょっと待ってな、慥《たし》かこの中だと思ったが、いまうめえ物を取って来てやるからな」

こう云って悠二郎は、生垣の隙から庭の中へもぐり込んだ。そこでまえに桑の実を取ったことがある、少し季節がおくれているが、場所は慥かにそこだと思ってはいった、するとはたして大きな桑の木があり、生《な》り盛りは過ぎているが、黒い実がまだかなり残っている。——悠二郎は両手でそれを摘《つ》み取り、ふところへ入れてはまた摘み取った。と、とつぜん、

「この野郎、また庭を荒すか」

こう叫びながら、下男のような男が棒を持ってとびだして来た。悠二郎はすばやく生垣の隙から外へぬけ、「早く早く」と、若君をつきとばすように逃げだした。——水戸屋敷のところまで息もつかずに走り、そこの土堤《どて》の下で、ふところから桑の実を出して二人で喰べた。

「うまいねえ、こんなうまい物は初めてだ、これなんの実なの」

「桑の実さ、こいつを喰べると口ん中じゅう紫色になるんだ。ほら見てみな、ね」

「本当だ、若のもなってるかね」

二人は互いに口や舌を見せあい、おはぐろを付けたようだと笑いあった。

九月に上《かみ》屋敷へ帰ると、若君は庭師に命じて桑を二本植えさせた。庭師はそんなものはお屋敷の庭へ植えるものではないと云い、なかなか承知しなかったが、若君がどうしてもきかないので、それでは内証ですからと云って、日月亭の裏のところへ二本植えた。

「こっちは若、こっちはおまえのにしよう」

若君は悠二郎にこう囁いた。

「これから毎年二本ずつ植えるよ、そうしてたくさんになったら、家中《かちゅう》の者みんなに食わせてやるのさ、みんなうまいのでびっくりするよ」

明くる年も下屋敷でさかんにぬけ出した。

その翌年からは十二月にも、ひと月だけ下屋敷ですごすことになり、夏とは違ったいろいろの経験をした。——桑の木は一年に二本ずつ植えてゆき、初めに植えたのは、三年めから実が生りだした。

若君は十六歳の春、後見を解かれ、摂津守《せっつのかみ》に任官して正篤と名のり、松平玄蕃頭《げんばのかみ》の女で、十七になる順子《よりこ》と結婚した。

「お祖父さまこんな乱暴なことがありますか」

悠二郎は心から怒って、祖父に向ってこう詰問《きつもん》した。

「先殿《せんとの》もそのまえの殿も若死をなすっていらっしゃる。それはみんな早く結婚するためじゃありませんか、準斎先生も早婚はその者の軀にもよくないし、生れる子も劣弱になり易《やす》いと云ってますよ、そのくらいのことがお祖父さまにはおわかりにならないのですか」

「わかっているさ、――みんな、おそらく誰だって承知しているだろう」

「ではなぜ黙っているんです、どうして止めようとなさらないんです。向うは女の十七でいいだろうけれど、若さまは十六でもおくのほうじゃありませんか」

「だがこれだけは、どうにもならないんだ」

そして虚木老は語った。五代まえから、ふしぎに藩主が若死をする、光覚院というひとから先代の浄松院まで、たいてい二十二か三で病死してしまう。そのころ大名の家では早婚が通例であって、名目だけにしても十三四で結婚するものさえ少なくはない。――そのためもあろう、同時に医者のみるところでは、躰質《たいしつ》的な遺伝のようなものもあるらしい、室井準斎は浄松院をも診た医者であるが、若君信太郎の躰質に、父と共通した点が多いことを指摘している。

「人間の寿命はわからない、どんな名医にも人間の寿命を当てることはできまい、しかし五代も続いて早逝《そうせい》し、躰質が似ているものとすれば、――おそれ多いことだが、いちおう御短命とみなければならぬ」

そこで問題になるのは継嗣《けいし》のことである。六万三千石の所領と、家名血統と、ひいては全家臣たちのためには、どうしても世子《せいし》がなくてはならない。少しは愚かであろうと、弱かろうと、世継ぎだけは必要なのである。

「そんなばかなことがあるもんですか、幾らお世継ぎが必要だからって、そんな、――それじゃあまるで若さまのお命を、短いうえに短くするようなものじゃありませんか」

「人間は生きた年数だけで長命か短命かがきまるものではない」

昂奮《こうふん》している悠二郎を見て、虚木老はなだめるかのようにこう云った。

「土蔵の中で百年生きるのと、市中で三十年生きるのと、その経験したことを比較してみるがいい、どちらが長く生きたことになるか、――悠二郎、わかるだろう」

「いいえ、わかりません、それが若さまとなにか関係があるんですか」

虚木老は苦笑して、勘のにぶいやつだと呟《つぶや》き、わからなければよく考えろと云った。

正篤は表御殿へ移り、お相手役は解かれて、悠二郎と新泉とくいしんぼうの原と、三人があらたに側扈従《そばごしよう》となった。——悠二郎はその当座しきりに、正篤に向ってそれとなく早婚のよくないことを説いた。明らかには云えないから、ほかに例をとって話したのだが、正篤もそれと感づいたとみえ、「おれのことなら心配しなくともいいよ」こう云って微笑した。

順子姫の輿入《こしい》れは三月中旬に行われた。しかし正篤は表御殿で寝起きをし、やむを得ない行事のほかは奥へはゆかなかった。——そのことではかなりむずかしいゆくたてがあったらしい。正篤の母の清香院にとっては、順子は血縁つづきであり、またひじょうな気にいりで、その縁組も彼女の意志でまとめたものだといわれる。——もうひとつはやっぱり早く世継ぎも欲しかったろうし、寝所を奥へ移すようにと、かなりやかましい督促があった。そのあいだに立って、勘右衛門と室井準斎がいろいろとりなしをし、正篤の軀が不調だからという理由を主にして、ごく自然に延期していったもようである。

その年も六月になるとすぐ下屋敷へ移り、早速またぬけ出しを始めた。舟仙ではみんな待ち兼ねていたが、なかでもおみつはこれまでにないよろこびようで、「お揃《そろ》いの浴衣《ゆかた》を拵《こしら》えといたのよ」などと云って、自分で浴衣や三尺を出して来て、側に付いていて世話をやいた。

「悠ちゃん、三尺はもっと下へ締めるものよ、信さんももう少し下になさらなくっちゃ、――そう、ええ、いいわ、わりと柄《がら》も似合うわ」

そんなふうに大人びたことを云った。家のしょうばいがしょうばいだし、下町も浅草育ちだからませるのだろうが、去年から見ると背丈も伸び、顔だちも目だってきれいになって、十三という年より一つ二つ上にみえた。

「なまを云ってやがら、自分で仕立てたわけでもねえくせにして、あっちへいってろよ、うるせえ」

「縫やあしないけど柄はあたしの見立てよ」

「道理で田舎っ臭えと思った、おめえなんぞまだそんながらじゃあねえよ、おしゃぶりでもしゃぶってあねさまごっこでもしているがいいのさ」

「いいわよ、気にいらなきゃ脱いで頂戴《ちょうだい》」

「お情けで着てやるよ、可哀《かわい》そうだからね、母ちゃん、舟借りるぜ」

正篤を促して河岸へとびだすと、おみつが追って来てまた世話をやいた。

「その舟はだめよ悠ちゃん、だめなのよ、こっちの舟にしなさいよ」

「黙ってろ、うるせえ、素人《しろうと》じゃあねえんだ」

「偉そうなこと云うわね、そんならやってごらんなさいよ、いいお慰みだわ」

二人の口喧嘩《くちげんか》にはもう正篤も慣れている。仙吉夫婦も向うで笑いながら見ていた。――なにってやんでえ、こっちがよっぽどお慰みだと、もやいを解いて、棹《さお》を使って舟を川へ出した。もうよかろうと、艪臍《ろべそ》をしめそうとしたが、そこが取れて無くなっているので唸《うな》った。

「どうしたの、漕《こ》がないの、悠ちゃん」

河岸からおみつがそう叫んだ。

その年は舟仙の家でよく遊んだ。太神楽《だいかぐら》だとか講釈師だとか、手品師とかおとし噺《ばなし》とか俗曲などの芸人を呼んで、二階をぶっとおして近所の者も招いたりして、賑《にぎ》やかに見物した。――もうそれまでに浅草寺の奥山で、その種のものはたいてい見ていたが、そういう座敷へ来る者の芸はまたべつの味があり、正篤はひじょうに楽しそうなようすだった。

六

上屋敷へ帰る日が近づいてから、おみつは悠二郎と二人きりのとき、さぐるような眼《め》つきで彼を見ながら云《い》った。

「なんだか今年はようすがへんね、いつもと違って信さんをばかに大事にするし、外へ出てもあんまり乱暴なことしないじゃないの」

「おめえなんぞの知ったこっちゃねえよ」

「信さんだって迷惑そうだったわよ、いつかあたしに、今年は悠ちゃんへんだって、へんにうるさくするって、そ云ってたわよ」

悠二郎はどきっとした。おみつのさぐるような眼から顔をそむけ、よし、そんなこと云やあがったら、あいつ、――などと云ったものの、胸がふさがるような思いで、おみつの側から逃げだした。

その年は十月になって、思いがけない帰国の許しが出た。参覲《さんきん》のいとまで正篤にとっては初めての国入りである。まだ一二年はその沙汰《さた》もあるまいと思っていたし、出立までの日数が少なかったので、家中はいっとき眼の廻《まわ》るような騒ぎだった。――正篤は悠二郎に、こっちに残っていろと云った。おまえを江戸から離すのは可哀そうだし、おみつが淋《さび》しがるだろう、などとも云った。しかし悠二郎はてんで聞こうともせず、正篤に付いて出立した。

国許《くにもと》にはちょうど一年いた。高い山が東と北に峰をつらね、城下の近くに瀬の早い川がながれていた。城は丘陵の上にあり、森のような樹立《こだち》に囲まれているが、地盤が高いので眺望《ちょうぼう》はひろく大きかった。

悠二郎はその眺望にはまいった。雪をかむった山々の峰が、鋭く尖《とが》ってはっきり見える、雨風にさらされた、灰色めいた、うらさびれたような町の家々、その向うをながれている川の、早瀬のところのあざやかに白い泡《あわ》、そして遠くうちひらけている荒地や田には、一日じゅう溶けない薄氷が張っている、――どっちを見てもそんな景色で、見るたびに江戸が恋しくなり、気持が沈むのに降参した。

花田先生とはゆくとすぐに会った。相変らず色白のおとこまえだが、少し肥えて態度もずっと穏やかになっていた。――新泉と二人でいちど遊びに来いと云われ、二人で訪ねて昼餉《ひるげ》を馳走《ちそう》されたが、こっちへ来るとすぐ結婚されたそうで、やさしそうな妻女と小さな男の子がいた。

「うん、よし、いいだろう、だいたい思ったとおりだ」

二人のようすを見て、花田欣弥は微笑しながらそう云った。新泉はそ知らぬ顔をしていたが、悠二郎はてれくさくなって頸《くび》を撫《な》でたりそら咳《ぜき》をしたりした。――おまえと新泉の二人に望みをかけている。と、いつか花田先生は云ったが、今の言葉はそれにつながるものに相違ない。とすればとんでもないはなしで、それどころではございませんと逃げだしたいくらいだった。

一年の在国ちゅう、正篤の性格に一種の変化が起こった。

あとで思い当ったことだが、帰国するとすぐ菩提所《ぼだいしょ》の大竜寺へ展墓をし、それから間をおいてしばしば寺を訪ねた。その前後から気分にむらがではじめ、陽気に笑う日があるかと思うと、ひどく憂鬱《ゆううつ》に黙りこむ日が続く。するとまた急に元気になって、鷹巣《たかのす》山へ遠乗りをしようと云いだしたりした。――沈んだようすのときは顔つきまで暗く、蒼《あお》ざめて、眉《まゆ》をしかめて、なにか痛みを堪《こら》えてでもいるような、苦しげな表情になった。

「どうかなすったのですか、お躯《からだ》のぐあいでも悪いのではございませんか」

あるとき悠二郎がそうきいてみた。正篤は不意におどかされでもしたように、ぎょっとした眼つきでこっちを見た。それから唇《くちびる》を歪《ゆが》めて笑い、頭を振りながら云った。

「いやなんでもない、――大丈夫だ、郷愁というのだろう、ときどき江戸へ帰りたくなる」

「はあ、それは、しかしそれだけでございますか」

「おまえ帰りたくないか」正篤はこう云って、脇《わき》のほうへ眼をそらした、「――江戸へ帰って、また舟仙へゆこう、みんな待っているだろう、今ごろおみつはなにをしているだろうな」

悠二郎は身につまされ、ほっとすると同時に、せっかく忘れようとしているものを思いださせられて、いやな心持になった。

これもそのじぶんのことだが、花田欣弥が靖献遺言《せいけんいげん》の講義をすることになった。だいたい五十回ばかりの予定で始めたのであるが、第一日の講義を半刻《はんとき》ほど聴いたとき、とつぜん「ああ」という奇妙な呻《うめ》きのような声をあげた。――悠二郎はとっさに眼をあげたが、正篤は蒼ざめ、いつもよりもっと鋭く眉をしかめ、一種の捉《とら》えがたい歪んだ表情になっているのを見た。だが正篤は自分の声に自分でびっくりし、とまどいをしたように、「いやなんでもない、続けて呉《く》れ」こう云ったのであるが、そのあとでも聴いているようすはなく、講義はそれきりでやめになった。――その後もときどき妙なことがあった、話をしていて急にちぐはぐな返辞をしたり、ふっと黙りこんでしまったり、いきなり外へ出ようと云ったりして、まわりの者をまごつかせた。けれどもそれは、ときたまのことであるし、かくべつ異常にみえるほどでもなかったので、悠二郎もたいして気にかけはしなかったのである。

江戸へ戻ったのは翌々年の三月であった。そして参覲出府の式――国産の献上物を持って将軍に謁見《えつけん》すること――が済むとすぐ、正篤は軽い風邪をひいて寝た。旅の疲れも出たのであろう、長くて四五日と思われたが、そのまま五十日ばかり病間を出ることができなかった。

悠二郎は殆《ほと》んど詰めきりでお伽《とぎ》をした。むろんお伽や宿直《とのい》はほかにもいたが、彼と新泉と原の三人はいつもお側去らずで、ことに悠二郎はその期間ずっと家へ帰らなかった。——新泉や原は五日にいちどずつ家へ帰るし、夜も正篤に云われれば部屋へさがって寝た。しかし悠二郎だけはそういうばあいでも宿直より遠くへは決してさがらなかった。……正篤も諄《くど》く「さがれ」とは云わなかった。二人きりになれば舟仙を中心にした話ができる、そのときだけは気が紛れるらしい、声をだして笑うことさえしばしばあった。

「あの話には驚いた、とうてい本当とは思えなかった」

あるとき正篤はふと思いだしたというふうに、こう云って笑いながらこっちを見た。どうも顔の一点をじろじろ見て笑うので、悠二郎は例の如《ごと》くてれて、なんの話ですかときいた。正篤は自分の鼻を指さした。

「おまえの鼻の穴がどうしてそんなに大きくなったかという話さ、おつねにすっかり聞いたんだよ」

「えっ、ああ——ああそればかりは」

「そればかりはと云ったって本当なんだろう」

「覚えがないんです」悠二郎は赤くなり、むきになって弁明した、「——ぜんぜんです、自分ではこれっぽっちも覚えのないことなんです。これだけは誰にも話さない約束だったんですが、……ひどいやつだ」

正篤は笑って、そして激しく咳きいった。

だが、こういう会話はだんだん少なくなり、正篤のようすは日の経《た》つにしたがって憂鬱の色を増した。悠二郎の話を聞いて笑っても、それが心からの笑いでないことがわかる。沈んだ顔色をして、ともすると黙りこんで、ぼんやりどこかを眺《なが》めるというふうなことが多くなった。——病気が悪くなったのかと案じられたが、医者は寧《むし》ろ恢《かい》復《ふく》しつつあると云っていた。そのうち悠二郎はふと、正篤が国にいるじぶんから、幾たびもそんなようすをみせたことを思い出し、そこになにか理由があって、そうしてそれが現在まで糸をひいているのではないか、と、想像してみたりした。

昏《く》れがたから雨になったある夜のこと、ちょうどまた二人きりのときだったが、とりとめのない話がふととぎれて、どちらもいっとき、しんしんと庇《ひさし》を打つ雨の音に聴きいっていた。そしてかなり経ってから、正篤は枕《まくら》の上で仰向いたまま、喉《のど》にからんだような声でこう云った。

「悠二郎、おまえ浅草へはいつゆくんだ」

それはもうたびたび云われることであった。悠二郎はさりげなく、いつものように答えた。

「もう本復ものないことですから、ごいっしょにお供を致します、独りでまいっても面白くはございません」

「そうではあるまい、浅草へもゆきたいが、おれの側を離れることができないのだろう」正篤の声は棘《とげ》のある調子に変った、「——おまえは知っているのだ、それで、おれがいつ死ぬかもしれないと思って」

「なにを仰《おっ》しゃるのですか」

悠二郎はぎくっとし、慌《あわ》てて遮《さえぎ》ろうとしたが、正篤は冷笑するように続けた。

「隠すことはない、おれも知っているのだ、大竜寺へ展墓にいったとき、寺の日鑑をみてすっかりわかったのだ、五代まえの先祖から、わが家の男子はみな若くて死ぬ、父上もお祖父《じい》さまもひいお祖父さまも、みんな二十から二十二三で亡《な》くなっている、——おれに早く奥を迎えさせ、早く世継ぎのできるように強《し》いたのも、母上や老臣どもがおれの短命だということを知っていたからだ、そうではないか、悠二郎」

悠二郎には口がきけなかった。両手で袴《はかま》を摑《つか》み、頭を垂れ、こみあげてくる涙をけんめいに堪えていた。

「みんなには、おれの命よりも、世継ぎの有無のほうが重大だ、——たとえそのために、おれが寿命を早めることになっても、世継ぎをつくることができれば、そのほうがみんなのためにはよい、……そうではないか、悠二郎」

七

悠二郎はそこへ手をついた。そうしてできるだけ静かな調子で云った。

「私は殿が若死をなさるとは思いません、御代々が御短命だからと申して、殿も御短命であるとは定《きま》りは致しません、私は殿は御長命でいらっしゃると信じております」

「おまえが信じるだけでおれの寿命が延びると思うのか」

「私はいつぞや祖父からこのようなことを聞きました」悠二郎は構わずこう続けた、「――人間は生きた年数だけで、長命か短命かがきまるものではない、土蔵の中で百年生きるのと、市中で三十年生きるのと、その経験したことを比較すれば、市中で三十年しか生きないほうが、事実は長命したといえるではないか」

正篤は眼をつむり、息をひそめるようにした。悠二郎は言葉をつよめて云い継いだ。

「私は祖父の申すことがそのときはわかりませんでした。しかしまもなく合点がまいったのです、殿の御身分としては、殿はこれまでにもかなり桁外《けたはず》れな御経験をなさいました、――庶民と同じ姿になって、浅草の見世物もごらんになり、大川へ舟を出して、自由に泳ぎもし釣《つ》りもあそばしました、向島から小梅あたりの悪童どもと、いっしょに遊んだり喧嘩をしたり、……他の方々、御殿の中だけで成長なさる方々には、とうてい見も聞きもできない経験をなすっておいでです、そうではございませんでしょうか」

悠二郎は思うことを的確に云えないもどかしさにあせり、肩を揺すったりせかせかと膝《ひざ》を撫でたり、そしてしきりに吃《ども》った。

「人間の寿命はそ、な、わ、ったものだと申します、仮にもし殿の御寿命が二十三までと致しましても、それまでにできるだけ広い多くの経験をなさり、充実したゆるみのない生活をあそばすとすれば、なすこともなく百年生きるより、はるかに、本当に生きたと申せるのではございませんか」

正篤はいつか眼をあけて、暗い天床《てんじょう》の一隅《いちぐう》をじっと見まもっていた。更《ふ》けた夜のしじまには、庇を打つ雨の音が、さむざむとひそかに聞えてくる。――悠二郎はもう言葉を選ぶひまもなく、念《おも》いの口を衝《つ》いて出るままに云った。

「殿にもしものことがあれば、そのときは、悠二郎もお供を致します、決して、殿ひとりお死なせ申しは致しません、――人間はいつかはみんな死ぬのです、おそかれ早かれ、いずれはみんな死んでゆくのです、……殿、死ぬことをお考えなさいますな、大事なのは生きているうちのことです、できるだけ充実した生きかた、広く深いゆるみのない生きかたを考えましょう、そのときが来るまで、生きられるうちに充分に、生れてきた甲斐《かい》のあるように生きることを考えましょう」

「——わかった、よくわかった」

正篤はやや長い沈黙のあとでこう云った。

「——生きられる限り生きよう、おまえの云うとおり、大事なのは生きることだ、悠二郎、——おまえだけは、どんなことがあってもおれから離れて呉れるな」

「どんなことがありましても」悠二郎は証《あか》しを立てるように云った。「——この世は申すまでもなく、あの世へも、決してお側を離れは致しません」

正篤が手を伸ばした。その手を悠二郎は両手で受けた。雨は少しのやみまもなく、しんしんと庇を打っていた。

医者の云ったとおり正篤の病気は順調によくなり、五月中旬にはとこばらいをした。——まそうして医者の進言もあり正篤の望みで、すぐ下屋敷へ静養のために移った。——まえのことがあってから、正篤はもう憂鬱なようすをみせず、寧ろ起ち居《たい》は元気になり、顔つきも明るく大胆になった。下屋敷へ移って四五日すると、

「悠二郎、暗くなったらでかけるぞ」

こう囁《ささや》いて、その日初めて、夜になって屋敷をぬけ出した。もう年も十八であるし、任官した藩主であったから、ぬけ出すにも以前ほど周囲の者に気をつかう必要はない。しかし正篤はそれでいい気になるというふうはなく、二日おき三日おきくらいにでかけ、夜もあまり更けないうちにきちんと帰った。

おみつはもう十五歳で、みかけもすっかり娘らしくなったが、生来のませた気持はみかけよりずっと大人びていて、二人を弟かなんぞのように扱った。

「いい若いしがなによ、たまにはなか（吉原）へでもいってらっしゃい」

などと、きいたふうなことを云《い》う。

「偉そうなこと云ってもだめよ、悠ちゃんなんか、梅干の種を鼻の穴じゃないの、——くやしかったら芸妓《げいこ》の情人《いいひと》でもつくってごらんなさい」

「なにょう云やあがる、こっちあ屋敷が本所にあるんだぜ」

悠二郎はむきになって口を尖らす。

「お屋敷が本所だからどうしたのよ」

「べらぼうめ、本所から深川はひと跨《また》ぎだ、なあ信さん、こいつあなんにも知っちゃあいねえのさ、へ、可愛《かわい》いもんさ」

「そんなら家へ伴《つ》れて来たらいいじゃないの、そんなお馴染《なじみ》があるんなら伴れていらっしゃいよ」

「べらぼうめ、こちとらあてめえのおっこちを見せまわるほど浅黄裏《あさぎうら》じゃあねえや、嘘《うそ》だと思うんなら自分でいって聞いてみな、櫓下《やぐらした》へいって当時こちらで信さんと悠さんに深間のお姐《ねえ》さんはどなたでござんすか、――こうきけば猫の仔《ねここ》でも教えて呉れらあ、ざまあみやがれ」

「そんならそっちへいったらいいじゃないの、こんな家へなんか来たって面白かあないでしょ、いらっしゃいよ、すぐ舟のしたくさせてあげるわ」

おみつはくやしそうに唇を嚙《か》む。

「おう待ってました、松吉にそいって呉れ、門限があるんだから早いとこ頼むってな」

「云うわよ、なんでもありゃしないわ、そう云えばいいんでしょ」

「云えばいいのさ、さっさと頼むぜ」

「わかったわよ、どうせいいわよ、きれいな顔をしてたって蔭《かげ》じゃあそんなことをしているんだから、家じゃあ母ちゃんもあたしも待ってたんじゃないの、今日は家で悠《ゆっ》くりして頂こうって、大騒ぎでいろいろ下拵《したごしら》えをして、芸人は誰と誰を呼ぼうかって、お父つぁんもいっしょに相談して、もういらっしゃるかしらってみんなで待ってたんじゃないの、それなのに」

「なんだ、泣くのか、こいつあ驚きだ」

おみつは泣きだし、正篤はにやにや笑っている。悠二郎は途方にくれ、いまさら云いなだめるわけにもいかず、さりとてそのまま立てもせず、ごまかそうとして、てれて、うろうろして、ついにはおつねの助けを求める。

「どうしてそうなんだろう、顔を見るとすぐ喧嘩《けんか》なんだから、——おまえが悪いんだよ、なんだねばかばかしい、自分でへんなこと云いだしたんじゃないの、だから悠さんにからかわれたんじゃないか、嘘だよあんなこと、からかわれてるんじゃないか、ばかだねこのひとは」

「いいわよ、拵えといたお肴《さかな》みんな猫にやっちゃうから」

「猫がまっぴらだとさ」

「およしなさいったらねえいいかげんに、おみつは下へ来てお呉れ、煮物をみてて呉れなきゃあ困るよ」

そんな口諍《くちあらそ》いは番たびのことだが、もちろんすぐにからっと仲なおりができてしまう、二人が帰るときなどは外まで送って出て、「ちょっと待って、衿《えり》が曲ってるわ」などと悠二郎の着物のどこかしら、引いたり下げたり、なにかしなければ気が済まないらしい。

「信さんはきちんとなさるのに、どうして悠ちゃんはこう着かたが下手なんでしょう、ちょっとじっとして、だめよそんなに動いちゃあ」

「うるせえな、曲ってたっていいよ」

「よかあないわよ、ちょっと待ってよ、ここんとこ、あらいやだ、これ下から着なおさなくちゃだめだわ」

「なにょう云ってやんだい、あばよ」

しょうのないひとね、おみつは眉《まゆ》をひそめて、小走りに少し追って、正篤へは丁寧におじぎをしてあいそを云うのであった。

「どうぞまたおいで下さいまし、お待ち申しております」

舟仙の二階で遊んで帰るときはそのままだが、外へ出るときはたいてい職人の恰好《かっこう》であった。小梅から向島のほうもよく歩き、桑の実を取って庭番にみつかって息を限りに逃げた、あの生垣の側も通ってみた。

「お庭の桑はどうしたでしょう、たしか六本くらい植えたんでしたね、――八本だったかしら」

「あれからもう七年経ってるじゃないか、一年に二本ずつ植える筈《はず》だったろう、おまえ忘れていたのか」

「じゃあずっと、あれから、二本ずつですか」

「おれのと悠二郎のと、……上《かみ》屋敷へ戻ったらみにゆくがいい」

その年は久しぶりで小梅の勝んべに会った。三社祭りの雑沓《ざっとう》のなかで、悠二郎が呼びかけると彼は赤い顔をし、おと年から下谷竹町の左官屋へいっていると云った。

「今戸の瓦屋《かわらや》の熊を知ってるね、あいつ板前になるんだって、いま中洲《なかす》の百尺で皿洗いをやってるよ」勝はこんなことを云って、それから眼をしばしばさせながら、「――おらあ聞いたけど、悠ちゃんも信さんもお侍の子なんだってな」

綾瀬川でその年は正篤が五百匁《め》あまりの鯉《こい》を釣った。またおみつの案内で水神《すいじん》へ舟でゆき、そこの百姓家のような小さなうす暗い茶屋で川魚料理を喰《た》べた。

九月になってまもなく上屋敷へ帰ると、すぐさま悠二郎は日月亭の裏へいってみた。正篤の云うとおり、今年の春あたり植えたらしい二本を入れて、数えてみると十四本あった。初め植えたのは丈も九尺あまりになり、正篤が手入れを禁じてあるので、枝を四方へ伸ばせるだけ伸ばしていた。

「こんなものを、どうせ、始末におえません、見るたびにどうも、なんとも」庭師の老人はしきりにこぼしていた、「――どうしたってお庭につくもんじゃございません、いまに爺《じじ》いが叱《しか》られるに定っています」

正篤はなにも云わず微笑していた。

まだ下屋敷にいるときから、悠二郎は諄《くど》く正篤に念を押した。今年こそ奥からやかしかし決して譲歩なさらぬよう、自分は祖父や準斎のほうを説得するから、あなたは奥に対してきっぱりした態度をとって頂きたい。早婚の害はとりかえしがつかないという、二十までは決して奥の寝所へははいらぬように。

——正篤は約束した、そうして上屋敷へ戻った日の夜、改めて正篤のほうからその約束を繰り返した。

「決して譲歩はしない、大丈夫だ」

八

おれはまずおれ自身を生かしてゆく、そしてもし寿命がゆるすなら、世継ぎには健康な血統をのこすようにしたい。正篤はこう云って、さらに次のように続けた。

「おれはおまえのおかげでいろいろ世間を知ることができた、商人《あきんど》や日雇い人足や職人たち、そのほか一般の町家の暮しをずいぶん見てきた、——そしてそのときの政治が、善ければいいように、悪ければそのまま悪く、直接あの者たちの暮しにひびくことも、おぼろげながらわかるように思う、……今年の冬もいこう、来年も再来年も、いとまのある限り見てまわろう、おれは今年は、初めて、――自分が六万三千石の領主だということに気づいたよ」

悠二郎はびっくりした。やっぱり血というものは争えないと思い、ただ面白がっているだけの自分にてれて、独りで赤くなった。

「そのときがきたら、おれは自分で藩政をみる、まだそのときではない、だがそのときがきたら、――悠二郎、おまえと新泉がおれの両の腕になるんだぞ」

奥からは強硬な話が幾たびもあった。いつかは表の寝所へ、生母の清香院が自分で迎えに来たそうである。そのときは悠二郎は宿直《とのい》にいなかったが、清香院の泣き声が焼火《しょうか》の間まで聞えたという。――勘右衛門はすでに養育係を解かれ、老職の席だけはあるが、隠居づとめのような気儘《きまま》な身の上で、そのころはもうあまり外出もせず、家で暢気《のんき》に酒を飲んでいるというふうだった。それでも悠二郎が頼むと奥御殿へいって呉れた。……医者の室井準斎は奥や他の老職たちの間に挟《はさ》まって、かなり苦しい立場らしかったが、これも勘右衛門と口を合わせて、正篤の健康を楯《たて》にねばりとおしたらしい、そして結局のところ延期ということに定ったのであった。

その年の十二月も下屋敷へいった。明くる年の夏、そしてその十二月も同様である。

ただ遊びかたが段々に変り、芸人を呼ぶとか、ものを喰べにゆくとか、芝居や見世物を観《み》るなどということが少なくなった。——参覲《さんきん》のいとまが延びて、国へ立ったのはその翌年の二月のことであるが、それまで下谷から浅草、深川、本所あたりの、ごみごみした汚ない、長屋のような町ばかり選って歩き、人足などと並んで食事をしたり、彼等と酒を飲んだりした。

「長く生きられないとしたら、生きているうちに、せめて自分の領地だけでも、少しはましな政治がしてみたい」

正篤はしばしばこう云って溜息《ためいき》をついた。

「あんなにみんな困っているじゃないか、あれだけ働いて満足に暮している者がないじゃないか」

それからまたこうも云った。

「第一番に重職の交替をやろう、新しい風をいれて、そうして思いきったことをするんだ」

二月。国許《くにもと》へ立つとき悠二郎は残された。正篤には供のゆるしを得てあったのだが、間際《まぎわ》になってその係りから云いわたされ、いやもおうもなく江戸に残されてしまった。

「なにいいさ、久しぶりで悠くり遊ぶさ」

勘右衛門はへらへら笑っていた。

「気が向いたら舟仙へでもいって、たまにはおつねに孝行をしてやるがいい、おまえまだ母ちゃんと呼んでいるのか」

「よして下さい、こっちはそれどころじゃありませんよ」

「ここで怒ったってしようがない。舟仙がいやならまた金魚の尾鰭《おひれ》でも切ってやるさ、またそろそろ伸びているころだぞ」

悠二郎はくやしがって歯ぎしりをした。

残されたことがどうにもくやしい。新泉はもちろんくいしんぼうの原精一郎まで供をしていった。どうして自分だけ残されたのか、正篤の意志でないことはわかっている、おそらく誰かの邪魔だろう、正篤から自分を離そうと思うやつの策動に違いない。

——いったいどいつの仕事だろう。

新泉かと幾たびも思った。しかし気性こそ合わないが、彼は新泉がそんな人間でないということを知っていた。まさか原のくいしんぼうではあるまいし、ほかに思い当る者はひとりもない。そこでまたふっと新泉の名が頭にうかび、慌《あわ》ててまたうち消し、自分でもしまいにうんざりして、よし、そんならこっちは息抜きをしてやれ、と、ようやく肚《はら》をきめた。

舟仙へもいったが、面白くはなかった。

「あら、信さんどうなすって」

「わからねえやつだな、このまえ来たとき云ったじゃねえか、殿さまの供をして国へいってるんだよ、なんど云やあいいんだ」

「そんなに怒らなくったっていいわよ、ただちょっときいただけじゃないの、そんなにもぽんぽん云わなくったっていいでしょ」

「うるせえ、あっちへいってろ」

つまらないのでごろっと横になる。

「どうなさるの、でかけるんじゃないんですか」

「うるせえって云ってるだろう、聞えねえのか」

三度ばかりいったけれど、たいてい二時間ばかりいると飽きて、つまらなくなって帰って来てしまった。ときには茶間《ちゃのま》に坐りこんで仙吉やおつねと話しもした。仙吉はおりおり勘右衛門へ挨拶《あいさつ》にいくのでそっちの話もよく出た。

「このあいだは酒のお相手をして来たが、御隠居さまもめっきり弱くおなんなさいましたね」

「そうかなあ、おれは半月ばかり会わねえから、知らねえ」

「そのときも話が出たんですが、悠さん此処《ここ》からお帰んなすったときずいぶんお困んなすったんですってね」

「なんだっておめえ当りめえよ、今まで野放しに育ったんだ、それこそ年じゅう裸で、好き勝手にとびまわっていたのが、着物をきちんと着て袴《はかま》をはいて、腰にあ刀を差して行儀作法だ、……おまけにそれが悪戯《いたずら》ざかりの七つてえ年なんだから堪《たま》らねえやな」

「まったくね、あの日ここで支度をなさるとき、べそをかいてらっしゃるのを見て、あたし涙が出て涙が出てしようがなかったわ、夜中にひょいと眼がさめると眠れないのよ、いまごろどうしていらっしゃるか、あんまり窮屈なんで浅草へ帰りたがって泣いてでもいらっしゃりゃあしないかって、――なんども夢をみたわね、母ちゃんって、はっきり呼ぶのを聞いて眼がさめるの」

「帰っていらっしたに違えねえ、ちょっと表を見て来るからって、そうじゃねえ夢だってえのに強情をはりあがってよ、寒いのに表まで出てみやがったっけな」

「外はまっ暗でしいんと寝しずまってるの、来たことは来たけれど、叱られると思って隠れてるんじゃあないか、――暗い道にはまっ白に霜がおりてる、悠ちゃん、悠ちゃんって、裏のほうまで呼んでまわったこともあったわね」

「もうそんな話はいいや」

悠二郎はてれて起きあがる。

「久しぶりで肩でも叩《たた》こうか、母ちゃん」

するとおみつがぷっとふきだす。

「いやあねえ悠ちゃんたら、まるで取って付けたみたいじゃないの、ふだんすばしっこいくせにそんなことは気が利《き》かないのね」

「黙ってろ、うるせえ、こっちあお祖父《じい》さんから云いつかってるんだ、さあ坐《すわ》んなよ、母ちゃん」

「勿体《もったい》ない、よして下さいよ、肩が曲るわ」

「あたしが叩くわ、あたしならいいでしょ」

「こうすると男親ってものは分の悪いもんだな、二人でそうやっておふくろのおっ取りっこをして、いってえおらあどうなるんだ」

こんな和やかな時間も、正篤がいないとまがもてず、なにか喰べても、酒を飲んでも面白くない。外へでかけても勝んべは左官、瓦屋の熊は料理屋の板前、むかしの遊び仲間はみんなそれぞれ職についている。どっちをみても自分ひとり置いてきぼりをくった感じで、だんだん家にひっこんでいるようになった。

正篤は翌年四月に出府した。悠二郎は待ちこがれて、まるで恋人にでも逢《あ》うような気持で挨拶に出たが、正篤はただ祝いの言葉を聞くだけで、おそろしく冷やかな態度を示した。のこって話してゆけとも云わない、……側《そば》にいる扈従《こしよう》たちを見ると、新泉も原もすました顔で、すっかり色が黒くなり、軀つきも逞《たくま》しくなって、いかにも側近護衛といった身構えである。悠二郎はつき放されたような、淋《さび》しい気持で御前をさがった。

正篤が出府するとすぐ、悠二郎に役目を解くという沙汰《さた》があった。おぼしめしで扈従の役を免ぜられる。追って沙汰あるまで身を劬《いたわ》るように、——そういうことで、お手許から二十金という御下賜《かし》があった。

——いよいよ重職の交替だな、それに相違ない、そのときしかるべき役にあげられるのだ、そのための待命というわけだろう。

悠二郎はこう思って独り納得をした。

五月になってはたして重職の交替が行われた。勘右衛門が正篤のうしろ楯になったらしい、かなり広い範囲にわたる交替で、いちじは家中《かちゆう》ぜんたいが騒然となった。——詳しいことは彼は知らない、祖父が幾夜も御殿に泊りこみ、国許とのあいだにたびたび早《はや》の使者が往復した。それは約ひと月ほどかかり、梅雨あけと共にいち段落ついた。

だが悠二郎にはなんの沙汰もなかった。

新泉が父の宗十郎を襲名して側用人にあげられた。原精一郎が納戸《なんど》奉行になったには驚いたしその他にもむかしの学友のなかから二人、ふだん「あの男は」と云《い》われていた者で、悠二郎の知っている人間が三人も重役についた。

そしてすべてが終ったとき勘右衛門が倒れた。

虚木老はもう七十六歳で、三年ほどまえから軀《からだ》が弱っていた。あれほど遊蕩《ゆうとう》の好きだったひとが、あまり外出もしなくなり、家で飲む酒の量も減るばかりだった。――そこへ重職交替の騒ぎで、不眠の奔走もしたものらしい、つまりその過労が原因となって、なにもかも結着し安心すると共にがっくり折れた感じである。

病気は脳溢血《のういっけつ》で、倒れると同時に意識を喪《うしな》い、ほんの二時間ばかりして死んだ。――知らせを聞いて、夜も更けていたが、正篤が駆けつけて来たとき、すでに勘右衛門の息は絶えていた。

九

正篤はまっすぐに病間へとおり、扈従も遠ざけて、遺骸《いがい》とさし向いで半刻《はんとき》あまりすごした。みんな遠慮をしろと云われ、家族も隣りの部屋へさがっていたが、正篤がしきりになにかかきくどき、ときには声を忍んで嗚咽《おえつ》するさまが、襖越《ふすまご》しにいたましく聞えてきた。――正篤は遺族にはかくべつ言葉もかけず、とくに悠二郎など眼にもつかぬようすで、弔問が終るとさっさと帰ってしまった。

――殿はどうしたのだろう、おれを忘れてしまったのか、それともなにかごきげんを損じたか、やっぱり誰かの策謀だろうか。

彼はひじょうにじれ、気持のおちつく時がなかった。三度ばかり新泉を訪ねた、いちど殿におめどおりをしたい、うかがいたいことがある。ぜひとりなしを頼む。こう云って頭を下げて頼んだ、しかしそれはむだであった。

「殿は暫《しばら》く待てと仰《おっ》しゃる、いずれ沙汰しようから、それまで待つようにとの仰《おお》せだ」

新泉の言葉が信じられなくなり、原にも、そのほか側近の知る限りの者に頼んだ。しかしついには、「今後かような取次ぎはならぬ」と云われたそうで、それからは誰も頼みをきいて呉《く》れる者はなかった。

――お祖父さんも死んでしまった。

せめて祖父でもいて呉れたら、不平を訴えることもできるし、慰めても貰《もら》えるであろう。だが今はもうそういう相手もない。父は老職で勘定奉行を兼ね、兄は左門となって納戸方吟味役になっている。母はもちろん愛して呉れているが、おつねのようにじかな愛しかたではない、どこかに風のとおるような隙《すき》がある。——彼は自分が孤独だということをはっきり感じた。そしてどうにもやりきれなくなり、じりじりして外へとびだすが、どこにも気のまぎれるあてはなく、ついしぜんに舟仙へ足が向いた。

それでもまだそのころは希望があった。正篤は待てという、追って沙汰をすると云うのである。そのうち本当に呼ばれるかもしれない、そういう希望もなくはなかった。——それが十月になって、ある日さっぱりと解決したのである。任免の衝に当る老職に呼ばれ、いよいよお召しかと胸をわくわくさせていった。ところがその老職は、

「おぼしめすところあって今日より無役に仰せつけられる、御幼年よりの精勤を嘉賞《かしよう》あそばされ、お手許より金五十枚、御垢着《おんあかつき》、ならびに生涯《しようがい》三十人扶持《ぶち》を下しおかれる」

こう云ってそれぞれの下賜品をそこへ出した。

悠二郎は家へさがるとその足で、まっすぐに舟仙へゆき、まる三日のあいだ帰らなかった。酒を飲み、寝ころび、芸人を呼ぶかと思うとすぐかえらせ、夜中に起きあがって独りぶつぶつなにか云い、独りで冷酒を飲んだりした。

「三十人扶持の飼殺しか、くそうくらえ」

「どうしたの悠ちゃん、なにをそんなに苛々《いらいら》しているのよ、なにかあったの」

「うるせえ、おめえなんぞの知ったこっちゃあねえ」

「だって心配じゃないの、お酒ばかり飲んでるし、しじゅうじりじりしているし、お屋敷へは帰らないし、母ちゃんだってお父つぁんだって気を揉《も》んでるわよ、ねえ、——云ってよ、なにか心配なことでもできたの、悠ちゃん」

「うるせえってんだ、いいから黙ってほっといて呉れ」

四日めに家から家扶《かふ》の渡辺老人が来た。父も母も案じているからいちど帰るように、なにか話もあるということで、とにかく老人といっしょに帰った。

「この不所存者」父はいきなりこう叱《しか》りつけた、「——家をあけて舟宿などへ逗留《とうりゅう》するとはなにごとだ、家名にかかわるとは思わないか、おろか者」

「さあお詫《わ》びをなさい、悠二郎、もうこれから決してこんなことは致しませんって」

母が側からそうとりなした。しかし悠二郎は黙って、頭を垂れて、じっと身動きもしなかった。

「お祖父さまがあまやかして育てたからこのような無埒《むらち》なことをする、おまえも今年はもう二十一歳ではないか、まして部屋住の身であれば、いっそう身を慎み行いを正さなければならぬ、十日のあいだ部屋を出るな、謹慎を申しつける」

彼はついにひと言も云わず、十日のあいだ部屋に籠《こも》っていた。このあいだつねに正篤の健康のことが頭にあったらしい、ときに兄と顔が合ったりすると、殆《ほと》んど無意識にきいた。

「殿のごようすはどうですか、ずっとお丈夫ですか、病気などのごようすはありませんか」

しかしそうきいたとたんに、よけいなことと思い、自分で自分に腹を立てた。

「ずっと御健康のようだ、このごろは少しお肥《ふと》りになったようにみえる」

そんなことを聞かされても、彼はもうどっちでもいいとそっぽを向き、ふきげんになって兄の側から離れるのであった。

十日の謹慎が解けた日、必要な身まわりの物を持って、二度と帰らないつもりで、彼は家を出て舟仙へいった。

「暫く厄介《やっかい》になるよ」

こう云って二階の端の、いつもの四帖半《よじょうはん》へおちつき、二三日は酒びたりになっていた。――醒《さ》めていればもちろん、酔っていても、ついすると正篤のことを想《おも》っていた。

まだ信太郎といっていたころ、初めてこちらから話しかけ、屋敷境へ魚をしゃくいに

いった。笠木《かさぎ》塀《べい》を乗り越えるときの泣きそうな顔や、浅草界隈《かいわい》の話をしたとき、さも羨《うらや》ましそうに、

――そこへは若もいけるの。

こうきいた顔つきもありありと思いだせる。

下屋敷へゆくようになって、うまくぬけ出して遊んだ日々のこと、見る物すべてが珍しく楽しそうで、いきいきと笑ったりとびまわったりした姿など、なにもかもが昨日のことのように新しい。

「だがみんな過ぎ去ったことだ、みんな夢をみたようなものだ、おれはこうして舟仙の二階に酔いしれている、そしてもうむかしの悠二郎じゃあない、みじめに忘れられ、捨てられてしまった人間だ」

彼は幾たびもあの病間の一夜を思いだした。正篤が自分の短命であることを知って、初めてそれを告白したときのことである。

――自分は日鑑をみた、わが家では五代まえから男子がみな早世する、おそらく自分も二十二三までの命だと思う。

冷やかな、そして棘《とげ》のある、絶望的な調子であった。悠二郎は胸のつぶれる思いで、こみあげる涙を抑えながら、死ぬことなど忘れて生きることを考えるように、万一の

ときに貴方《あなた》ひとりは死なさぬ、自分もあの世へ供をする、そのときがくるまでは生き甲斐《がい》のあるように生きてゆこう。言葉をつくしてこう云った。——正篤はわかって、感動して呉れた、悠二郎にはその感動が偽りだったとは思えない。正篤はそのときこう云いはしなかったか、

——よくわかった、おまえの云うとおり大事なのは生きることだ、生きられる限り生きよう、だがおまえだけは、どんなことがあっても側を離れて呉れるな。

そしてその年の秋にはこうも云った筈《はず》だ。

——時期がきたらおれは自分で政治をみる、その時期がきたら、悠二郎、おまえと新泉と二人でおれの左右の腕になって呉れ。

これらのことはみなごまかしだったのだろうか、その場かぎりの根なし言だったのだろうか。悠二郎は呻《うめ》く、酒を呷《あお》って酔おうとする、しかしどうやっても胸はおさまらなかった。

「ばかばかしい、女の腐ったように、いつまでみれんがましくうだうだしているんだ」

自分を嘲弄《ちようろう》するようにせせら笑う。

「大名は威厳をつくらなくちゃあならねえ、おれにゃあ子供のときからの裏の裏まで

知られている、そんな者に側にいられちゃあ威厳もへったくれもねえ、邪魔なのはわかりきったこった、そこに気がつかねえのか唐変木《とうへんぼく》め」

だがそう呟《つぶや》きながら、彼の眼には涙がたまっていた。

家から渡辺老人が三度ばかり来た。悠二郎はいちども会わなかった。すると十二月になってまもなく、父が渡辺老人を伴《つ》れて来て、正式に勘当すると告げた。

「土井とは縁を切り、御家臣帳からも名を削った、我が子でもなくもはや藩家の家臣でもない、おまえはおまえの好きにするがよい」

悠二郎はなにも云わず、黙ってただ頭を下げた。父は仙吉夫婦にもそのことを告げたのであろう、おみつが駆けあがって来て、悠二郎の側へ坐って泣きだした。

「どうしたっていうの、いったいなにがあったの、悠ちゃん、あんた勘当なんかされちゃってどうするのよ、お願いだから謝って頂戴《ちょうだい》、すぐいって謝って頂戴、このとおりよ悠ちゃん」

「泣くこたあねえ、覚悟のうえなんだ」

「そんなこと云ったって、お家を出されてこれからどうするのよ、ねえ、あたしのお願いだから謝って頂戴」

「ほっといて呉れ、おれのこたあおれがするよ」

「それじゃ済まないから云うんじゃないの、そんなことしたら苦労するばかりじゃないの」

おみつは袂《たもと》で顔を押えながら泣いた。

「――悠ちゃんの苦労するのを見て、あたしが平気でいられると思って、……あたしがどんなに心配しているか、あんたわかっちゃあ呉れないの」

悠二郎はそこへ寝ころんだまま、長いこと黙っておみつの泣くのを聞いていた。それからやがて眼をつむったまま、低い囁《ささや》くような声でこう云った。

「おらあこの家で育った、生れるとすぐに来て、おめえのおふくろを母ちゃんと呼んで育った、大川の水も、観音さまの境内も、向島から小梅の端のほうまで、みんなおれの幼な馴染《なじみ》だし、喧嘩《けんか》友達も大勢いる、ここがおれの故郷だ、――この家がおれの家だ、おめえのおふくろがおれの本当の母親だ」

おみつはひとしきり激しく泣いた、「悠ちゃん」と叫んで、袂で顔を包んだままそこへ泣き伏した。悠二郎はぐらぐらと頭を揺り、それからやはり低い声でこう続けた。

「おらあこの家の船頭になる、いつかお祖父さんが云ったそうだ、――当人がよければ船頭になるのもいい、あれはあれで気楽だし、なかなか粋《いき》なしょうばいだってよ、……おれにだって、猪牙《ちょき》船《ぶね》ぐれえ漕《こ》げるからなあ」

十

「杏花亭筆記」にいう、致仕してのち市井にかくれ、親族旧知と断って、無為に一生を終った、というのはこの事をさすのであろう。彼は仙吉を説きおつねをくどいた。仙吉はそのとき初めて、祖父から悠二郎のためにといって、多額の金を預かっているとうちあけた。

「あれは野育ちだからどうせ侍ではおさまるまい、もししくじって転げ込むようなことがあったら、これで舟宿の株でも買ってやって呉れ、そういうことでこれだけお預かり申しました」

仙吉はそこへ金を並べてそう云った。

年があけるとおみつは厄年《やくどし》になる、悠二郎は強引におみつを嫁に欲しいと云い、誰にいなやもなく、押詰ってから祝言《しゅうげん》の盃《さかずき》をした。——披露《ひろう》は中洲の「百尺」でやった、舟宿なかまはもちろん、悠二郎は勝んべも熊も、むかしの友達でいどころのわかる限り集めて、そうして宴の終るまで賑《にぎ》やかに飲んだ。

その前後に二度ばかり、土井の母が来たそうである、良人《おっと》に禁じられているからと、そっとおつねだけに会い、ゆくすえをくれぐれも頼むと云って、自分で縫った肌着《はだぎ》や着物や、帯などを置いて去ったということだ。そして、それなり本当に土井とは往来が絶えてしまった。

「信さんはどうなすったのかしら、ちっともおみえにならないわねえ」

まだ丸髷《まるまげ》のおちつかないじぶん、おみつはふと思いだしてはそう云った。

「侍なんてあんなものよ、あいつはとんだ出世をしやあがった、もうおれなんぞに用なんかありゃしねえ、あいつのことなんざ忘れるがいいんだ」

「だってあんなに仲がよかったのに……」

そんな会話が幾たびかあったが、やがて悠二郎は本気に怒った声でこうどなった。

「いいかげんにしねえか。こんどおれのまえであいつの名を云ったらぶん撲《なぐ》るぞ」

おみつはあっけにとられ、まじまじとこちらの顔を見まもった。そしてなにかわけがあると察したのであろう、それからは信さんの「の」の字も口にしなかった。

二年めの夏におみつは子を産んだ、女の子で、仙吉が「つならびにしよう」と云い、おなつと名をつけた。そのときちょうどいいきっかけだからと、仙吉夫婦は隠居して、家をそっくり悠二郎とおみつに譲った。——舟仙には猪牙船が七はい、釣舟《つりぶね》が五はい、ほかに屋形船が三艘《そう》あり、川筋でも繁昌することではひけをとらなかった。

おなつが五つの年に長男が生れ、おみつの望みで勇吉と名づけた。

「あんたのような気性に育って貰いたいの、もういちどゆうちゃんて呼べるのもうれしいわ、ねえ、いい名でしょ」

おみつはしおのある眼で、良人の顔をじっとみつめた。悠二郎はてれ、眼をぱちぱちさせて脇《わき》へ向いた。

「でもあんたのせっかちと、わる悪戯だけはごめんだわね、年じゅう泥《どろ》んこの瘤《こぶ》だらけ傷だらけ、出れば喧嘩というのもまっぴらだわ」

「自分の玩具《おもちゃ》だと思ってやがる、世話あねえや」

そのころからのことだが、正篤の噂《うわさ》がときどき耳にはいった。武家の客たちの話すのも聞いたし、世間にも評判好きな者がいて、少し珍しいことがあると自分のことのように触れまわるから、坐《すわ》っていてもしぜんいろいろなことが聞けた。——正篤は名君という噂であった、藩治に多くの功績をあげ、領民に慕われるばかりでなく、幕府のおぼえもいいらしい、軀《からだ》も健康で、武鑑にはもう三人の子が載っていた。

——名君、あのときの信さんが、名君。

悠二郎はほのかに懐旧のおもいにとらわれた。しかしすでに遠い思い出であり、もはや自分には縁のないひとであった。悠二郎は高い空をわたる風の音でも聞くような、一種の虚《むな》しいおもいで、そっと溜息《ためいき》をつき、窓の外へ眼《め》をやった。

勇吉の三つの年にまた女の子が生れた。

「おっ母さんよりよっぽど功者だぜ」

仙吉はよろこんで、やっぱりつならびだと、こんどはお初と名をつけたが、自分はその年の夏のはじめに、急性の腸を病んで亡《な》くなった。

――ひどい痛みを伴う下痢で、しまいには赤いものを下したりして、ほんの十日ばかりのあっけない死にかただった。

仙吉の初七日の済んだ、明くる日のことである。朝の九時ごろだったが、とつぜん原精一郎が訪ねて来たのでびっくりした。

「くいしんぼうだよ、覚えているかね」

原はこう笑って、こっちがまだ返辞もしないうちに、急ぎの使者なんだと、持って来た結び文をさしだした。すぐみて呉《く》れと云《い》うので、あけてみると正篤からの手紙だった。

――会って話したいことがある、むかしの気持ですなおに来て貰いたい、来るものと信じて待っている。

こういう意味の走り書きで、署名はただ「信さん」とあり、宛名《あてな》は「悠どの」としてあった。署名の「信さん」という字が、いきなりぎゅっと彼の心臓をつかんだ。むかしの気持でという、そのむかしの気持が全身に甦《よみがえ》り、飛び立つおもいで、彼はおみこしをせきたてて支度をした。

原と駕《かご》を並べて上屋敷《かみ》へゆき、原の案内で、そのまま奥庭へはいっていった。――正篤は麻の帷子《かたびら》で袴《はかま》はつけず、短刀だけ差した恰好《かっこう》で、日月亭の縁側に腰をかけていた。肥えたばかりでなく、筋肉質の逞《たくま》しい軀になり、唇《くち》つきにも眼にも、ちからと意志の強さが表われていた。

「辞儀はぬきにしよう、久方ぶりだった」

「御堅固におわしまして、……」

悠二郎はそう云いかけて絶句した。

「原はもうよい、さがって呉れ」

正篤はこう云って暫《しばら》く沈黙した。ひとばらいをしたのだろう、原が去るとそこには誰もいなかった。――正篤はかねて用意をしていたらしく、そこにあった小さな酒壺《さかつぼ》を取り、二つのギヤマンの足付の杯に、黒っぽい色の、濃いどろっとしたものを注いで、「おれの手作りの酒だ、おれも飲む、飲みながら話そう」

悠二郎に杯の一つを与え、自分も自分のを持った。

「おまえおれに肚《はら》を立てたろうな、無情な主人だと怨《うら》んだであろうな、――あれほど約束したことを、いよいよの時になって反故《ほご》にし、あるかなきかのように扱った、怨むのが当然だ、もしおれがおまえの立場だったとしても、きっと肚を立てずにはいなかったと思う」

「正直に申上げます、御意のとおりでございました」

悠二郎はこう答えて、幾らか反抗するように、杯のものをぐっと飲んだ。野趣のある香気の、ほのかに甘渋い味であった。

「おれは悠二郎を片腕に頼むつもりでいた、それには些《いささ》かも譎《いつわり》はなかった」

正篤は眼を伏せる姿勢でこう云った。

「しかしおれは考えたのだ、おまえはあまりに近し過ぎる、こちらは気がつかなかったけれども、下屋敷を二人でぬけ出したことは、新泉をはじめ多くの者が知っていた、知ってはいたが、勘右衛門に禁じられて、みな知らぬような顔をしていたのだ」

悠二郎はそっと頷《うなず》いた。ちょっと意外ではあったが、云われてみればそのとおりである。あんなにしげしげぬけ出したし、原精一郎という買収した者もある、知れなかったと思うほうが、寧《むし》ろ不自然だと云わなければなるまい。

「二人はあまりに近し過ぎた、幼年から殆《ほと》んど側《そば》を離れず、すべてに深入りをし過ぎていた、おれが藩政をみるばあい、相当てあらな事を、やらなければならぬ、一部に不平や非難のおこることは、必至だ、おれはそのときのことを思った……家臣の非難はそのまま藩主には向かない、必ず側近の者にゆく、おまえがもしおれの帷幄《いあく》にいれば、おれにもっとも近しい者として、おれの寵臣《ちょうしん》として、家中《かちゅう》の怨嗟《えんさ》はおまえに集まるだろう、——おれはそうしたくなかった、おまえをそういう立場には置きたくなかったのだ」

悠二郎は空になった杯を手に深くうなだれていた。胸がいっぱいになり、眼のうちに熱いものが溢《あふ》れてきた。

「おまえを除外することは辛《つら》かった、おまえが肚を立て、怨むだろうこともわかっていた、しかしそれでもいいと思ったのだ、——おまえには怨まれても、そんな立場に立たせるよりいいと思ったのだ、……だが悠二郎、あれから十年のあいだ、おれはおまえを思わぬ日はなかった、いつもおまえが側にいるつもりでいたぞ、——見せるものがある、ついてまいれ」

こう云って正篤は立ち、裏庭のほうへまわっていった。ついてゆくと、見覚えのある桑の木の前で立停《たちどま》り、こちらへ振返った。

「数えてみろ悠二郎、二人の桑だ」

すぐにはその意味がわからなかった。しかし木の数を読んでゆくうちに、古い記憶がはっと思いうかび、危うく声をあげそうになった。——そうして一つ一つ、桑の木に手を触れながら、三十八本まで数え終ると、もはやがまんが切れ、そこへ棒立ちになって面を掩《おお》った。

「おれのと、おまえのと、毎年二本ずつ、あれからずっと、欠かさず植えてきた」

「——————」

「夏になって、実が生《な》ると、おれは独りで此処《ここ》へ来て、おまえに呼びかけながら、この実を摘《つ》んで喰《た》べた——この実で酒を醸《かも》して、おまえに呼びかけながら、更《ふ》けた寝所で独りそっと飲む癖もついた、おまえはいつもおれの側にいたのだ、わかるか、悠二郎」

悠二郎の喉《のど》から嗚咽《おえつ》が堰《せき》を切った。すると正篤が近寄り、彼の手を取って、そうして自分も噎《むせ》びあげた。

——会いたかったぞ、悠二郎。

——殿、お会いしとうございました。

握られた手から手へ、互いのおもいは痛いほど鮮やかに通じ合った。やがて正篤は「もういい、もうこれでいい」と云い、懐紙を出して顔を拭《ふ》くと、こんどは明るく笑いながら、桑の枝々を指さして云った。

「みろ、こんなに生ってる、久しぶりでいっしょに摘んで喰べよう、泣くのはよせ」

「もう泣いてはおりません」

「おれはこの木、おまえはそれだぞ」

「先刻のが桑の酒でございますか」

「帰りに持ってゆくがいい、ひと瓶《びん》わけてある」

二人は桑の枝に手を伸ばし、黒く熟れた実を摘んでは口に入れた。

「おれのほうのことは聞いたか」

「お世継ぎと姫《ひい》さま、お三人儲《もう》けられたうえ、名君という御評判をうかがいました」

「悠二郎は子供は何人ある」

「男一人に女二人でございます」

「おみつとは相変らず喧嘩をするのか」

悠二郎は口いっぱいに桑の実を頬張《ほおば》って、もごもごもごと、なにやらわけのわからない返辞をした。正篤もせっせと摘んでは喰べながら云う。

「舟宿の亭主も悪くはないだろう」

「残念ながらそのようでございます」

「うちあけて云えばそれもあったのだ」正篤は紫色に染まった唇《くちびる》で微笑する、「――

さっき申したことも事実だが、もう一つはおまえを侍にさせたくなかった、屋敷勤めより、町住いのほうがおまえには似合っている。おみつと添わせて、気楽に一生おくらせたかった、おまえを水に放してやりたかったんだ」

「――見て下さい」

悠二郎は聞えぬ態《てい》で、こう云って正篤のほうへ口をあけてみせた。正篤もおれのはどうだと口をあけた。二人は遠い日の向島の出来事を思いだし、互いの黒く染まった口を見ながら、両方でいっしょに笑いだした。――これはおろかしい所業である、三十にもなる男が二人、そんな子供だましなことをしなくてもいいではないか。慥《たし》かにそうだ、慥かにこれはおろかしい光景である。しかし二人にはそうして話すほかに、言葉を交わすことができないのである、桑の実は古い思い出でかれらを結び、桑の枝葉は今、あまりに明らさまな感動を隠して呉れる。それなしには、二人とももっと恥ずかしい、やりきれない場面を演じなければならないだろう。

「漸《ようや》く暇が出来るようになった」

正篤は次の木に移りながら云った。

「これからは時々来るがいい」

「舟仙へもおいで下さるときがまいりましょうか」

悠二郎も次の木へ移ってゆく、お互いに顔を見られたくないらしい、繁《しげ》った葉の、暗がりの中から正篤が明るい調子でこう答えた。

「うんゆこう、いつか、もっとさきになって身に暇が出来たら、——おれは長命するぞ悠二郎」

「私がそう申上げた筈《はず》です」

「それよりもっとだ、勘右衛門よりなが生きをする、——聞えるか、おれは八十まで生きるつもりだぞ、聞いているのか、悠二郎」

桑の葉が揺れ、悠二郎のなにやらもごもご答えるのが聞えた。正篤は摘み溜《た》めた実を口へ入れ、すばやく指で眼を拭いた。

（「キング」昭和二十四年十一月号）

竹ちく柏はく記き

一の一

城からさがった孝之助が、父の病間へ挨拶《あいさつ》にいって、着替えをしに居間へはいると、家扶《かふ》の伊部文吾が来て、北畠から使いがあったと低い声で云《い》った。

「もし御都合がよろしかったら、夜分にでもおいで下さるようにとのことでございました」

訝《いぶか》しそうな眼を向けたが、孝之助は頷《うなず》いた。北畠の叔母に関する限り、できるだけ話を簡単にするのが、長いあいだの習慣であった。伊部は、きょう一日の家事について、二三の報告をし、なお他に用があるかどうかを訊《たず》ねたのち、邸内にある自分の住居へ帰っていった。

着替えをして、脱いだ物を自分で片づけてしまうと、少しの遅速もなく、風呂《ふろ》を知らせて来た。彼は風呂にはいった。

五年まえに母が亡《な》くなってから、五人いた女の召使のうち、浅乃だけ残して、ほかの者にはみんな暇をやった。浅乃はもう五十二になる。母がこの高安《たかやす》へ輿入《こしい》れするとき、いっしょにつれて来て、もう二十余年になるし、身を寄せるところも無かった。

それで、彼女だけは残したのであるが、母が死んだすぐあと、父の良平が卒中で倒れそのまま身動きもできない病床についたので、浅乃はその看護にかかりきりであった。孝之助はしぜん、自分の身のまわりのことはぜんぶ自分でした。尤《もつと》も、母がいるじぶんでも、それが彼の好みであって、

——こんなに手のかからない子も珍しい、なんだか情がうつらないようでこころぼそい。

そんなふうに、よく云われたものである。

——ひとり息子じゃないか、もっと我儘《わがまま》にしたらいいだろう。

親類の者や、友人たちからも、そう煽動《せんどう》されるくらいだったが、それが生れつきであろう、彼自身にもどうにもならなかった。こういう性分をもっとも単直にあらわして「高安律義之助《りちぎのすけ》」という仇名《あだな》が、彼には付けられていた。

食事はいまでも父といっしょにした。病床の脇《わき》へ膳《ぜん》を据《す》える。いつもは浅乃が父に喰《た》べさせるが、夕餉《ゆうげ》のときは、孝之助が（自分も喰べながら）父に喰べさせた。ゆるい粥《かゆ》と、茹《ゆ》で潰《つぶ》した蔬菜《そさい》であるが、この頃《ごろ》では顎《あご》がうまく動かないとみえ、口からこぼしたりするので、ずいぶん時間がかかる。しかし彼は辛抱づよく、少しもいやな顔をしないで、喰べ終るまで決してそばを離れなかった。

恒例のとおり、その日も、父といっしょに夕餉をとり、あとの茶を枕元《まくらもと》で、城中のことなど話しながら、ゆっくり済ませた。それから、ごくさりげなく云った。

「北畠から使いがありましたので、これからちょっといってまいります」

役所の用とでも云えばいいのだが、彼はそういうことはへたでもあるし、父にはどうしてもごまかしが云えなかった。良平は明らかに不快そうで、咎《とが》めるように、じっとこっちの眼《め》を見た。

「たぶん、こんどの縁談のことだろうと思うんです」孝之助は赤くなりながら云った、「――話が済みしだい戻ってまいります」

彼は独りで家を出た。

北畠というのは所のことで、城の東方に当り、古くは藩侯の山荘であった。叔母の千寿《せんじゅ》が先代の殿さまに貰《もら》い、もう二十六七年もそこに住んでいる。そのことが、父との不和の原因なのだが、ごく簡単に記すと……千寿はひじょうに才はじけた人で、十六歳の年、先殿《せんとの》の甲斐守《かいのかみ》利光の眼にとまり、その側室にあげられた。それも利光の自発的な意志ではなく、彼女のほうから誘惑した、という噂《うわさ》がもっぱらであり、どうやらそれは事実だったらしい。

――家名を汚《けが》すやつだ。

良平はひじょうに怒った。相当に折檻《せっかん》もしたようであるが、妹はびくともしなかった。しまいにはひらきなおって、

――わたくしはただの躯《からだ》ではありません。おなかの和子《わこ》さまに万一のことがあってもよければ、どうぞお好きなようになすって下さい、殿さまのお側《そば》にあがれないくらいなら、死ぬほうがいいのですから。

こう云ったそうである。

父もこれには困った。結局は義絶をし、相川という親族の養女にして、お側へあげたのであった。正式に側室となれば、当時の規定で江戸へゆかなければならない。そこで、名目は「老女」ということで、北畠の屋敷を貰ったのである。良平が怒っているもう一つの理由は、そのとき彼女がみごもっていたと云ったのはぜんぜん嘘《うそ》で、まだ殿さまとの関係はまったく清かったという点であった。

――だって、そうでも云わなければ、兄は折檻をやめるきっかけがなかったんですよ。

ずっとのちに、叔母はそう云って、笑ったそうである。いかにも叔母らしい、ひとをくった云いかたであるが、父はそれから今日まで、彼女とは絶対に会わずにとおして来た。

一の二

北畠は台地になっている。城下町の北から東をかこむ丘陵の一部で、表門から、迂《う》曲《きょく》した坂道を、約一町も登らなければならない。まわりは松や杉の深い森がつづき、五千坪ほどある邸内も、まえ庭の僅《わず》かに平らな芝生を残してすっかり森に包まれていた。

藩侯の使う御殿とはべつに、三棟の建物があり、そのなかの、隠居所ふうに造った一棟が、叔母の住居だった。叔母は独りで住んでいた。もっとも隣りの棟に女中たちがいるし、御殿の棟には、古くからこの山荘を預かっている中村忠蔵老人と、二人の番士がいた。裏のほうには植木番の足軽やお庭職人などの小屋もあるが、叔母の住居へは、必要のない限り、誰も近づくことが許されなかった。

木戸まで案内された孝之助が、そこから内庭へ入ってゆくと、障子をあけた部屋の、縁側ちかく膳を据えて、叔母が独りで酒を飲んでいた。髪を洗ったものか、まだ艶《つや》つやと黒い豊かな毛をひと束ねにして背へ垂れ、片方の膝《ひざ》を立てて、盃《さかずき》を持った手をゆったりとその膝がしらに載せている。小《こ》柄《がら》なひき緊《しま》った軀に、藍《あい》染《ぞめ》の単衣《ひとえ》を着、そのうえに派手な、たづな染めの羽《は》折《おり》を重ねていたが、……絹張りの行燈《あんどん》の光りに照らしだされたその姿は、下町ふうの粋《いき》にくだけた感じで、孝之助はちょっと戸惑いをした。まだ九月中旬だというのに、土地が高いのと、まわりに樹《き》が多いためだろう、空気はしんと肌寒《はだざむ》いほど冷えて、風もないのに、しきりと落葉が舞っていた。

「しばらくでございました、お使いを下さいましたそうで」

「おどろいたでしょう」叔母は持っている盃を見せて、笑いながら坐《すわ》りなおした、「——このごろ独りでこんなことをする癖がついてしまってね。年のせいだろうけれど、まあこっちへお上りなさいな」

孝之助はすなおに縁側へあがった。

叔母は彼に盃を持たせて、良平の病状などを訊《き》いたのち、この人らしい卒直さで、笠井杉乃との縁談について話しだした。孝之助には思いがけなかった。父には「縁談のことでしょう」と云ったが、べつに根拠もなにもない、その場のはずみだったからである。

「まあ、だいたいそう定《きま》ったんですが」

「杉乃という娘を、孝さんは知っていらっしゃるの」

「ええ、まあ」彼はちょっと云いよどんだ。

「——兄の笠井鉄馬というのが友人なんです」

「気にいったというわけですか」

孝之助は答えなかったが、少しばかり赤くなった。叔母はふと調子を変えて、

「こんなこと云っていいかどうか、わからないけれど、知っていて云わないのも気が咎めるし、思いきって云うんですがね、孝さん、あの娘はやめたほうがよくはないの」

「――それは、どうしてですか」

「気だても悪くはないし、縹緻《きりよう》もいいけれどあの娘には恋人があるのよ」叔母は彼の盃に酌《しやく》をしてやった、「――それもただ好きだというくらいのものじゃなく、お互いが相当つきつめた気持になっているらしいの、親たちは反対だそうだけれど、そんなことではとても抑えられまいっていう話よ」

「ええ、そのことなら知っています」

「知っているんですって」

「よく知っていますし、それはもう定《け》りがついたんです」

千寿はじっと甥《おい》の顔を見た。それから手を伸ばして、小机の上の鈴を取って振った。その澄んだ美しい音色は、しんと冴《さ》えた、静かな宵《よい》の空気をふるわせ、その音にさそわれるかのように、暗い空から、落葉が、庭の上へひそやかに舞い落ちた。

まもなく、二人の若い女中が、新たに酒と肴《さかな》をはこんで来、孝之助の膳をも拵《こしら》えて、

(これらのことはすべて無言のうちに行われた) そして、黙って会釈《えしやく》して去った。

「箸《はし》をおつけなさいな、今年もおち鮎《あゆ》はこれが喰べじまいかもしれませんよ」

女中たちの手燭《てしよく》の光りが見えなくなると、叔母はこう云って銚子《ちようし》を取った。

「そして、定りがついたとはどういうことか、もしよかったら聞かせて頂戴《ちようだい》」

孝之助は眼を伏せながら、おとなしく酒を受け、その盃を膳に置いた。彼はどちらかというと瘦形《やせがた》で、濃い眉《まゆ》と、やさしい、温和な眼をもっていた。動作も言葉もものやわらかであるし、荒い声をたてるとか、人に不愉快な顔をみせる、などということは決してなかった。

「――その相手は、岡村八束《やつか》というのです」

彼は眼を伏せたまま話しだした。

背戸のあたりで、なにかの動物の、鼻にかかったような、なき声がした。この丘陵のうしろは、隣国の領分まで、殆《ほと》んど山と森つづきで、猪《いのしし》や鹿《しか》などが多く棲《す》んでいた。そのなき声は、おそらく若い鹿であろう。かなしげに訴えるような、心に残るような声であった。

「そう、そうだったの」

叔母は頷いた。孝之助の話はわかったけれども、そのままでは納得ができないようであった。

「正直に仰《おっ》しゃって呉《く》れて有難う、でもねえ孝さん、あなたがそれほど、杉乃さんを愛していらっしゃることはわかるけれど、そういうふうにまでして結婚するということは、少し不自然じゃないかしら」

「――不自然、でしょうか」

「そう云っては、言葉が強すぎるかもしれないけれど」

千寿はそっと銚子を持った。

一の三

「この叔母さまはべつとしても、女というものは初めて愛した人は忘れられないものよ。その人とならどんな苦労をし、どんなにおちぶれても悔いはない、いっしょに死ぬなら、死んでも後悔はしないというくらいに思うものよ」

彼女は自分で注いだ盃を、大胆に飲みほして、きらきらするような眼で甥を見た。

孝之助は黙って、やや長いこと、膝の上の自分の手を見ていた。

「私にもそれはわかるのですが」彼は低い声で云った、「――しかし、それだけだとは思えません」

　叔母は次を待った。彼は続けた。

「どんな貧窮、どんな落魄《らくはく》もいとわない、よくそう云いますけれど、じっさいに落魄し、貧窮して、衣食にもこと欠くようになって、それで愛情だけが傷つかずにいる、ということは信じられません」

「孝さんはいま人を愛していて、それでそのことが信じられないの」

「そういう愛情が信じられないんです。この世は愛情だけでは生活ができないし、死ぬまでは生きなければならない、家庭をいとなみ妻子をやしなって、五年、十年、二十年、飢えず凍えず、家族そろって生きてゆくということは、そう楽なことではないと思います」

「まるで意見をされてるようなものね」

　千寿はやや興冷め顔に、溜息《ためいき》をついた。

「そこまで考えたうえのことなら、わたくしにはもう云うことはないわ、ただこれだけは覚えていらっしゃい。女が初めて愛した人のことは忘れられない、ということ、もうひとつは、ひとをあまり軽がるしく判断しないことです」

「それは、岡村八束をさすのですか」

「その人にしても、杉乃さんにしても」こう云って叔母は酒をすすめた、「――さあ、めしあがれ、せっかくの鮎が冷たくなってしまったでしょう」

孝之助はまもなく山荘を辞した。

彼と笠井杉乃との縁談には、叔母のほかにも反対する者があった。杉乃の兄であり、孝之助とは幼な友達の鉄馬も、その一人であった。理由は、彼女に愛人のあることで、孝之助もまえからうすうす知っていたが、そのために却《かえ》って、結婚する決心を強めた、といってもよかった。

相手の岡村八束は、孝之助や鉄馬とおなじ年であった。さして美男というのではないが、少年じぶんから頰《ほお》のややこけた、眼のきれいな、笑いかたに愛嬌《あいきょう》のある、ひと好きのする顔だちで、いつもまわりの少女たちに、にんきがあった。……岡村はその藩で「番衆《ばんしゅう》」というめみえ以上ではあるが、中の下くらいの家柄であって、八束は勘定奉行の払方《はらいかた》に勤めていた。

高安は老職格で、父の良平は病臥《びょうが》するまで勘定奉行であった。孝之助もやがて、その職に就くわけであるが、父が倒れて以来、勘定奉行の元方（収納）支配をしている。こうして同じ役所に勤めている関係から、八束と親しくなったのであるが、八束は笠井にも遠縁に当るので、噂は以前から聞いていた。

俊才という言葉が、そのまま当嵌《あてはま》るように極めて才はじけ、孝之助などからみると、びっくりするほど世故に長《た》けた性質で、

——彼には宰相の実力がある。

と評されていた。

職位が殆んど世襲になっていた時代のことで、岡村くらいの身分の者に「宰相」の評がつくというのは異例である。孝之助にはそのままに信じられなかった。自分が「律義之助」といわれるくらい、じみで慎重な性分のせいか、八束の俊敏な才があざやかな綱渡りを見るような、不安定な、危険なものに思われた。

その予感が当った、ともいえようか、或《あ》る御用商人とのあいだに、汚職の事実があるのを、ついさきごろ、ふとした機会に孝之助が発見した。

現銀を扱う役目だし、まだ若いことではあるし、あやまち程度なら同情してもいいかもしれない。が、八束のばあいは、手のこんだからくりがしてあり、うっかりすると、他の責任になり兼ねないような、方法がとってあった。孝之助は八束に注意した。

——まだ誰も知らないから、いまのうちに始末をするがいい。

もし必要なら、不足の金は用立てる、と云った。八束はすなおに頭をさげ、やむを得なかった事情を述べて、若干の借用を求めた。孝之助はそれだけの金を（かなり無

理をして）貸したが、そのときの八束の、少しの弁解もせず、悪びれたふうもなく、あまりにすなおに過失を認め、頭をさげたようすが、——本来なら好い感じを受ける筈《はず》であるのに、——なにかしらん不愉快な、はぐらかされたような印象を受けた。——彼はまた同じようなことをやる。

孝之助はそう思った。

——うっかり信頼のできない男だ。

その感じは動かしがたいものであった。そして、その八束が、笠井の杉乃と文《ふみ》の交換などしていて、杉乃が両親に激しく叱《しか》られた。ということを聞いたとき、孝之助は、杉乃を自分が嫁に貰おう、と決心した。

——ほかの者ならともかく、岡村にだけは渡してはならない、どんなことがあっても、八束の嫁にだけは、……断じて。

生れて初めて、孝之助は、燃えるような闘志に駆られた。

彼はじかに八束と会って、自分が杉乃を愛していること、杉乃を貰うためには、いかなる手段をも辞さない、ということを、宣告するような口ぶりで云《い》った。

——どうして私に断わるんです。

八束は愛嬌のいい顔で、しかしかなり皮肉な笑いかたをし、軽い調子でこう云った。

――それは杉乃さんしだいじゃありませんか。

一の四

叔母に呼ばれてから、十日ほど経《た》って、祝言《しゅうげん》の日が迫り、すべての用意もととのい、どちらも緊張の緩む、数日が来た。

孝之助が強引に、この縁組をまとめたのは決して岡村八束の関係だけではない、彼はずっと以前から杉乃を愛していた。どうしても杉乃でなければ、という強烈な感情ではなかった。もし嫁に貰うなら、というくらいの、ほのかな、ごく尋常な恋ごころにすぎなかった。笠井へはたまにしかゆかないが、杉乃を見ると心が温たまり、静かな、安息と慰めを感じた。そしてひそかに、

――このひとだけはいつもしあわせに、不幸や悲しみを知らずに、一生を送らせたいものだ。

そう思うのであった。会うたびに、きまって同じことを思った。

こんど縁談が始まってから、彼はいちども笠井へはいっていない。仲人《なこうど》は、老職で藩校の学頭を勤める、佐多梅所《さたばいしょ》に頼んだ。梅所は父と親しいし、家格からいって（重みという意味で）適当だと思ったのである。

笠井では数日の間をおいて、承諾の返辞をし、同時に「なるべく早く」という希望を出してきた。

岡村八束のほうは、孝之助がもう宣言してあった。杉乃に対して、両親がどう説得したか、杉乃が本当に承諾したか、どうか。孝之助はまったく知らないし、また知ろうとも思わなかった。彼はただ、杉乃の一生を幸福にしてやりたい、八束と結婚すれば不幸になる惧《おそ》れが多分にある、自分のところへ来て呉れさえすればいい、自分なら、決して不幸にはしない。こう思うばかりであった。

婚約のできたすぐあとのことであるが、城中で鉄馬から呼びかけられた。

——話したいことがあるのだが。

こう云う顔いろを見て、孝之助はそれには及ばない、と首を振った。鉄馬は初めからこの縁組に反対していた。そのときも彼がなにを云うか、孝之助にはおよそわかった。それで、大丈夫だよと、微笑して云った。

——おれはあせらない性分だからね、時間をかけるほうは得意だから……。

鉄馬はそのとき、黙って眼《め》を伏せた。

祝言の三日まえ、午後から雨になった日のことであるが、孝之助が城をさがって来ると柳の辻《つじ》のところで、岡村八束に呼びとめられた。

「ちょっとそこまで、つきあって貰《もら》いたいんですがね」

傘《かさ》を傾けて、こちらを覗《のぞ》きこんだ、その息はつよく酒の匂《にお》いがした。

「お手間はとらせない。ほんのちょっとですよ」

孝之助は供の者を見て、先へ帰れ、と云い八束に頷《うなず》いてみせた。

雨のためだろう、あたりはもう暗くなりかけ、辻通りにある柳並木の枝から、僅《わず》かに残っている葉が、しきりと道の上に散っていた。禅昌寺橋《ぜんしょうじばし》の通りを、まっすぐにゆき、町家《まちや》へはいったところを、左に曲った。つき当ると鏡川の岸で、その手前に華やかな一画がある。俗に「洗濯《せんたく》町」と呼ばれているが、ずっと昔そこに城中の御用を受ける、洗濯長屋があったという。むろん真偽のほどはわからないが、のちに遊女屋が出来、料亭が建ち、唄《うた》や踊の女師匠（まだ芸妓《げいこ》とはいわなかった）などが住みついてあまり品のよくない花街ができた。

「御身分にかかわりますかね」

孝之助がちょっと躊《ため》うのをみて、八束はこう云いながら、手で押しやるような、身振りをした。

「しかし此処《ここ》も人間の遊ぶところです。いい経験になりますよ」

そして、殆んど引立てないばかりに、横丁へ折れてゆき「かね田」と袖行燈《そであんどん》の出た、小さな料亭ふうの家の、門へつれこんだ。

思いきって卑《いや》しい、中年の女中が二人、あけすけに猥《みだ》らなことを云いながら、ぎしぎし軋《きし》む、狭い廊下を先に立って、八帖《じょう》ばかりのうす暗い部屋へ案内した。右が壁、左が古びた襖《ふすま》。庭でもあるのか、一方だけ障子になっている。

「そう四角張ってないで、袴《はかま》でもぬぎませんか」八束は冷笑しながら、「——肩肱《かたひじ》をいからしていても、此処ではべつに仰天する者はいませんからね」

「ほんとにお寛《くつろ》ぎなさいよ、こちら」

女中の一人が孝之助の腕を摑《つか》んだ。

「郷に入ったら郷に従えってね、こんなところで気取ったって誰も褒《ほ》めやしないわ、すましてると、あたしたちで裸にしちまうわよ」

「私はすぐ帰るんだ」

孝之助は静かに、女の手をはらいのけて、八束の顔を見た。

「用があったら云って呉れないか」

「じゃあ、まず、酒を持って来い」彼は女中に手を振った、「——大丈夫だ、今夜は払ってやる。ここに金主がいるんだから、これまでの分もきれいにするし、今夜の分も払うし、きさまたちにも心付けを呉れてやる、大丈夫だからどんどん持って来い」

女中たちが去るとすぐ、

「断わっておくが」と孝之助が云った、「私は金は持っていないし、たとえ持っていたにしても、ここの支払いなどはしないからね」

「なあに払うさ、そのことなら私が保証してもいい、高安孝之助はここの勘定を払うし、そのほかに二百両こしらえて、私の前に並べるよ」

八束はなま欠伸《あくび》をしながら、人をばかにしたような口ぶりでそう云った。孝之助は黙ってそう云う彼の顔を見ていた。

「用事というのはそれだけか」

やがて孝之助が云った。

「さあ、今のところはね」と八束が答えた、「――あとはまた、おいおいの相談にしよう」

孝之助は刀を持って立った。

彼の想像したことと、この場の事実とは、あまりに違っていた。違いすぎていた。この汚れた、泥《どろ》まみれの、いやらしい空気は、とうてい耐えることのできないものである。孝之助は黙ってふり返り、出てゆこうとして襖をあけた。

すると、そこの廊下に三人卑しい風態の男が、道を塞《ふさ》ぐように、立ちはだかっていた。そして、その一人は、持っている長脇差の柄《つか》に、手をかけながら云った。

「どうぞお静かになすって下さい、いま酒がまいります」

二の一

孝之助はそのとき怯《ひる》んだ。

恐怖とはいわないまでも、暴力に対する本能的な恐れで、一瞬、足が竦《すく》んだ。それは事実であった、彼はたしかに怯んだ。(むろんそのばあい、そういう男たちに対して、自分が平然としていられなかったことを、彼は恥じようとは思わないが)しかし、それでうろたえはしなかった。

彼は前に立ち塞がった三人の男を、静かな眼で見やり、それから戻って、元の席に坐《すわ》った。三人の男たちも、あとから入り、孝之助をとり巻くように、坐った。

「こんなふうにまで、しなければならないのか」

できるだけ穏やかに、孝之助が云った。

「そこまで自分を堕《おと》していいのか」

「それはどういう意味ですか」

八束は片足を前へ投げだし、からかうような眼で、孝之助を見た。

「他人の失策を利用して、女を横取りするよりも、このほうが堕落した行為だ、というわけですか、まさかそうじゃないでしょうな」

孝之助はなにか云おうとして、口をつぐみ、眼を伏せた。八束の言葉は卑しく、毒をもっているが、嘘《うそ》ではなかった。孝之助には孝之助のたちばがあり、云い分もある。だが、八束も八束のたちばから、云いたいことを云っているのだ。しかも、彼の云うことのほうが、身に弱点のあるだけ、却って切実なひびきをもっていた。

――躰《たい》を躱《かわ》してはいけない、本心と本心でぶっつかるときだ。

孝之助はそう思って、

「この人たちに座を外して貰えないか」

と云った。八束は冷笑した。

「これは木屋徳《きやとく》といいましてね、私とは飲み友達だし、こんどのいきさつもすっかり知っている。なかんずく、貴方《あなた》と笠井との縁組の件などはね」

「お侍のなかにも、呆《あき》れけえった人間がいるもんだと、あっし共みてえな、こんな野郎がたまげてますよ」

それが木屋徳というのだろう、三十四五になる、痩《や》せた、際立《きわだ》って眉《まゆ》の濃い男が、ひどくしゃがれた声で、嘲弄《ちょうろう》するように云った。

「お友達が若気のあやまちで、ちっとばかりしくじった、てえしたこっちゃねえ、武士はあい身互い、まして友達同志なら、出来ねえことをしたって庇《かば》いあうのがあたりめえだ、おめえさん岡村の旦那《だんな》の友達じゃあねえのかい」

孝之助は黙っていた。相手は続けた。

「ほんの目くそばかりの金を用立てて、そいつを枷《かせ》に友達の想《おも》い者を横から取り、文句を云えば旧悪をばらすぞってよ、まるっきりぺてん師のやるこっちゃねえか、おめえさんそれでも侍のつもりかえ」

いかにも下賤《げせん》にふみ跨《また》がった、ねばりつくような木屋徳の調子は、殆《ほと》んど聞くに耐えないものであった。しかし孝之助は侮辱を忍んで、八束に向って云った。

「おれはいつか云った筈だ、あの人を嫁に欲しい、あの人と結婚するためなら、どんな手段をも辞さない、……これはおれの本心だし、今でもこの決心に変りはない、だがこれは、おれがあの人を嫁に欲しいというだけではなく、あの人を不幸にしたくないからでもあるんだ」

「つまり、私と一緒になれば、杉乃が不幸なめをみる、ということですか」

「現に一つ、此処でその証明をしている、本気でそうするつもりなら、こういう男たちを使い、こんなふうに人を威《おど》さなくとも、ほかにいくらでも方法があった筈だ」

「毒草の種子《たね》を蒔《ま》けば毒草が生えるものさ」

「それはそちらの選んだ譬《たと》えで、おれの知ったことではない、おれは毒草の種子など決して蒔きはしなかった」

孝之助は膝《ひざ》の上で、扇子を強く握りしめ、相手の眼をひたと瞶《みつ》めながら、云った。

「岡村八束には、宰相の質がある、という評があった、いまでもある。おそらく自分でも知っているだろう、善かれ悪《あし》かれ、世評などというものは無根拠だし、責任のあるものではない、おれはそのままには信じないが、しかし、岡村にそういう評のあることは事実だし、それは人々の信頼が、どれほどか岡村に集まっている、どれほどかの人が、岡村の将来に期待をかけている、という証拠だと思う、そうではないだろうか」

「岡村の旦那、問答はたくさんだ」

木屋徳が舌打ちをして云った。

「埒《らち》のあかねえ理屈はやめにして、肝心の話の括《くく》りをつけたらいいでしょう、待たせてある酒が不味《まず》くなっちめえますぜ」

「もうひとこと云わせて呉《く》れ」

孝之助は声を抑えて続けた。

「笠井のあの人は、岡村のまえの過失を知らない、むろん今日の事も知ってはいない、あの人はおそらく、岡村を世評どおりの人物と思っているだろう、岡村さえ、それを裏切るようなことをしなければ、いつまでもそう信じているに違いない、せめてあの人の信頼を傷つけないで呉れ、一時の情に激して一生を誤るようなことはしないで呉れ」

八束の冷笑は、凍ったように、冷笑したままで、硬《こわ》ばっていた。孝之助は静かに、息をついで云った。

「これはおれの本心から云うことだ、そっちも本心で考えて呉れ、そして、どうしても承知できなかったら、武士として恥ずかしくない方法を選んで貰いたい、もちろん決闘でもいい、おれは決して拒みはしないから」

云い終って、呼吸五つばかり、八束の眼を見まもってから、孝之助は刀を持って座を立った。

「旦那、どうするんです」

木屋徳がそう云って立とうとした。八束が制止したらしい、孝之助は見なかったが、そのまま廊下へ出ていった。

二の二

祝言《しゅうげん》の日、孝之助は正午まで勤めた。

午後からは賜暇《しか》を願ってあり、そのため、仕事はまえから、早く片づくように、手順がつけてあった。気になるのは八束のことで、役所が同じだから（部屋は離れていたが）姿は毎日みかけるけれども、かたくなに、こちらを無視するようすで、なにを考えているのか、まったく見当がつかない。

——わかって呉れたのだろうか。

そう思いたいが、あんな、ならず者などを使うところまで、つきつめたのを考えると、とうていそうは信じられなかった。

——ではどんな要求をもちだすだろう。

——そして、それはいつのことだろうか。

あのときのようすでは、金の必要に迫られていたらしい。どんな理由の金か、もちろんわからないが、単にこっちを困らせるためだけではなかったようだ。とすれば、その金の問題もかかってくる、と思わなければならない。

——おそらく、もっとも効果的なときに、もっとも効果的な手を打ってくるつもりに、相違ない。

こんなふうに、いろいろと思いまわして、祝言の当日まで、孝之助はおちつかなかった。

その日は、午後から雨になった。

武家のことだし、家に病人もあるので、式はごく質素にし、客も最小限に、ということであったが、それでも、双方の近い親族だけで七家あり、ぜんぶの招客を合わせると、三十人以上になった。亡《な》くなった母の実家から母の弟に当る渡辺又兵衛と、妻女の百代《ももよ》が来、また父の弟で、瀬木家へ入婿した、叔父の蔵人《くらんど》と妻のかなえが来て、この二た夫妻が式の準備を受持って呉れた。

すでに十月にはいって、気温も下っていたし、降りだした雨は、つよくもならないが、暗く鬱陶《うっとう》しく、いちめんに空を掩《おお》った雲から、なげきのように、ひそひそとしぐれてくるけしきは、いかにもしめっぽく、陰気であった。

「どうもよくないな、こういう雨というやつは気がめいるし、気がめいるということは」

「いや、そんなことはない、それが二本松の悪い癖で……」

孝之助が、灯《ともし》をいれた居間で、着替えをしていると、隣りの内容の間から、そんな問答が聞えてきた。二本松というのは渡辺又兵衛のことである。相手は瀬木の叔父であって、この二人は、顔が合いさえすれば、なにかしら云《い》いあいをするのが、恒例のようになっていた。

「昔から雨降って地かたまるといって、婚礼の日に降るのは縁起がよい、ということになっているくらいだ」

「誰がそんなつまらぬことを云ったのかね」

「誰が、ではない、誰でもだ、馬子《まご》駕舁《かごか》きのたぐいでも知っていることだ」

「馬場下《ばばした》（というのは瀬木蔵人であるが）はすぐにそうむきになるが、まことにつまらぬ理屈で、それは御幣担《ごへいかつ》ぎというものだ」

「冗談じゃない、私は縁起は多少なにするかもしれないが、御幣など担ぐようなことは決してしない、それはむしろ二本松のように……」

孝之助は苦笑しながら、ちょうど呼びに来た渡辺の叔母といっしょに居間を出ていった。

五時ちょっと過ぎに笠井の人たちが到着した。そのじぶんはもう、すっかり暗くなっていたので、各座敷や部屋はもちろん、廊下などにも灯をいれたし、孝之助の友人たち五人もやって来て、家の中はようやく、賑《にぎ》やかに活気だってきた。

式の始まる少しまえのことであったが、彼の部屋へ笠井鉄馬があらわれて、

「済まないが、ちょっと……」

そこにいる叔母たちに、座を外して貰《もら》うようにという、眼《め》くばせをした。叔母たちは出ていった。孝之助は彼のようすで、なんの話かおよそ察しがついた。

「――岡村からか」

そうだ、と鉄馬は頷《うなず》いて、一通の封書をさしだした。

「家を出ようとするときに来て、これを置いていった、式のあとで渡して呉れと頼まれたんだが」

「ではあとで見よう」

「いやここであけて呉れないか、おれも文面を知りたいんだ」

鉄馬はけしきばんでいた。彼には知らせたくない、自分だけで始末したかったが、もうすぐ義兄になる、という関係ばかりでなく、いちばん親しく近しい、友達として、鉄馬は見ずにはいないだろう、と思われた。

孝之助は封書をあけた。

それは左封じであって、中はいうまでもなく、日時と場所を指定した、決闘状であった。十月十日、午前七時、場所は大雲寺《たいうんじ》ケ原《はら》である。

「――七日さきだな」

鉄馬が云った。

「おれが介添をひきうけよう」

「――七日さき」

と孝之助は口のなかで呟《つぶや》いた。

八束がどれほどの腕か、まるで知らない。

勝負は腕だけでなく、そのときのはずみにもよるし、気力や闘志にも左右される。孝之助は自分の腕にそう自信はないが、むざむざ負けようとは考えられない。だが、八束の日の選び方に、ちょっと逆を取られたように思った。

笠井の人たちが、家を出る直前に、このはたし状を渡した。孝之助にではなく、鉄馬の手を通じて、……それは、鉄馬もこれを見るだろう、ということと、時日を祝言の前にくりあげられることを避けるために違いない。

――彼は杉乃にも思い知らせるつもりなのだ。

いちど嫁にゆかせて、七日めに良人《おっと》を死なせてやろう。そういう八束の企《たくら》みと、歪《ゆが》んだ冷笑とが、見えるようであった。

「介添のことは、そのときまた……」

孝之助はそう云いながら、それを巻いて封におさめた。

式が終り、客たちも帰り、祝宴のあと片つけがすんだのは十一時に近いころであった。

二の三

藩の古くからの習慣で、祝言のあと片つけには、新夫婦も（たいてい形式だけではあるが）手つだわなくてはならない。おそらくはすでに協力生活が始まったということを、教戒するものであろう。また一般とは違って仲人《なこうど》夫妻もあとには残らず、しぜん寝屋の盃《さかずき》は二人だけでとり交わすしきたりであった。

着替えをするまえに、杉乃はもういちど、良平のところへ挨拶《あいさつ》にいった。祝言のときには、病床を移して、寝たままで式に臨んだのであるが、彼女は改めて、病間へもいったのである。

——そんなすなおな気持に、なっていて呉れたのだろうか。

これから嫁として仕える。という謙虚な気持のように思えて、孝之助はふと胸の温たまるのを感じた。

寝屋には屛風《びょうぶ》を（夜具を隠すように）とりまわし、燭台《しょくだい》のそばに、作法どおり、盃の支度がしてあった。

白無垢《しろむく》の寝衣に、扱帯《しごき》を前で結んで、杉乃は孝之助と向き合って坐《すわ》った。ややほそ面《おもて》の平凡な顔だちであるが、しもぶくれのふっくらとした顎《あご》と、受け口の、ひき緊《しま》った唇《くち》つきと、そして右の眼尻《めじり》にある、かなり大きな黒子《ほくろ》とが、凜《りん》とした表情に、柔らかな、幾らか嬌《なま》めいた印象を与えていた。

化粧はしなおしたらしいが、額から頰《ほお》のあたり、なめらかな皮膚が、蒼《あお》ざめて硬ばり、正座した姿勢にも、結ったまま解かない髪（通常は寝屋へ入るときに式の髪は解く）にも、或《あ》る激しい意志が、示されているようであった。

「わたくし申上げたいことがございます」

杉乃は盃を受けようとして、ふと手を膝《ひざ》に戻し、こう云いながら眼をあげた。静かではあるが、なにものも怖《おそ》れない、といったようなまなざしであった。

「聞かなければならないことですか」

「念のためにぜひ申上げたいのです」

孝之助は頷いた。

「わたくし今宵《こよい》から、高安家の嫁となり、貴方《あなた》の妻となります、けれど、それはこの軀《からだ》だけでございます」杉乃の唇《くちびる》が、僅《わず》かにふるえた、「――わたくしは、この御縁組は望みませんでした、こちらへまいる気持は、少しもなかったのです、貴方はそれを御承知のうえ、たってわたくしを御所望なさいました」

「――そのとおりです」

「そのために、貴方がなにをなすったか、わたくしよく存じております、どのような手段をおとりになったか、ということを」

「――少しも疑わずにですか」

「わたくし貴方をお愛し申すことはできません」彼女は続けた、「――まいった以上、妻としてはお仕え致しますけれど、心からお愛し申すことはできません、……聞いて頂きたいのは、それだけでございます」

声は哀れに震えた。泣くかと思われたが、涙ぐみもせず、乾いたような眼で、まともに孝之助の顔を見まもった。

「私もひとこと云っておきます」

彼は穏やかな、しかし心のこもった調子で云った。

「人の一生はながく、つねに平穏無事ではない、静かな春もあれば、夏の熱暑もある、道は嶮《けわ》しく、風雪は荒いと思わなければならない、この世は花園ではないのです」

杉乃は眉も動かさなかった。

「正直に云うが、私は貴女《あなた》を愛している」と彼は続けた、「——まだ貴女が肩揚げのある着物を着ているころから、……ずっと貴女を愛していたし、今でも愛している、そして、いつもこう思っていた、貴女がいつまでも仕合せであるように、悲しんだり苦しんだり、辛《つら》いおもいをしないように、一生、安穏に、幸福にくらすことができるように……」

杉乃の唇が動いた。なにか云おうとしたらしい、しかし孝之助は続けた。

「私は才分も拙《つた》ない、富裕でもない、貴女にとっては不足であろうし、愛して貰う資格はないかもしれない、けれども私は貴女を世の風雪から護《まも》る、できる限り、平安な一生がおくれるように努めるつもりだ」

「貴方には、安穏な生活というものが、それほど大切なのですか」

「私にではなく、貴女のためにです」

「わたくしが望まなくともですか」

孝之助の額に、苦痛を忍ぶような、深い皺《しわ》が刻まれた。

「いま私には、こう答えることしか、できない、……私は貴女を愛している、この一生が終るまで愛してゆく、どんなことがあっても不幸や悲しみから、貴女を護る」

杉乃はそっと眼をそむけた。

寝床は暫《しばら》く別にする、と云って、孝之助はまもなく杉乃を残してそこを去った。二人はついに寝屋の盃を交わさずにしまった。

二の四

孝之助の心は、かなり深く傷ついた。

杉乃の気持をあまくみていたわけではないが、そこまではっきり、云いきられようとは、おもいもよらなかった。喜ばれるとは考えなかったけれども、そんなに強く、殆《ほと》んど憎みに近い表現で、少しの仮借もなく、「愛することはできない」と云われようとはまったく予想もしないことであった。

それから二三日、彼は、動揺する自分の気持に、悩まされた。

——いっそみんな話してしまおうか、岡村八束がどんな人間であるか、役目を利用した商人との不正、ならず者を使って脅迫し、金を強要したこと、そしていま、決闘を申し込んで来ていることなど。

すべてを話して（まだ夫婦とは名ばかりのうちに）改めて彼女の意志どおりに、させてみようか。幾たびもこう考えた。ときには口まで出かかったが、結局そうはできなかった。

——それは杉乃を二重に辱《はずか》しめることになる、おそらく彼女は実家へ戻るだろう、いや、もっと悪いことになるかもしれない。

もっと悪いこと。つまり自殺ということが想像された。高安への輿入《こしい》れを承知しただけでも、自分の気持を相当ころしてきたに違いない、このうえ八束のことで辱しめられたら、(あれだけはっきり意志表示のできる気性では)ただ実家へ戻るだけでは済まさないだろう。自殺するか、尼になるか、ともかくその一生を放棄する手段にでる、という危惧《きぐ》が十分にあった。

——自分が望んでこうしたのだ、あせるのはおかしい、辛抱づよく待つことにしよう。

やがて孝之助はそう自分を云いなだめた。

——杉乃の一生を、幸福にすることが目的だった。小さな自尊心などは、初めから捨てていたのではないか、こちらからはなにも求めてはいけない、いつか、もしかして……そういうときがくるまでは……。

岡村八束は、ずっと役所を休んでいた。

孝之助はかくべつ気にもとめなかったが、笠井の鉄馬は、なんとか和解させようと、ずいぶん八束を捜したらしい。八束もそれを察したものか、家はいつも留守だし、居どころを知っている者もなかった。

約束の前日、鉄馬が役所へ来て、その旨《むね》を告げた。孝之助は義兄に礼を述べてから、

「彼は和解など、決してしないよ」

と静かに云った。

「たぶんそうだろう、おれも本当ならそんな交渉はしたくない、もしできるなら、おれが代っても始末をつけたいところだ、捜したのは肚《はら》の虫を抑えてのことだったんだが」

「もういいよ、その場になったら、なんとかきりぬけるようにするよ」

「なにか思案があるのか」

「なにもないけれど、できるだけ事を小さく済ませるように、したいと思う、それには、独りでゆきたいんだ」

「ばかなことを」鉄馬は首を振った、「——はたし合に介添を付けない法はない、それに相手が岡村八束ではないか」

「しかしちょっと考えることがあるんだ」

理由は云えないが、と断わって、彼は鉄馬の介添を、つよく固辞した。

「わかった、では介添はやめよう、だが原のところまでは付いてゆくよ」

鉄馬はこう云って去った。

この藩でも、私闘は原則として法度《はっと》であるが、作法を守った「はたし合」は、理由が武士の名誉に関する限り、正式に咎《とが》められることはなかった。これは他の諸藩にも例のないことではないが、どこよりもはるかに寛大だった、というのが事実らしく、このほかにも、決闘の話がずいぶん残っているが、重科に処せられた、という記録は少ない。

孝之助はまえから、少しずつ身辺の始末をして置いた。役所関係の事務も、支障のないように、手順をつけた。

彼は朝の早いほうであるが、その日は四時に眼がさめた。風呂屋で水を浴び、庭へ出てまだほの暗い光りのなかで、枯れたままの、萩《はぎ》や芒《すすき》や芙蓉《ふよう》などを、根から刈ったり、父の好きな、白桃の枝をおろしたりした。それから、気になっていた竹柏《ちくはく》を、妻の居間から見えるところへ、移しなおした。

それは去年の春、こんど仲人を頼んだ、佐多梅所から貰ったものである。「竹柏」という、名も清らかであるし、その細葉の、濃緑に白く粉をふいたような、渋みのある、おちついた色も好ましかった。

――松はときに色を変えることもあるが、竹柏は枯死するまで色を変えない。

梅所はそう云《い》って、根づくまでは此処《ここ》がよい、と、場所を指定した。そしてこの夏のはじめに、梅所が来て見て、これならもう移してもよかろうと云ったものである。——枯死するまで色を変えない。

枝ぶりの、尋常でつつましいのと、渋く、見飽きのしない葉の色とに、彼はひじょうな愛着を感じていた。それを妻の居間の、前へ移したのは、その木に、自分の心を託すという、ひそかな想《おも》いをこめてのことであった。

朝食の膳《ぜん》には坐ったが、それはかたちだけで、なにも喰《た》べずに、箸《はし》を措《お》いた。

杉乃はなにも云わなかった。

食事をしないことにも、なにも云わなかったし、着替えのとき、肌衣を新しい白い物にしたときも、やはりなにも云わなかった。孝之助は父のところへ、挨拶にゆき、玄関へ出て、履物に足をおろしてから、ふと、ひと言だけ、なにか妻に云いたい、という衝動を感じた。それは口までつきあげてきたが、硬い、無表情な、杉乃の顔を見ると、つい云いそびれて、そのまま外へ出た。

大雲寺ケ原というのは、城下町を東へ出はずれたところにある。

それは北畠の山荘のある丘陵が、染井川へと、低く裾《すそ》をひく地形であって、俗に「柊寺《ひいらぎでら》」と呼ばれる、大雲寺が、丘ふところの森の中にあり、その前に、道を隔てて、かなり広く（一方は染井川の岸に到るまでの）草原がひらけている。眺《なが》めがいいので、城下の人々の恰好《かっこう》な行楽地になっていたし、ことに秋草のころは、野宴を催すものが多かった。

孝之助がその原へ入っていったのは、まだ七時まえであった。途中で供を帰らせ、一人でそこまで来た。笠井鉄馬はどうしたか、そこへ来るまでも、来てからも、あたりを見まわしたが、彼の姿は見えなかった。

原へかかるとすぐ、二段ばかり向うに、岡村八束の、立っているのが見えた。孝之助はそれを見届けて、身支度にかかった。

「よく来たな、独りとはあっぱれだ」

八束の呼びかける声がした。同時に、八束のうしろへ、三人の男の出て来るのが、孝之助に見えた。

三の一

八束のうしろにいるのが、いつかの木屋徳という男と、その子分たちであるのを、孝之助は見た。

――これはいけない。

八束ひとりなら、無勝負にして和解の方法がとれると思った。そのくらいの自信はあったのだが、三人も邪魔者がいては、無事に済ませる望みは殆んどない。支度をしながら見やると、八束の（さすがに袴《はかま》こそつけているが）ふところ手をして、ぬっと立っている恰好は、外聞もみえも棄《す》てた、ふてぶてしさそのものであったし、他の三人は、裾を端折《はしょ》り、鉢巻《はちまき》、襷《たすき》をかけ、早くも長脇差《ながわきざし》を抜いていた。そのまま、無頼なかまの喧嘩《けんか》といったけしきで、——はたし合という言葉のもつ清潔さは、微塵《みじん》もなかった。

ふり返ってみたが、笠井鉄馬もそのほかの誰の来るようすもない。孝之助は決心して、かれらのほうへ歩み寄った。

「お一人とは颯爽《さつそう》たるものだな、今日は論判で逃げるわけにはいかないぜ」

「私は下郎などは相手にしない」

孝之助は静かに答えた。

「相手は岡村八束ひとりだ」

彼がそう云ったとたん、「ほざくな」と喚《わめ》いて、子分の一人が左から、まるで刀を叩《たた》きつけるような勢いで、斬《き》り込んで来た。

こんな無法な仕方は予想もしなかった。危うく躱《かわ》したが、切尖《きっさき》で袖《そで》を裂かれた。八束が「やめろ」と叫んだ。同時に右から、木屋徳が突っ込んで来た。孝之助は抜き合せ、足場を広くとろうとして、うしろへとび退った。するともう一人の子分が、右うしろから拳大《こぶしだい》の石を投げつけた、(力いっぱい投げた)のが、孝之助のぼんのくぼに当った。耳ががんとし、眼《め》が昏《くら》んで、前へのめった。

——しまった。

そう思ったが、のめりながら振った刀に、手ごたえがあり、わっという悲鳴が聞えた。

孝之助は横さまに倒れ、草の上で、軀を三転しながら、打込みに備えて、すばやく半身を起こし、刀をとり直した。

「やられた、畜生、やりゃあがった」

極めて不愉快な、しゃがれ声で、そう叫ぶのが聞えた。ずっと脇のほうである、当人の姿は見えないが、叫び声はなお続いた。

「斬りゃあがった、畜生、あの野郎」

孝之助は強く頭を振った。頭がくらくらすると、視線が不安に乱れる。枯れた草の色が揺れ、すぐ向うにいる三人の姿が、その草の色に紛れこむようにみえた。

「それだけはよせ」八束の声がした、「——木屋徳、そいつはあんまりだ」

以上のことは、ごく短い時間のことだった。おそらく五拍子ばかりの出来ごとだったろう、孝之助は辛くも立った。まだ眼の焦点が合わなかった。しかし、踏み込んで来た一人を躱し、他の一人に（刀を返して）みね打をくれ、よろめきながら、大きく脇のほうへ足場をひろげた。

もう一度、さらに一度、首を振り、眼をみひらいた。大雲寺の森が見え、草原の広さがやや判然としてきた。すると初めて、怒りがこみあげてきた。うしろから石を投げられたことが、その卑劣さよりも、侮辱感で彼を忿怒《ふんぬ》させた。

子分の二人は、もうどちらも、満足にはたらくことはできないだろう。木屋徳が左にいた。それを眼尻で見て、孝之助はまっすぐに、岡村八束へ刀をつけた。

「こんな下賤《げせん》な人間の」舌が粘った、「――助けを借りなければ、はたし合も、できないのか」

八束は唇《くちびる》を歪《ゆが》め、初めて刀を抜いた。

「下賤とぬかしたな」

木屋徳がとびかかった。威《おど》しの役にしか立たない腕である、躱しざまに、その脇腹へ、みね打を呉《く》れた。肋骨《ろっこつ》でも折れたか、鈍いいやな音がし、がくっと半身を跼《かが》めながら、木屋徳は転倒した。

八束は蒼《あお》くなった。孝之助の顔も蒼かったろう、呼吸は平静だと思うのに、胸が固く硬《こわ》ばり、喉《のど》の奥に吐きけを感じた。

絶叫して八束が踏み込んだ。孝之助は迅速にまわりこんだ。八束は間を詰め、間を詰め、瞬時も離さず孝之助の眼を、自分の眼でつかみながら、上段から打ち込み、斬り返し、突き、そしてまた打ち込んだ。そんな太刀《たち》捌《さば》きがあるものではない、まるで自暴自棄、自殺でもしたがっているようにみえた。孝之助は左に右に避け、跳び退《の》き、かつ外しながら、相手の刀の伸びたところを、巧みにはねあげた。刀は八束の手からはね飛んだ。孝之助も刀を投げ、八束にとびかかって、組み伏せた。

八束は柔術ができる。しかも、かなり達者であることを、孝之助は忘れていた。二人の位置は逆になった。八束の片手が孝之助の喉にかかった。彼の荒い息、充血した眼、歯を剝《む》きだした口、凄《すご》いほど歪んだ顔が、上からのしかかって来た。

孝之助は絞めるに任せた。眼がぼうとなり両方の耳が血で塞《ふさ》がるように思った。そして、その刹那《せつな》に腰をはね、足で地を蹴《け》った。絞めることに全力をかけていた八束は、重心の虚をつかれてのめった。孝之助は上になり、拳をあげて八束の顔を殴った。が、同時にうしろから、後頭部を烈《はげ》しく打たれ、自分では次の打撃を避けるつもりで、躰《たい》を躱そうとしたまま、意識を喪《うしな》ってしまった。

三の二

雨が降っていた。

ずいぶんながいこと、降り続いているようでもあり、幾たびか、やんだり降ったりしているようでもあった。庇《ひさし》をうつ雨の音が、いつも聞き慣れているのとは違うので、此処は自分の家ではない、と気がついてから、少なくとも、四五日は経《た》つように思ったが、それは、頭を強く打たれたため、判断力や記憶力が狂っていたからで、現実に意識をとり戻したのは、決闘の日の昏《く》れがたであった。

鉄馬がそっと入って来た。ふり向いた孝之助の眼を、暫《しば》く見ているようにしてから、そばへ来て坐《すわ》った。

「顔色がよくなったね、気分はどうだ」

「少し頭が痛むだけだ」

孝之助はそう答えながら、此処が笠井の家であることに、初めて気づいた。

「おれは、ひどくやられているのか」

「刀傷は一つもない、うしろから頭をやられたが、危ないところで躱して、鍔《つば》が当っただけだ、やった男も、みね打をくっていて、手もとが慥《たし》かではなかったらしいが」

「そこへ来て呉れたのか」

「もうひと足というところだった」

鉄馬の話によると、その早朝、笠井の家へ使いがあって、

——はたし合の場所は中洲《なかす》に変更された。

と、云ったそうである。まだうす暗い時刻で、高安から、と伝言しただけで、鉄馬には会わずにたち去った。聞いた下僕も、門を隔てのことだし、「内密に」と云われたままを、鉄馬に伝えた。

中洲というのは、大雲寺ケ原とは反対の方向で、城下町から南へ、一里ちかくいった、染井川の流れの中にあり、小松や灌木《かんぼく》のよく茂った、殆《ほと》んどもう島といった感じの洲であった。鉄馬はいちどそこまでゆき、そんなようすのないのを認めて、これは欺《あざむ》かれたと直感した。……時刻は迫っている、まにあわないかもしれない。鉄馬はそこから走って、小林三郎兵衛という友人の家を叩き、ちょうど来あわせた石川内記と三人、馬で大雲寺ケ原へ乗りつけた、ということであった。

「どうしてそんな」孝之助は眉《まゆ》をひそめた、「——小林や石川などまで伴《つ》れて来たんだ」

「偽《にせ》の使いをよこしたりする以上、どんな卑怯《ひきょう》なまねをするかわからないじゃない

か」

「その使いは八束が出したんじゃない、彼はおれが一人で来たといって、褒《ほ》めていたくらいだ、それはおそらく木屋徳という男のしたことだと思う」

「岡村もそんなことを云っていたが、そいつはよく調べてみなければわからないさ」

「調べてみるって、……それはどういうことだ」

「わかってるじゃないか」鉄馬は吐きだすように云った、「――あれははたし合じゃない、騙《だま》し討ちだ、しかも、三人のならず者までかたらっている、これはもう単なる決闘ではなく一藩の士の名誉に関する問題だ」

「待って呉れ、それはいけない」

孝之助は起きようとして、後頭部の痛みに低く呻《うめ》き、横になったまま手を振った。

「八束は止めたんだ、あの男たちが仕掛けたとき、やめろと叫んだ、それだけはよせと叫んだ、二度か三度、彼は一人で勝負するつもりだったんだ」

「それなら介添はほかに選ぶべきじゃないか」

「もちろんわけがある、その話はするが、彼の罪を責めるようなことはやめて呉れ、それは彼のためだけではない、おれのためでもあり、杉乃のためでもあるんだ」

鉄馬は吃驚《びっくり》したように孝之助の眼をじっと見まもった。

「――理由を聞こう」

「いや、今は云えない、云えないが信じて呉れ、今日の決闘では、おれもずいぶん口惜《くや》しい思いをした、生れて初めて、心の底から憎悪というものを感じた、しかし、がまんする、当のおれががまんするんだ、どうか事を荒立てないで呉れ、頼む」

「――だが、小林や石川が見ているし、三人のならず者たちのこともあるし」

「そこを頼むんだ、どんな方法でもいい、とにかくここだけ無事におさめて呉れ、さもなければ不幸が大きくなる、ことによるとこの家にも迷惑を及ぼすことになるんだから」

鉄馬はなかばあっけにとられ、やや暫く義弟の顔を眺めていた。

――これは誇張ではないぞ。

律義之助といわれるくらいで、孝之助がわけもなくそんな強い表現をする筈《はず》がない。結婚したばかりの、杉乃のためでもあるというし、笠井家にも迷惑が掛るかもしれないという。八束と杉乃の関係は鉄馬も知っているので、これは孝之助の意見に従うべきだ、と思ったようすであった。

「ではともかく、小林と石川に相談をしてみよう」

「手後れにならないうちに、早く頼む」

「それで、高安はどうする」鉄馬は立ちかけてふり向いた、「――家のほうへは、気分が悪くなったので此処《ここ》に寝ているとと使いをやっておいたけれど、もう少し休んでゆくか」

「そうさせて貰《もら》おう、まだ少し頭がぐらぐらするようだから」

「ではおれはでかけて来る」

鉄馬は出ていった。すっかり暗くなった部屋の中で孝之助は、じっと雨の音を聞いていた。

四の一

十一月下旬に父が死んだ。

五年このかた寝たまま、殆んど全身不随で口をきくこともできなかったから、父のためには、寧《むし》ろ死は救いだったであろう。かけつけて来た叔母の千寿は、末期《まつご》の水をとりながら、例のさばさばした調子で云《い》った。

「兄さんは頑固《がんこ》で強情でわからずやだったけれど、とうとう病気には勝てなかったのね、でも、これでさばさばしたでしょう」

また、ずっと付ききりで看護していた、召使の浅乃も、臨終の枕《まくら》もとで泣きながら、小さい声でこう囁《ささや》いていた。

「ながいあいだの御不自由を、よく御辛抱なさいました、これでもう御苦労も終りでございます、どうぞゆっくりおやすみあそばしませ」

二十年まえ、母といっしょにこの高安へ来てから、嫁にもゆかず、母の亡《な》くなったあと、病臥《びょうが》した父の世話をひとりで受持っていた彼女には、父のために父の死を、誰よりも祝福することのできるたちばだったかもしれない。孝之助はその囁きを、すなおに承認した。

「これでわたくしは一周忌までまいりませんよ」

叔母は枕もとでこう云った。

「まだ義絶されたままだし、死ぬまで赦《ゆる》して呉れる気持はなかったでしょう、そうだとすれば忌日の法要に来るのは、仏の意志にもそむくし、親類の口もうるさいでしょうからね」

「しかし私が当主になったのですから、義絶などということはもう」

「そればかりではないの、本当を云うと法事だの年忌だのという、辛気くさいことが嫌《きら》いなのよ」叔母はあっさり笑った、「——死んでしまった人のことなんかどうでもいいではないの。それより生きている者のほうが大事よ」

こう云ってこちらを見る叔母の眼つきに、孝之助は困惑して俯向《うつむ》いた。そのとき、そこには二人だけだった。千寿は甥《おい》のようすで察したのだろう、ごく低い声ですばやく問いかけた。

「その後どうなの、うまくいっていますか」

「ええ、まあ、ぼつぼつ……」

「なにか叔母さまで役に立つことがあって」

孝之助は力のない笑いをうかべた。

「自分で好んでこうしたんですから、まあできるだけ、自分でやってみます」

「独り相撲はだめよ」千寿は謎《なぞ》めいた眼くばせをした、「――やさしく劬《いたわ》ったり、大事にするのもいいけれど、女というものは、しんそこでは押えつけて呉れるのを待っているものなのよ、がっちりと、強い力で、……愛情がどんなに深くっても、それだけでは決して女の心をつかむことはできやしません。これは女の叔母さまが念を押しておきます」

しっかりおやりなさいと云って、千寿は一種そそのかすように微笑した。

藩の習慣として、親が死ぬと七十日、喪に服さなければならない。役目の登城も（重臣その他やむを得ない用務のあるばあいはべつだが）原則として遠慮する定《きま》りだった。それで、表向には、父の死を二日のあいだ秘して役所の用を片つけたのち喪を発表した。

妻の杉乃は少しまえから、胃を悪くし、食事が摂《と》れないので、部屋に籠《こも》って、寝たり起きたりしていた。臨終の日には、急でもあり人手が足りないため、いっとき客の接待に出たけれども、それがこたえたとみえて、三七日の忌日にも起きてはこられなかった。その代りという意味だろう、笠井から義母の松枝が女中を伴れて来て、浅乃と共にすっかり用をして呉れたが、あとから来た鉄馬はひどく怒って、

「しようのないやつだ、お母さん小言を云っておやりなさい、貴女《あなた》の責任ですよ」

などといきまいた。義母はあいまいな笑い方をして、女の軀《からだ》には男にわからない故障が起こるので、そういちがいに怒ってもしようがない、もしかすると怒るようなことではないのかもしれないから、……そんなふうに、言葉を濁して云った。

「怒るようなことでないとはどんなことなんです」

「鉄馬さんなどが知らなくともいいことですよ」

「へえ、それは都合よくできてるもんですな」

鉄馬はむっとして、なおなにか云いそうであった。孝之助は苦笑しながら、すでに集まっている客たちのほうへと、彼を伴れていった。

法要のあと、この家では珍しく、賑《にぎ》やかな酒宴になった。客も親族のほかに、役所の上役や同僚たちも来て、ぜんぶで三十余人、二つの客間からはみだすくらいだった。それに年が明けると現勘定奉行の任期が満ち、孝之助が代って就任する筈だったから、座の空気はしぜんと陽気になっていった。

叔父の瀬木蔵人はいいきげんに酔って、

「これからはひとつ、高安の家風を改善して貰うんだな、もっと戸障子をあけ放して、明るい活気のある家にして貰いたい、そう云ってはなんだが、故人はどうも気むずかしくて文句が多くていけなかった、ここでは酒も悠《ゆっ》くり飲めなかった、これからはそこをなんとか、ひとつ……」

などと云った。すると例によって、母方の叔父の渡辺又兵衛が、脇《わき》にいて鼻で笑った。

「どうも馬場下は暢気《のんき》なものだ、石を笑わせるために道化るようなことを云う」

「おかしなことを云うじゃないか、私のどこが道化ているんだ」

「不可能なことに舌を疲らせていることさ、孝之助という者には仇名《あだな》がある、律義之助といってな、その点では故人を凌《しの》ぐ人物だろう、いくらうまいようなこと云ったところで」

「いやうまいようなことなど云やあしない、私はただ家風について、叔父のたちばから、一言」

そう昂奮《こうふん》することはない、叔父は馬場下ひとりではないのだから。いや自分は決して昂奮などしてはいないし、するわけもない。といったぐあいに、とめどのない対話が続いた。孝之助はこの二人の叔父の、罪のない口争いを聞くのが好きで、微笑しながらつい ひきいれられていると、左にいた鉄馬が、

「岡村がやられたよ」

と耳もとで囁いた。孝之助は岡村と聞いただけでどきりとした。

「――なにかあったのか」

「これまでの不行跡さ、直接には洗濯町あたりの借財がこじれたものらしい、食禄《しょくろく》半減、五十日の謹慎というはなしだ」

孝之助はにわかに暗い気持になった。

四の二

大雲寺ケ原の事があってから、孝之助は八束と会っていない。決闘の忌《いま》わしい事実は、鉄馬の奔走で、表沙汰《おもてざた》にならずに済んだ。木屋徳と二人の子分は逃亡し、八束も

従前どおり勤めだしていた。孝之助は打たれた後頭部がときどき痛み、急に立ったりするとくらくらすることもあるが、医者に診せたところでは、骨に別状があるわけでもなく、時が経てばそんな異和もなくなるだろうと思えた。

危険なところまでいったが、どうやらきりぬけた。うまくゆけば無事におさまるかもしれない。そう思っていたのであった。

――困ったことになった。

孝之助はやりきれないほど気が沈んだ。食禄半減、謹慎五十日といえば、相当に重い罰である。いちおう荒れるだけ荒れて、いくらか心の折れかかっている八束に、この打撃がどうひびくか。すなおに罪を認めればいいが、もし自暴自棄になったとしたら……。

「喪中にこんなことがあるなんて、折が悪かった、おれが登城しているときなら、なんとか手段があったものを」

孝之助は同じことを呟《つぶや》いては、思いあぐねたように、繰り返し溜息《ためいき》をついた。

それからつい数日ののちのことであった。寝所へ入るまえに、妻の部屋をみまった。杉乃がひきこもるようになってから、日に三度は必ずようすを訊《き》きにゆく。杉乃は（嫁《か》して来てからずっと）固く殻《から》を閉じている感じで、彼がなにか問いかけると、「はい」とか「いいえ」と簡単に答えるが、殆んど話らしい話をしたことがなかった。

……そのときも、気分はどうかと訊いて、彼はすぐに去るつもりだったが、夜具の上に起きていた妻が、もの問いたげな表情をするので、珍しくそこへ坐《すわ》った。髪もなでつけただけだし、化粧もしていず、寝衣の上に羽折《はおり》を重ねたままのせいか、杉乃はひどくやつれて、神経が尖《とが》っているようにみえた。そして、彼が坐るのを待っていたかのように、

「どうぞ仰《おっ》しゃって下さいまし、わたくし喜んでおうかがい致します」

と云った。彼には妻がなにを云うのか、まるでわからなかった。すると杉乃は、とつぜん唇《くちびる》を歪《ゆが》め、刺すような調子で、

「岡村さまのことでございます」

孝之助は妻の眼《め》を見た。そして、自分がそのことを鉄馬から聞いたとき、妻もまた母親から聞いたのだということを了解した。

「そう、八束のことは笠井から聞いた、しかしわれわれには関係がないと思うがね」

「貴方《あなた》はあの方の将来をみとおしていらっしゃいました、末を完《まっと》うする方ではない、ひとを仕合せにすることのできない方だというふうに、……そうではございませんか」

孝之助は眼を伏せた。

「それがそのとおりになりました、貴方が仰しゃったとおりに、貴方のお眼の正しかったことが、こんなにも早く事実になったのです、どうしてこれを、御自分のお口からわたくしにお聞かせ下さいませんの」

「もういちど云うが」

できるだけ穏やかに、妻の顔を見ながら、孝之助が云った。

「岡村とわれわれとは、もうなんの関《かか》わりもない、彼がお咎《とが》めを受けたことは、気の毒に思うけれども、私は詳しい事情を知らないし、知っていたにしても、おまえに話す必要はないと思う」

「わたくしが望んでもでございますか」

「誰が望んでもだ」彼は静かに、しかしきっぱりと云った、「――私たちのあいだでは、決して岡村の名を呼ばないように、これだけはよく覚えていて貰いたい」

結婚して以来、初めての、屹《きつ》とした云い方だった。杉乃は怒りの眼で彼を見、膝《ひざ》の上で両手を握りしめた、彼は静かに立ってそこを出た。

祝言《しゅうげん》の夜のときよりも、孝之助の心は深く傷ついた。妻は彼を愛そうとしない、これまで夫婦のかたらいなどもあまりに冷たく、殆《ほと》んど石に対するようなものであった。

それは或《あ》る点まで承知のうえだし、時間をかける覚悟はできていた。けれども、その晩の態度では、単に彼を愛さないばかりでなく、まだ岡村を忘れないでいるらしい。

——貴方の想像どおりになった、さぞ愉快であろう。

そういう意味を含めた言葉と、あの眼と、その刺すような調子とは、明らかに岡村八束の側に立ったものである。背中に八束を囲って、こちらへ挑《いど》みかかるような姿勢だった。

——そうだ、あれはまだ岡村を忘れてはいない、忘れていないばかりか、ことによると愛しておるのかもしれない。

そう思うのは耐え難いことであった。しかも悪いことには、そう思いながらお自分が妻を愛していて、その愛が断ち切れなくなるばかりだということである。

——そんなにまでして結婚することは、不自然ではないだろうか。

北畠の叔母はいつかそう云った。彼はそうは考えなかった。この世に在ることは、二すべてが偶然の組み合せである。恋はしばしば神秘的な表現で飾られるけれども、二人にとって、お互いが絶対だということはない。甲乙の男女が結びつくのは偶然の機縁であって、さればこそ失敗し、相別れる例が多いし二度め三度めの結婚でおちつくばあいも、少なくはない。……孝之助は杉乃を愛していた。そして、どんなことがあっても、彼女を岡村の手に渡したくなかった。それだけであった。求めて杉乃を娶《めと》った気持も、そのために生じた八束との争いも、強く愛する者を幸福にしよう、という情熱、他の大多数の男のもつ平凡な情熱と一般ではないか。

「だがこれは、やっぱり自分の一方的な考え方だったかもしれない」彼はそう呟く、「――結婚してしまえば、そこから自然と愛情が生れると思った、生活は人の感情や習慣を変えるものだから、……しかし、どんなにしても変らないものもある、それを変えようとするのは慥《たし》かに不自然だ」

岡村の不行跡が明るみに出、厳しく罰せられたことがわかっても、彼に対する杉乃の気持は変らない。永久に変らないかもしれないし、それを変える力は人間にはない。

――ではどうしようか。

孝之助は苦しんだ。まじめに離婚を考えさえしたが、もちろんそんなことができるわけもなく、結局、その苦しさに自分を慣らしてゆくよりしかたがなかった。

年が明けて、正月中旬に、藩主が帰国した。伊豆守利秀といって、先殿《せんとの》甲斐守利光の三男に生れたが、二人の兄が若くして死んだため、すでに分封していたのを、戻って家督を継いだのであった。当時二十八歳、小太刀《こだち》と槍《やり》が得意で、江戸では側近の者が悩まされるという噂《うわさ》が専《もっぱ》らだった。

四の三

孝之助は喪中だったから、藩主が帰国しても、なお暫《しばら》くは登城しなかった。そのあいだに、思いがけないとり沙汰をいろいろ聞いた。

利秀は武芸に凝るばかりでなく、学問にも興味をもち、江戸では世評の高い学者を扶持《ふち》して、かなり勉強したそうである。だが、困ったことに頭があまりよくなかった、もちろん愚昧《ぐまい》というものではない、――いっそ愚昧であるほうがよい、という種類の、したがって一藩の主君としては、もっとも好ましからぬ性格のようであった。

彼の帰国はこれで二度めである。このまえは初めてのせいか、諸業事なかれという態度であったが、こんどは到着する早々、雪中行軍とか、御前試合とか、学問吟味などという藩士の能力を試すようなことを次つぎと催した。そのうえ、（その結果というべきか）政治方面の改善について、布令《ふれ》を出し、諸種の役目の世襲制を廃して、人材登用の途をひらいた。そして同時に、自ら二三の役の任免を行なった。……当時、或る種の役目が世襲制であったのは事実だが、それは在来の評家が非難するほど、現実を無視するものではなかった。いくら封建時代だからといって、その能力のない人間に政治を任せるほど、武家経済が豊かだったわけではない。必要な部署には必要な人材を据《す》える、或る面では現代よりもはるかに融通をきかせた例が少なくなかった。利秀の改善策は、その内容よりも形式に眼目があったらしい。つまり必要であるかないかより、習慣を打破するところに意義を認めたようである。孝之助に関係する点では、現勘定奉行の広松大膳が免ぜられて、依田重右衛門が任命された。彼は五石十二人扶持の足軽組頭で、野戦操練に長じていたが、この抜擢《ばってき》には閉口したものだろう、広松前奉行を訪ねて、

——自分は事務はだめである、文書などは少しながく見ているだけで気が遠くなってしまう、万やむを得ないので名だけはお受けするが、実務は従来どおり貴方がやって貰《もら》いたい、さもなければ、切腹するよりしかたがない。

こう云って男涙にくれたそうである。

新制によると、任期は五年だが、これで孝之助の就任は、だいたい無期延期になったといってよかろう。かくべつ勘定奉行が望みではなかったけれども、家庭の事情がそんなふうなときだっただけに、相当まいった気持にさせられた。

二月にはいってまもなく喪があけた。家柄《いえがら》がめみえの上位に属するので、その筋へ届け出たうえ、藩主の前へ挨拶《あいさつ》に出た。利秀は色の黒い、小柄な筋肉質の軀で、口が大きく眼が鋭かった。家臣に対するとき、

その眼で瞬《まばた》きせず相手を見つめ、ひと言ごとに「いいか」「いいか」と云う癖がある、ちょっとみるとだだっ子が因業爺《いんごうじじい》になったという印象であった。

「おまえ馬に乗るか」

孝之助の挨拶が済むと、利秀はせっかちにそう訊いた。「乗るか」という質問は、その術に長じているか、という意味である。したがって孝之助は、不調法でございますと答えた。

「それは不心得ではないか」

利秀はよく考えもせずに怒った。

「たとえ親の代からの文官にもせよ、武士たる者が乗馬できぬという法はない、急に遠方へ使者に立つときなどはどうするか」

「おそれながら、お使者を勤めるくらいでございましたら」

「いや使者ではない、使者は使者、いいか、遠方へ大至急で往《い》って来る使者、そうしたばあいには、ぽくぽく歩いてゆくわけにはまいらん、どうしたって馬でゆくのが常識であろう」

「おそれいります、そのくらいでございましたら乗ります」

利秀は拍子ぬけのした顔をした。

「それでは権現沢《ごんげんざわ》まで遠駆けをする、供を致せ」

こう云《い》って性急に立った。

そんなふうに藩主と話したのは初めてである。おちつきのない、せっかちな人だと思った。また、なんで自分などに馬の相手をさせるのか見当もつかなかったが、あとで、（いや、まもなく）わかったところによると、利秀も乗馬は不得手なのである。小太刀と槍はどこまで事実かわからないがかなり練達しているし、三年まえから馬術を始め、江戸の中屋敷に馬場なども設けたが、このほうは性に合わないものか、どうしても上達しなかった。それで、あまりうまくなさそうな者を選んで、遠乗りの供を命じた、というのが真相のようであった。

小姓一人、供侍五人（みんな孝之助とは、おつかつの腕前だったが）が扈従《こじゅう》して、まもなく城をでかけた。

露払いは遠藤又之進という小姓で、孝之助はしんがりを駆けていた。あとで聞くと、又之進は馬術では殿さまの先輩だそうであるが、遠慮のないところ下手くそであった。他の四人の侍も似たものであって、城の西中門を出るとすぐ、利秀が「ゆけ」と命じ、いっせいにだくで行進を始めたが、誰も彼もいじり腰の妙な姿勢であり、馬のほうで危ながっているような恰好《かっこう》であった。

西中門は城の搦手《からめて》である。いい日和《ひより》で、四五日まえに降って消え残った雪が、道の左右にところどころ、日をうけてぎらぎらと眩《まぶ》しく光っている。

「そろそろ駆けてまいろう」

野道へかかったとき、利秀が愉快そうに叫んだ。

——駆けは危のうございます。

孝之助は利秀の腰つきを見てこう云おうとした。しかし利秀はもう鞭《むち》をあげていた。そればかりではない、ちょうど向うから一疋《ぴき》の犬がやって来た、白と黒の斑毛《ぶちげ》で、駄《だ》犬《けん》の代表者といったふうなごくつまらない犬だったが、またひどく臆病《おくびょう》で、疑いぶかい性分だったのだろう。

——あれはなんだ。

こう云いたそうな眼で、この一行を横眼で眺《なが》めていたが、利秀が鞭をあげたとたん、なにを誤解したものか、ひどく憤慨したようすで、いきなり悲鳴をあげながら、利秀の馬にとびつき、その後脚を噛《か》んだ。……馬は吃驚《びっくり》したものだろう、大きな声をあげ、跳ねあがり、そして狂気のように疾走し始めた。露払いがあっ、あっと云った、みんなもあっと云った。

「止めろ、この馬を止めろ」

殿さまのそう叫ぶのが聞えた。

孝之助は前にいる五人を追いぬき、殆んど夢中でびしびしと鞭を当てた。なにしろ、江戸邸内にある馬場、塵《ちり》もなく掃き清め、虫一疋もいない平らな馬場で習った馬術である、此処《ここ》は石のごろごろした、穴ぼこだらけの道だし、もう少しゆけば鏡川がある。

――これはとんだ事になるぞ。

こう思って、力いっぱい、けんめいに馬を煽《あお》って追いつこうとした。

そのとき、川のほうに向って、魚釣《つり》にでもゆくのだろう、釣竿《つりざお》と魚籠《びく》を持った（脇《わき》差《ざし》だけ差した）侍が一人、暢気《のんき》そうに歩いていた。それが、激しい馬の音に気づいて振返った。おそらく裏金の乗馬笠《がさ》と衣服とで、これは城主だと直感したのに違いない。

「…………」

なにか高く叫んだと思うと、持っている物を投げだし、身構えをして、疾走して来る利秀の馬へと、みごとにとびついた。……そのとき孝之助は、十二三間近くまで追いついていたが、その侍を見てほっとしながら、手綱を絞った。

「――岡村……、八束」

五の一

父の一周忌の少しまえに、妻の杉乃が男の子を産んだ。

父の亡《な》くなる前後、胃を病んでいると（杉乃自身も）思っていたのが、まもなく妊娠だとわかってから、孝之助の心にはひとつの期待がうまれていた。子を持つと女の感情は変るという、子供は二人の血をつなぐものだから、その子を通じて、妻の心が接近してくるかもしれない。

――どうかそうあって呉《く》れるように。

誇張していえば祈るような気持で、彼はそう願っていた。

出産の予定日の七日まえから、笠井の義母が来ていて呉れた。夫婦の仲がうまくいっていないことを、彼女もうすうす感づいていたのだろう、お七夜を済ませて帰るとき、孝之助の部屋へ来て、さりげない口ぶりで云った。

「わがまま者で、いろいろ御不満もございましょうが、これで母親にもなったことですし、少しはおちついて呉れるだろうと思います。どうかもう暫くがまんしてやって下さいまし」

孝之助には、義母の言葉よりも、そのさりげない口ぶりが、身にしみた。

——母にもなったことだし。

母親である彼女の口から聞くと、それはいかにも実感があり、信じてもいいように思われた。……そしてまた北畠の叔母は、風邪ぎみで出られないからと、使いの者に手紙と祝いの品を持たせてよこしたが、その手紙にも同じように、これでうまくおさまるだろう、という意味のことが書いてあった。

もう一つ、そのときから半年ほどまえに、岡村八束が藩主のお声がかりで、馬廻《うままわ》りにあげられ、なお食禄《しょくろく》を二百石加増される、という出来ごとがあった。これは伊豆守利秀が遠乗りに出て、その乗馬が逸走したとき、八束が通りあわせて危うく止めた。その功によるものであって、以来、彼はたいそう利秀の気にいられ、つねに側《そば》ちかく仕えるようになった。

役目を逐《お》われ、食禄を半減されて、失意の底にあった八束には、天与の機会ともいうべきものであったし、孝之助にとっては、暗く塞《ふさ》がれていた精神的負担から解放され、ほっと息をつく思いであった。そして、おそらく杉乃の気持も軽くなることだろう、と考えていたのである。

こうして内にも外にも、事情の好転する条件が揃《そろ》っていた。すべてがよくなるという、期待をかけても、もうまちがいはあるまいと思われたが、やっぱりいけなかった。

妻のようすは少しも変らず、むしろしばしば、それ以前よりも冷やかで、依怙地《いこじ》な態度を見せるようにさえなった。

——もう少しがまんしてやって呉れ。

彼は義母の言葉を忘れなかった。期待の外れたことにも、ひどく失望したわけではなかった。彼は自分自身に慥かめた。

——自分は妻に幸福な生活を与えようとして娶った、彼女を悲しみや不幸から守り、生涯《しょうがい》、温たかく平穏に暮すことができるようにと、……決して自分の幸福や、満足のためではなかった筈《はず》だ。

それにいまは子供があった。名は父の幼名をとって小太郎と付けたが、よく肥えた丈夫な子で、妻は殆《ほと》んど溺愛《できあい》していた。彼の分身である子供を、舐《な》めるように愛している妻の姿は彼自身の不満や淋《さび》しさを、かなり償って呉れるものであった。

——これでいい、自分はこの妻と子の、仕合せを守ることに努めよう、そのほかのことはすべて時に任せるのだ。

男には生活があった。

藩主の職制改革で、彼の将来はいちおう停頓《ていとん》のかたちになった。悪くすると、勘定奉行所の「元方支配」という、現在の席に、一生とどまらなければならないかもしれない。それではやがて家計が逼迫《ひっぱく》してくる、というのは、交代世襲制の奉行職は、その職に就いている期間だけ、家禄と年俸と合わせた収入がある。退職ちゅうは年俸は与えられず、しかも家の格式は守らなければならない。要するに支出の面は変らないのに、収入が減るわけであって、次の任期までは、経済的にかなり苦しく、よほどひき緊《し》めても、借財が残りがちであった。

父が倹約な人だったし、彼も律義之助などといわれるくらいで、現在のところはどうにかやってゆけるが、もしこのまま元方支配でいるとすると、早晩ゆき詰るのは明白であった。そこでさし当り、職制の改革にともなって、家の格式を食禄相当に直すこと、つまり格式上の負担を除いて貰う、ということを、退職した広松前奉行と相談のうえ、家老職まで願い出ることにした。

それは藩主が参覲《さんきん》のため出府する少しまえのことで、家老職は承諾し、その旨《むね》をすぐ藩主に通じたが、利秀は「考えておく」と、きげんの悪い顔で、答えただけであった。

五の二

藩主の江戸へ立つ日が迫った或《あ》る日、城中の長廊下で岡村八束に会った。

「しばらくでした、御長男を儲《もう》けられたそうですね」

八束のほうからそう呼びかけた。

「お祝いにゆかなければならないんですが、遠慮するほうがいいと思ったので、つい失礼していました、どちらもお丈夫ですか」

彼は明るい顔をしていた。血色もよく、眼《め》つきにも冴《さ》えた力がこもっていた。あの頃《ころ》の卑《いや》しく汚れた感じや、不健康な疲れはきれいに無くなって、彼本来の、賢い聡明《そうめい》な性格が、活《い》き活きと脈搏《みゃくう》っているようにみえた。

「ちょっと話があるんですが」

八束はこう云って、廊下の隅《すみ》のほうへ孝之助をさそった。

「職制改革について、格式の更新を願い出たのは、貴方《あなた》だということを聞きましたが、それは事実ですか」

孝之助はそうだと答えた。

「まずかったですね」八束は眉《まゆ》をひそめた、「――もう少し時期を待つべきでした、あのとおり気の短い御性質で、それに大名もの識《し》りの狭い御思案しかないから、御改革に対する不満、というふうにとられたらしいんですよ、もちろん高安さんの主張は正しい、格式上の負担をそのままにして、職制だけ変えるというのは片手おちですからね、しかしもう少し待ってからにすべきでした」

孝之助には云うことはなかった。むしろ、なぜ八束がそんな話をもちだしたか、ということのほうが不審だった。八束もその点に気づいたのだろう。ふと思いだしたように、「実はこんど江戸詰になりましてね」

こう云って苦笑した。

「役目も変るらしいので、これからは幾らかお力にもなれると思うんです。……ずいぶん御迷惑をかけたし、不義理な拝借までしているが、これで私も立ち直れますから、江戸へいったらできるだけ早く、拝借した分も返済しますし、なにかでお役にも立ちたいと思います」

「それはよかった、金のことなどはどっちでもいいが、それは本当によかった」

「そう云って下さるだろうと思っていました」

八束はちょっと、あいまいな微笑をもらした。

「いつか高安さんは、私に期待するというように仰《おっ》しゃった、たぶん御期待にそむかない程度の人間には、なれるだろうと思います、どうか見ていて下さい、そして必ずなにかでお役に立つ、ということを信じていて下さい」

言葉は謙遜《けんそん》であったが、その態度は少なからず昂然《こうぜん》とし、また確信に満ちていた。

穿《うが》った見かたをすれば、それは八束が孝之助に向って、二人の位置が転倒したという意味を、宣告するようでもあった。

——それならなおいいじゃないか。

孝之助はこう思うだけであった。

八束が機会に恵まれただけでも、ずっと気が楽になった。これから江戸へゆけば、藩主利秀に（今のところ）気にいられているらしいから、あるいは相当のところまで出世するかもしれない。もしそうとすれば、これまでの気持のうえの負債は、おそらく完全に消えるだろう、と思った。

そして岡村八束は、藩主の参観の供に加わって、江戸へ去った。

そのあと、孝之助に対して、かなりひろくいやな評が伝わった。例の格式更新の願いが彼の吝嗇《りんしょく》から出たというのである。奉行職になれない不満だろう、とか。格式よりも金のほうが大事なんだろう、とか。侍らしくない、家中《かちゅう》一般の面目にかかわる、などというのである。なかでももっとも悪質なのは、

——高安はひそかに金貸しをしている。

という噂《うわさ》だった。

これは他の評よりずっと後れて、五月ころから急に、弘《ひろ》まりだしたのであるが、孝

之助はもちろん知らず、妻から注意されて初めてわかった。……杉乃はよほど心外だったらしい、珍しく彼女のほうから部屋へ来て、こういう評判があるが、事実かどうか、とひらき直って訊《き》かれた。

「ばかなことを云ってはいけない」

孝之助はうんざりしながら答えた。

「私がそんなことをするかどうか、考えてみてもわかる筈ではないか、この春あたりから不愉快な蔭口《かげぐち》をいろいろ聞くが、世評などというものは無責任だから」

「それでは格式願いのことも根のない噂でございますか」

杉乃の口ぶりは意外に激しかった。

五の三

孝之助は妻の顔を見なおした。

杉乃は子を産んでから少し肥え、色も白く血色もよくなり、健康な嬌《なま》めかしさが溢《あふ》れるようにみえた。けれども、そのときは顔もきびしく硬《こわ》ばり、蒼《あお》ざめて眼は咎《とが》めるような光りを帯びていた。

「格式願いのことは事実だ」

孝之助は穏やかに云《い》った。「――しかしあれは、断わるまでもないと思うが、今後、高安の家を保ち、故障なくお役を勤めてゆくためには、やむを得ないことであって、広松さんとも相談のうえであるし、人の噂するような意味は少しもないのだ」

「人の噂に尾鰭《おひれ》の付くことは知っております、尾鰭のことは申上げません。けれども格式願いが根のないことでなかったとしますと、金貸しうんぬんという評判も、なにかそうした事実があるのではございませんか」

「まったく覚えのないことだが」

孝之助は少しうるさくなってきた。

「いったいそんなことを、誰から聞いたのだ」

「笠井のあね（義姉）に聞きました」

笠井鉄馬はその年の三月に結婚していた。相手は浜田主殿《とのも》という者の娘で、名をおぬひといい、三年まえから婚約ができていた。おぬひの病気で延びていたところ、ようやく医者の許しが出て、式を挙げたのであった。

「――では笠井も知っているのか」

「あねが実家から聞いたのだそうで、浜田でも外聞の悪い思いをしていると申したそうでございます」

これを聞きながら、孝之助はふと八束のことを思いだした。

——江戸へいったら借財を返す。

彼はそう云った。むろん、彼が御用商人と結託して、不正に費消した公金を、孝之助が用立てて始末した金である。こちらはもともと返して貰《もら》うつもりはなかったし「貸し金」などというものとはおよそ種類が違う。

——だがもし八束が話したとすると。

それも不正の事実は除いて、単に、借りた金を弁済しなければならぬ、というふうにでも云ったとすると、聞いた者の口から、歪曲《わいきょく》されて伝わったと、考えられないことはない。少なくとも八束との関係以外に、そんな噂の出る原因はないのである。……孝之助は怒りを感じた、長廊下で会ったときの、八束の昂然とした態度が思いだされる。堕落の沼から救いあげられ、今やおのれの世を迎えつつある、という確信の上に居据《いす》わって、（さりげなく）借りた金のことなど口にするさまが、孝之助は鮮やかに想像されるのであった。

——これははっきりすべきときだ。

笠井の耳にもはいったとすれば、そして、八束の身分もいちおうおさまったのだから、こういう不愉快な点だけでも、話しておくべきだろう、孝之助はそう決心して云った。

「明日、下城のとき、笠井へ寄るから、そのじぶんにおまえもいっていて呉れ、そこでよく話すとしよう」

「ではやはり」杉乃は唇《くちびる》を歪《ゆが》めた、「――そういうことがあったのでございますね」

「いやそんなことはない、まるで事情が違うことだ」

こう答えて彼は顔をそむけた。

その翌日は下城が後れた。というのは、出仕するとすぐ家老に呼ばれ、勘定奉行に仰《おお》せつけられる、という旨を、伝えられたのである。家老は和達友三郎といって、ごく温厚な但《ただ》しそれだけの人であったが、どうして急に、そんな仰せが出たか、自分でも見当がつかないというようすであった。

「墨付の到着しだい、現奉行と即日交代せよというお達しである、いかなる御意《ぎょい》から出たかはわかりかねるが、ともかくすぐに事務の交代をするように」

孝之助はちょっと当惑した。このとつぜんの任命を聞いて、八束のことを（またしても）思いだしたのである。

――必ずなにかでお役に立ちたい。

こう云ったが、この任命が八束の奔走によるものだとすると、彼の今の立場として、受ける気持にはなれない。辞退すべきだと思った。できることならそうしたかったが、藩主がじきじきに命じた役目を、理由なしに辞退するわけにはゆかない。そして、彼の理由は理由にならないのである。

「どうしたのか、まさか不得心ではあるまいな」

家老にこう云われて、孝之助には云う言葉がなく、お受けをすると答えた。

現奉行の依田重右衛門は、すでにこの交代を知っていた。彼は自分の柄《がら》にない役を当てられて、僅《わず》かな期間であったが、相当へこたれていたらしい。孝之助を見るといそいそと手を擦り、もうすぐにも、役所からとび出してゆきたそうにした。

「これでやっと息がつけます、幸い元の役に帰れましたのでね、足軽組頭ですよ、早速ひとつ、思う存分に駆けまわってやります」

そんなわけで、笠井の家へいったときは、もう灯のつく時刻になっていた。

五の四

勘定奉行就任のことは、笠井の人たちにもわかっていて、孝之助がゆくと、内祝いの支度をしているところだった。

「そのまえに話したいことがある」

彼は鉄馬に囁《ささや》いた。

「こちらの御夫妻と、杉乃と私の四人だけで話したいんだ。済まないがどこか部屋をたのむ」

鉄馬は承知して、自分の居間を選んだ。

杉乃が話したのだろう、兄嫁のおぬひは（自分の口から出たことなので）心配そうな浮かない顔をしていたし、鉄馬も知っているらしい、これはひどくむずかしい眼つきで、肩を張るように坐《すわ》っていた。杉乃は良人《おっと》の脇《わき》にいたが、きちんと膝《ひざ》を正し、窓のほうへ眼を向けたまま、しまいまで身動きもしなかった。

「これまでは、たとえどんな噂が出ても、自分だけのことなので、棄《す》てておいてもいいと思ったが、こんどは義姉上というものができ、御実家にも迷惑の及ぶことを考えなければならないので、今後のために必要だと思う点を話すことにします」

孝之助はこう語りだした。

もちろん岡村八束と名はささなかったが、前後の関係でわかるに違いない。要点は公金費消のことで、それを内密で片づけるために自分が無理をして金を作ったこと、それは相手によることではなく、たとえなんのゆかりのない人間でも、そういう立場になれば、誰でもすることであって、むろん金を貸したなどという気持もないし、初めから返して貰おうとは思っていない。幸い相手に運がまわってきて、どうやら出世するめあてがついたのだろう、借りた金は近いうちに返済すると云っていたが、それは相手の気持しだいであって、自分は今でもそんなものは求めていないのである……これだけのことを、孝之助らしい控えめな表現で話した。

「それでよくわかった」

鉄馬は頷《うなず》いて云った。

「実をいうと、江戸にいるぬひの弟から、そんなことを聞いたと書いてよこしたそうで、他にも聞いた者があるらしい、たぶん岡村が話したものだろう、あの男ならそのくらいのことはやりかねない」

「いやそういうふうに云うのはよそう」孝之助は静かに遮《さえぎ》った。

「ほかの噂とは違うから、その原因になったと思われる理由を話したので、この三人にわかって貰えばそれでいいのだ」

「しかし噂はかなりひろく弘まっているし、勘定奉行という役に就く以上、こういう不潔な評判の根は断っておかなければなるまい」

「事実無根の世評など、決してなが続きのするものではない、棄てておいても必ずわかるものだよ」

「本当にそう思うなら」と鉄馬が云った。

「――本当にそう信じているなら、どうして此処《ここ》で弁明をしたんだ、世間がどんなことを云おうと、われわれは高安を知っているし、高安を信じている、それなのにどうして、高安をよく知らない世評を棄てておいて、われわれだけにこんな弁明をしたんだ、どうしてだ、なにかそうする必要があったのか」

「――そうだ」孝之助はどきっとして、頭を垂れた、「――そうだった……おれの誤りだ、どうしてこんな弁明などする気になったのか」

「それはわたくしのためです」

杉乃が鉄馬に向って云った。

「親類の方がたにも迷惑がかかると思いましたので、理由があったら聞かせて下さるようにと、わたくしから願ったのでございます」

「するとおまえには高安が信じられなかったのだな」

鉄馬の眼は怒りのためにぎらぎら光った。彼は初めから、話頭《わとう》をそこへもってくるつもりだったらしい。この集まりが杉乃から出たこと、孝之助がそれにひきずられて、したくない弁明をしたのだ、ということを察し、抑えていた（妹に対する）怒りがいっぺんに出たようである。

「嫁にいってあしかけ三年、いまだに良人が信じられないのか、こんなことで良人に弁明を求めるような者は人の妻ではない。そういう者を兄として友の妻にやってはおけない、笠井へ引取るからいとまを貰って戻れ」

「なにを云う鉄馬、それは違う」

孝之助が吃驚《びっくり》して手をあげた。

「今日のことは杉乃の責任ではない、おれが自分でこうしようと云ったのだ、鉄馬にも聞いて貰いたかったし、浜田さんも不愉快な思いをしているというので」

「浜田はおれの妻の実家だ」鉄馬は荒い調子で云った、「——妻の親族のことはおれが自分でする、またおれは高安を信じているから、そんな話を聞きたいとは決して思わない、それは高安自身がよく知っている筈《はず》だ、たとえば、大雲寺ケ原の決闘のときがそうだ」

「待って呉《く》れ鉄馬、それを云うのは待って呉れ」

「いや云わなければならない」

鉄馬は首を振った。杉乃はあっという顔でなかば口をあけて兄を見た。鉄馬は決闘のときの始終を詳しく話し、さらに、咎めるような口ぶりで云った。

「あのとき、八束がなぜ決闘を申し込んだか、その理由をどうしても高安は云わなかった。また大雲寺ケ原での、八束の卑劣なやりかた、下賤《げせん》極まるあのやりかたをも、人に知れないように始末した、どうしてだ、なぜそんなにまでするんだ、おれは繰り返しそう訊いたが、高安はひと言も説明をしなかった、そうではなかったか、高安」

孝之助はなにか云おうとした。が、それより早く、鉄馬が続けて云った。

「だがおれには察しがついた、高安は或《あ》る人間の気持を庇《かば》ったのだ、八束がそんな男だということを、或る人間に知らせたくなかったんだ、事実を知れば、或る人間がよけい傷つかなければならない、そう思ってすべてを蔭に隠したんだ、その或る人間とは」

「やめて呉れ鉄馬、これはおれの問題だ」

叫ぶように云って、孝之助は立ちあがった。

「おれが弁解をしたことは無分別だった、しかしそのために、必要のないことまで洗い立てるのはよして呉れ、改めて詫《わ》びに来る、今日はこれで帰らせて貰うから、……おいで杉乃、いっしょに帰ろう」

杉乃はおとなしく立った。

「そうか、そういうならやめよう」

鉄馬も立ちながら云った。

「けれどもこのまま帰られては困る、祝いの支度がしてあるんだ、親たちが不審に思うから、いちど向うで坐ってからにして呉れ」

六の一

孝之助は浮かない顔つきで、とぼんと庭を眺《なが》めていた。机に片肱《かたひじ》をつき、手で顎《あご》を支えた恰好《かっこう》や、精のぬけたような眼《め》や、濁った冴《さ》えない膚《はだ》の色など、深い疲労を示しているようである。彼は疲れていた、げっそりと疲れていた。七日まえに藩主が帰ってから、ずっと役所が多忙だった。それに、三年まえに藩の直轄《ちょつかつ》で始めた、新田開発の事業で資材関係の瀆職《とくしょく》問題が起こり、さいわいおおごとではなかったが、勘定奉行所から（ごく下級の者で）二人、連累《れんるい》者が出た。役所には関係がなかったし、うまく利用されたくらいのことだったが、部下からそういう者を出した以上、奉行職としていちおう責任を負わなければならない。

——それほどの必要はあるまい。

周囲ではそう云ったが、孝之助はともかく進退伺いを出した。そして、退任するばあいに備えて、事務の整理をしていたのである。

帰国した藩主によって、昨日、退任に及ばず、という命が下った。それを伝えたのは岡村八束であった。七年まえ、江戸詰になって去った彼は、以来ぐんぐん出世し、今年の二月には側用人《そばようにん》に挙げられた。孝之助は昨日初めて会ったのだが、八束はすっかり風貌《ふうぼう》が変り、肥えて、血色のいい艶《つや》つやとした顔をしていた。

藩主の命を伝えたあと、八束は坐っていた位置をちょっとしざって、

――暫《しばら》くでした、お変りもないようで結構です。

こう挨拶《あいさつ》した。親しい口ぶりであるが、対等の親しさではなかった。力のある眼光や、微笑する口もとなどに、かなりはっきりと冷やかな、見くだすような色があった。

……帰るとすぐに会いたかったのだが、御用が多くてその暇がなかった。ついては、明夕四時から自宅で知友と会食することになっている、ぜひ御夫妻で来て呉れるように。八束はこう云った。

――高安さん御夫妻が主賓ですから、ぜひとも来て頂きたい、ぜひともですよ。

念を押されて、孝之助は承知した。

今日は役所は休みである。四時までには岡村へゆかなければならない。妻にはまだそのことは話してないし、話せばおそらくいやだと云うだろう。そんなことも（軀《からだ》の疲れより強く）彼の気持を押えつけるのであった。

「しかし、どうしたってゆかなければならない」孝之助はそっと呟《つぶや》いた、「――騙《だま》し

てでも……おれと杉乃が主賓だというのだから、どうしたって」

彼はふと眼をすぼめた。さっきからぼんやりとひとところを眺めていた、寒ざむと枯れた庭のひとところを。その焦点のぼやけた視野のなかで、一本の木がしきりに彼の意識へよびかけていた。彼はその木を眺めていたのだ、そして今、その木を眺めていたことに気がついた。その木は、竹柏《ちくはく》であった。

孝之助の表情は、殆《ほと》んど絶望したもののように歪んだ。

——そういうことは不自然ではないだろうか。

叔母の千寿の声が、記憶のなかからよみがえってきた。

——人間をそういうふうに観《み》ていいだろうか。

さらに、北畠の山荘へ呼ばれたときのことが思いだされた。知ったふうに、八束の将来を予測したこと。杉乃の幸福を護《まも》るために彼女の意に反《そむ》いても彼女を娶《めと》ると云《い》ったことなど。

八束はいま藩主の側用人である。江戸家老寺田氏の娘を妻にしている。その人は(噂《うわさ》によると)いちど嫁《か》して戻ったのだというが、家老の娘だということに変りはない。藩主の寵《ちょう》ばかりでなく、重臣たちの信望も篤《あつ》いようだ。かつて、宰相の質がある、と評されたが、八束はみずからそれを証拠だてつつある。

竹柏も大きくなった。佐多梅所から貰《もら》って、植えたときに比べると、幹の太さも丈も、倍以上に育った。青みを帯びて白く粉をふいたような渋い緑色の葉が、すんなり伸びた枝えだに、いかにも品よく繁《しげ》っている。

——もう十年になる、もう十年という月日が経《た》ったのだ。

長男の小太郎は七歳になり、三年まえに長女のふみが生れた。しかし孝之助自身は相も変らぬ勘定奉行で、職制が元どおりなら、それも交代する筈である。過失もないが、際立《きわだ》って功績もない。安穏ではあるが平凡きわまる生活だ。しかも、二人の子まで生《な》しながら、夫婦の仲は依然として冷たい。事務のようにきちんとした明け昏《く》れのなかで、妻は固く自分の殻《から》を閉じている。

「——どう思うだろう」

彼はまた呟いた。

めざましい出世をし、なお輝かしい将来を約束されている八束の前へ、かつて八束と愛しあい、まだ忘れかねているらしい杉乃を、このような良人がいっしょに伴《つ》れて出る。他のばあいならできないことだ、それは孝之助自身よりも、杉乃にとって屈辱である、杉乃を二重に侮辱することであった。

廊下を小太郎とふみが駆けて来た。

「お父さま、釣《つ》りにゆきましょう」小太郎が息をはずませて云った。休みにはゆこうと、約束がしてあったのだ。

「お父たまついにいちまちょ」ふみが負けずに力んで云い、すばやく入って来て、うしろから父親の首に絡《から》みついた。

「ふうちゃんはだめ」小太郎がいばる、「――女は釣りなんかできません、ねえお父さま、女はだめですねえ」

「ふうたんこんなだあいまちぇんよ、ふうたんはただふうたんでちからね」

「こんなだって、女のことこんなだってさ」

「ええそうでちよ、はばかいちゃま」

孝之助は悲しげな微笑をうかべ、ふみの手を取って、脇へまわらせながら云った。

「憚《はばか》りさまなんていけませんね、そんなことを云うとお母さまに叱《しか》られるでしょう、さあお父さまはいま御用だから、もう少し向うで遊んでいらっしゃい」

「釣りにはゆかないんですか」

「そう、……あとで、もしかしたらね」

彼は言葉を濁して、ふみを押しやった。そのようすでなにか察したのだろう、小太郎は妹の手をひいて去っていった。

六の二

岡村の家は元の処《ところ》ではなく、松丸という処に新しく建てられた。そこは在から北畠へゆく道に当るので、途中まで来ると、

「叔母さまへ伺うのですか」

と杉乃が訊《き》いた。いつになく、というよりも彼には初めての、明るい表情であり、やわらかい調子の声であった。彼は「いや」と首を振ったまま、道を曲った。

――さる人に二人で招待された、いっしょにでかけるから、紋服に着替えるように。孝之助はそう云って、ゆき先は告げずに、出て来たのである。杉乃はなにも訊かず、おとなしく云われるとおりにしたが、ずいぶん久方ぶりに晴着を着、化粧をして出るためか、美しくなったばかりでなく、少しばかり浮き浮きしているようにみえた。

道を曲ると、いま日が沈んだところらしく、遥《はる》かに大雲寺の森の上が、朱と金の色に染まっていた。いちめんに夕映えてはいるが、そこだけは眩《まぶ》しいほど強く、金粉を混えた華やかな朱色に輝いている。それは眼のさめるほど華やかであるが、しかもなにやらはかなく、うら枯れたような感じがあって、冬ちかい晩秋の、もの憂《う》い侘《わび》しさ

を訴えるかのように思えた。……杉乃は眼を細めて、美しい夕空を見やりながら、良人《おっと》の脇《わき》について歩いていたが、新しい岡村家の門の前へ来ると、初めてそれと直感したのだろう、急に足を停《と》めて、良人のほうへふり向いた。

それまでの明るい顔が、鋭くひき緊《しま》って、額のあたりが白くなり、眼は咎《とが》めるような、烈《はげ》しい光りを帯びていた。孝之助はそっと頷《うなず》いて、頭を垂れた。

「そうなんだ」と低い声で彼は云った、「——われわれ二人が主賓だという、ぜひというので断われなかった」

「なぜそう仰《おっ》しゃって下さいませんでしたの」

「云えば不承知だと思った、騙したようで悪いけれど、頼むよ」

杉乃の表情が歪《ゆが》んだ。引返すのかと思った。じっさい踵《きびす》を返しそうにしたが、また屋敷のほうへ眼をやった。それはその年の五月から建築にかかり、八月の下旬に出来あがったものである。敷地は三百坪ばかりだし、建物もさして大きくはなかった。しかし用材や設備はひどく凝った、贅沢《ぜいたく》なものだといわれている。庭にも樹石をずいぶん入れ、家具なども思いきって高価な品が多い、ということであった。孝之助の耳には、もう以前からそういう評がはいっていた。杉乃は聞いたことがあるかどうか、強い眼つきで屋敷のほうを見まもったが、すぐに（良人のほうは見ずに）頷いた。

「よろしゅうございます、まいりましょう」

孝之助はほっとして、歩きだした。

玄関の式台には、梅鉢《うめばち》の家紋を打った幕が張ってあり、左右に家士が詰めていた。すでに客が来はじめる時刻で、控えの間に通るともう五六人の先客が雑談していた。孝之助は妻といっしょなので、そこへ入るわけにはいかなかった。といって、別間へ案内して呉れるようすもない。当惑した彼は、見かけた家士を呼び止め、——妻が支度を直したいのだが部屋はどこか、と訊いた。高安孝之助と名をいって、二度も訊いたのであるが、

「どうぞこちらで、どうぞ」

こう云って控えの間を示すばかりだった。

構わずそこへ入ろうかと思った。だが杉乃は支度を直し、鏡を見る必要がある。なんの用意もなく、男たちのいる部屋ではどうにもならなかった。孝之助は肚《はら》をきめて、廊下を奥のほうへゆき、空いている部屋をみつけて杉乃と共に入った。

「初めて客をするので、手順がうまくいかないらしいな、私が見ているから此処《ここ》でおやり、鏡を借りて来ようか」

「いいえ、もう……」

杉乃は首を振りながら、帯へ手をやった。孝之助は半分あけた障子のところに、妻の姿を隠すようなかたちで立った。

ちょうどそのとき、まるで計ってでもいたように、若い侍女を伴れ、きらびやかに着飾った婦人が、奥のほうから出て来て、孝之助の前で立停った。間着《あいぎ》は紅梅地に百花を色とりどりに染めたものだし、打掛《うちかけ》は綸子《りんず》らしい白地に唐扇と菊花ぢらしで、金糸の縫がある帯は桔梗《ききよう》色の地に唐草と蝶《ちよう》、これにも金糸の縫が入っていた。髪飾りも、濃い化粧も、着付けに劣らず派手だったが、彼女の容貌や態度は、これに際立てて豪《ごう》奢《しや》な印象を与えていた。年は二十七八であろう、美貌というのではないが、眼鼻だちが大ぶりで、表情に富んでいるし、やや驕慢《きようまん》な、抑揚の強い声などに家老の娘という、育ちの良さよりも、放恣《ほうし》に馴《な》れた無遠慮な感じが眼立った。

――なに者だろう。

こう思っていると、向うで不審そうにこちらを見た。そこで孝之助は自分の名を告げ、事情を簡単に述べた。

「おや、そうでございますか、それはようこそ」彼女はなめらかに云った、「――わたくし岡村の妻でございますの、吃驚《びっくり》なさいますでしょう」

上から見るような眼つきである。妻と聞いて、孝之助はむろん驚いた。彼女はさもあろうという表情をし、いかにも世馴れた調子でいたずらっぽく秘密めかして云った。

「いちど国許《くにもと》を見たかったんですの、それで岡村にねだりましてね、なかなかうんと云わなかったんですけど、とうとう説き伏せまして、男姿になってまいりましたの、ええずっと男の恰好でとおしましたわ」

こちらの困っている事情などは、聞きもしなかったというふうであった。そして、自分の云うことだけ云うと、目礼をして去っていった。

――これはいったいどういうわけだ。

孝之助は苛立《いらだ》ってきた。妻に済まない、この家へ来ただけでも、杉乃には辛《つら》いことだろう。そのうえこんな扱いを受けたのでは、おそらく耐え難いにちがいない。どんなに怒っていることか、そう思って殆んど途方にくれた。

やがて時刻になり、広間で酒宴が始まったが、主人側の態度は少しも変らなかった。

八束は「お二人が主賓である」と云った。しかしそんなようすはどこにもなかった。招かれた客は重職ばかりで（城代家老は代理だった）身分からいえば、高安は次座より下であるのは当然だったが、導かれた席はそれより下であった。そのうえ、なにより困ったのは、妻を同伴しているのは彼だけで、ほかには一人も婦人客のいないことであった。

「珍しいですね、お二人ごいっしょとは」

そんなふうにたびたび訊かれた。

「ぜひいっしょにと招かれたものですから」

こう答えたが、ぐあいの悪さは、宴が始まるにつれて大きくなるばかりだった。

八束は颯爽《さっそう》としていた。挨拶のとき妻を紹介し、せがまれて男装に扮《ふん》して伴れて来た、という話で、巧みに客たちを笑わせた。

「江戸育ちでわがままときているからかないません、あとで自慢の舞をまうそうですが、これは褒《ほ》めないと逆鱗《げきりん》に触れますから、どうぞ皆さんで御喝采《ごかっさい》を願います」

砕けた口ぶりであるが、妻を誇っている調子が、かなり露骨にみえた。態度は堂々として、しかも磊落《らいらく》で、口のきき方も身振も、あたりを払うというようすである。そうして、孝之助夫妻には眼もくれなかった。

六の三

杉乃はめげなかった。

女客は自分だけだということも、主人側から無視されていることも、まったく気にかけないというようすで、盃《さかずき》も取ったし、隣席の客に話しかけられれば、快く返辞をし、静かに笑ったりした。屈辱を感じたり恥じたりしているようすは些《いささ》かもみえなかった。

二献の膳《ぜん》が片づくと、八束の妻が舞をまった。たぶん江戸から伴れて来たのだろう、見たことのない、若い下座が四人、笛、鼓《つづみ》、小鼓、太鼓をつとめた。曲は桜狩というのだそうで、巧拙はわからないが、たいそう華やかであり、振の派手な舞いぶりであった。杉乃は無感動に、おちついて観ていた。桃山風の華麗な屛風《びょうぶ》、立て列《つら》ねた燭台《しょくだい》のまばゆい光り、贅を尽した酒肴《しゅこう》と選りぬきの客たち、……これらはみな、岡村八束の価値とその威勢を示すかのようであった。彼は今すべての客の上にいる、やがてもっと上に、もっと高くいるようになるだろう、彼自身もそう自負し、客たちもそれを認めているようだ。

——みごとに変ったものだ。

孝之助は圧倒されながらそう思った。

舞が終って、賑《にぎ》やかな喝采が始まると、杉乃はそっと立って、手洗いにでもゆくふうにさりげなく出ていった。孝之助はまさかいっしょに立ってゆくわけにもいかず、まごつきはしないかと案じていたが、杉乃はそのまま三献の膳が配られても戻って来なかった。

「一つ差上げましょう」右隣にいた藤井という老人が、盃をさしながら云った、「――どうやら奥方は御帰館とみえますな」

なにげなく云ったらしいが、孝之助はそうかと思い当り、うちのめされたような気持になった。

――そうだ、もう帰るべきときだった。

八束が招待した意図は、もう明瞭《めいりょう》である、もうとうに帰ってもよかったのだ。杉乃はけなげに辛抱したが、ついにがまんが切れたのであろう。

――念のいった失敗だ。

こう思ったが、それですぐ、帰るわけにもゆかず、暫《しばら》く藤井老と話してから座を立った。

八束に挨拶《あいさつ》はしなかった。向うでもそこまで求めてはいないであろうし、挨拶することは却《かえ》って厭味《いやみ》になると思った。

家へ帰る足は重かった。自分というものがじつに小さな、愚かしい、みじめな存在に思えた。十年まえ、八束は役目のうえで不正を犯した。洗濯町で大雲寺ケ原で、堕《お》ちるだけ堕ちた姿をみせた。しかし彼は立派に立ち直りその才能を充分に生かした。かつてあれほど堕落しながら、みごとに彼は勝ったのだ。

このあいだに自分はどうしたか。自分は杉乃を愛したし、今も愛している。杉乃を不幸や困難から護り、平穏な生活のなかに温ためようと思った。それらはどうやら実現した。これからもひどい蹉跌《さてつ》のない限り、この生活は続けてゆくことができるだろう。

——だがそれがいったいなんだ。

杉乃が自分の愛をよろこばないとすれば、自分の愛などはお笑い草ではないか。また人間は、必ずしも平穏無事な生活に、満足するものではない。貧苦や艱難《かんなん》にすすんでぶっつかり、それを打開することに、生き甲斐《がい》を感ずる者もいる。

——結局おれは臆病《おくびょう》で退屈な人間にすぎなかった。

——帳尻《ちょうじり》を合わせる能だけの律義之助《し》だ。

こんなときこそ、茶屋酒にでも酔い痴れることができたら、と思ったが、彼にはそれもできなかった。すっかりまいって、自分で自分をひきずるような気持で、家に帰った。

杉乃は出迎えなかった。

気分が悪いから、ということであった。孝之助はほっとした。いま妻と顔を合わせるのは彼にとっても辛かったのである。独りで着替えをし、食事を訊きに来た召使には、茶だけを命じて居間へ入った。

火桶《ひおけ》をひき寄せ、机に凭《もた》れて、もの思いに耽《ふけ》っていたが、やっぱり酔っていたのだろう、そのままうたた寝をしたらしい、眼《め》をさますと背に抱巻《かいまき》が掛けてあった。

六の四

「寝間のお支度ができました」

こう云《い》われて、ふり向くと杉乃がいた。呼び起こされたのである。ああと答えたが、彼はと胸を衝《つ》かれた。妻は髪をといて束ね、白無垢《しろむく》を着ていた。顔には濃い化粧をし、京紅を付けていた。

——なにか異常なことが起こる。

孝之助はそう直感しはっきりと眼がさめた。

「寝るまえに話がある、顔を洗って来るから此処で待っていて呉《く》れ」

彼は逃げるように立っていった。

夜はかなり更《ふ》けたらしい。高安は昔から夜の早い習慣であるが、冷える気温や、ひっそり寝鎮《ねしず》まったようすでは、十二時ちかいのではないかと思えた。居間へ戻ると、杉乃は元の位置にうなだれて坐《すわ》っていた。

「今日は済まなかった」

孝之助は正坐《せいざ》して云いだした。

「黙って伴《つ》れていったうえに、あんな扱いを受けて、さぞ肚が立ったろうと思う、いや待って呉れ、話というのはそのことではないんだ、まずこれを詫《わ》びておいてから、聞いて貰《もら》いたいことがあるんだ」

杉乃はなにか云おうとして、またそっと俯向《うつむ》いた。

「私がおまえを娶《めと》ったときのことは、知っているね、おまえが望んではいなかったのを、無理に娶った、まったくおまえの意志に反し、おまえの兄の鉄馬も、北畠の叔母も反対だったのを押し切って妻に迎えた、それは私がおまえを愛していたのと、もう一つは、岡村八束という人間を誤解したためだった、……おまえがもし、岡村でなく、他の人間を愛していたのだったら、私は決してあんなふうにはしなかったと思う、八束は才気も手腕もあった、世間の評もひじょうに良かった、しかし私の眼にはそうみえなかった、彼の才腕はいつか彼自身を誤り、周囲の人々を傷つけるように思えた、そして、彼は偶然そういう不始末をした。

いつか笠井でも話したが、もうはっきり云ってもいいだろう、彼は御用商人と謀《はか》って、不正に役所を利用し、役所の金を費消したのだ、そのとき私は、自分の眼がまちがっていなかったと信じ、どうしても杉乃を彼の手に渡してはならない、と思った。

こうして無理におまえを娶った、私はおまえを愛していたが、それ以上に、おまえを不幸にしたくなかった、恋はなにより美しく尊いものかもしれない、しかし人間には生活がある。生きてゆくには辛抱づよい努力と、忍耐が必要だ、しかもその道は嶮《けわ》しく遠い、思わぬ災厄《さいやく》や病苦にもみまわれるであろう、……私はそういうものからおまえを護《まも》りたかった、風雪に当てたくない、苦しみや悲しみを味あわせたくない、平安な家庭と、温たかく満ち足りた暮しを与えたい、これがなによりの願いだった」

孝之助はちょっと言葉を切った。口に出してみると、自分の小心さやじみちな考えがはっきりして、われながら哀れに、悲しくなったのである。

「だが私は間違っていた」と彼は続けた、「――八束は失敗をしたが、それは若気のあやまちにすぎなかった、彼は私のような小心者にはわからない、大きな素質をもっていたのだ、彼はきれいに失敗を償い、もっている才能をみごとに発揮した、……彼はいま御側用人《おそばようにん》になった、やがては世評どおり、国老にもなるだろう……十年まえに、もし私があんな無理なことをしなければ、おまえは八束の妻になり、今夜の盛んな宴にも側用人の妻として、あの客たちの尊敬を受けることができたのだ、あの妻女の席は、そのままおまえのものになったのだ」

「もう結構でございます、それ以上は仰《おっ》しゃらないで下さいまし」

杉乃はこう遮《さえぎ》って、眼をあげて良人《おっと》を見た。孝之助は黙った。妻の声はふるえ、その眼は濡《ぬ》れた光りを帯びていた。

「お詫びを申さなければならないのは、わたくしでございます」杉乃は云った、「――でもお詫びは申上げません、どのように言葉を尽しても、それで詫びのかなうことではございませんから、……杉乃は愚かで、頑《かたく》なで、心の浅い女でございました。それが自分でわかっていながら、どうにも直すことのできないほど愚かで、頑なな……ただひとつ、わたくしの心が今でもあなたのほかにあるとか、この家の生活に不満をもっている、というふうにお考えなさることだけは、それだけはどうぞおやめ下さいまし、それはあんまり悲しゅうございます」

「私はおまえを責めているのではない、私は自分が誤っていたことを」

「いいえ違います、誤っていたのはわたくしでございます。それだけはわかって頂きとうございます」

杉乃の顔は蒼《あお》ざめた。唇《くちびる》は乾き、膝《ひざ》の上で手がみじめにふるえた。

「七年まえ、笠井であなたのお話をうかがい、兄から家へ戻れと叱《しか》られましたとき、わたくしは初めてあなたのお気持がわかりました、わたくしを悲しみや不幸から護って下さるばかりでなく、わたくしの心を傷つけないために、あの方の、あのようにひどい、卑《いや》しいなされ方をも隠していらしった、どんなに……わたくしがどんなに嬉《うれ》しかったか、申し訳ないと思いながらどんなに、嬉しかったか、あなたにわかって頂けるでしょうか」

孝之助は息をのんだ。杉乃は続けた。

「あのときから今日まで、昼も夜も、いつもあなたに申し訳がない、済まないと思っておりました、でも、それを口にだして云うことができない、……口にだせないなら、黙って縋《すが》りついて泣けばいい、あなたはそれだけで、きっとわかって下さるに違いない、今日こそ、今夜こそ、こう思っても、そうすることさえできなかったのです」

良人の淋《さび》しそうな顔を見ると、自分も胸を裂かれるように、淋しく悲しかった。自分は良人が愛して呉れる以上に、良人を愛していた。身を焼くほど激しく、深く、良人を愛していた。しかしそれを伝えることができない。そぶりにも色にも、あらわすことができないのである。生れつきとはいえ、このように頑なな性分を、どんなに自分は呪《のろ》い憎んだことだろう。杉乃はこう云って、両手でかたく顔を掩《おお》った。

「――夢のようだ」

孝之助は殆《ほと》んど茫然《ぼうぜん》と云った。

「私にはまるで夢のようだ」

杉乃の肩が波をうち、掩った手のあいだから声がもれた。どんなに激しい感情を抑えているのか、声は哀れにもつれ、喉《のど》に詰り、苦痛に耐えぬかのように、半身がいたましく捻《ねじ》れた。……孝之助は眼をつむって、両の拳《こぶし》を強く握りながら、妻の泣く声を聞いていた。そして、その泣き声がしずまるのを待って、云った。

「よくわかった。有難う杉乃」

杉乃は袂《たもと》で顔を拭《ふ》き、それから畳に手をついて黙って頭を垂れた。やはり口ではどう云いようもないらしい、罪を乞《こ》うようにじっと頭を垂れてから、泣き腫《は》らした眼をあげた。

「堪忍《かんにん》して頂いたと、思ってもよろしゅうございましょうか」

孝之助は包むような眼をして頷《うなず》いた。

「有難うございます」杉乃はもういちど頭を垂れた、「どうぞお寝間へいらしって下さいまし、おねだりがございますから」

孝之助は立って寝間へいった。

そこはいつもとは支度が変っていた。重ね夜具を屏風でとりまわし、絹張りの行燈《あんどん》の脇《わき》に、祝いの膳が置いてある。それは覚えのあるけしきだった。華やかな色の重ね夜具、清らかに嬌《なま》めいた絹行燈の光り、そして祝いの銚子《ちょうし》の載っている膳。それは婚礼の夜の、床盃の支度であった。

――そうか、あの白無垢……あの髪、あの化粧はそういうつもりだったのか。

孝之助は微笑した。微笑しながら、眼がぼうと濡れ、行燈の光りが霞《かす》んだ。

「――おまえ覚えていたのか、杉乃」

彼はそっと呟《つぶや》いた。

「――あのとき床盃をしなかったことを、……ずいぶんながいおあずけだったね」

杉乃が入って来た。孝之助は静かに、膳の前に坐った。

（「労働文化」昭和二十六年十月号～二十七年三月号）

妻の中の女

一

北幸太夫《きたこうだゆう》（城代家老、四十歳）が下城して、風呂《ふろ》からあがったところへ、家扶《かふ》がとぶようにして来て、

「江戸から信夫《しのぶ》さまが到着された」

と伝えた。

「なに、——」

と幸太夫は不審そうに家扶を見た、

「江戸から誰が来たって」

家扶はもういちど繰り返した。幸太夫は天床《てんじょう》を見あげ、それからまた家扶を見た。

「いま使者が馬で知らせにまいりました」と家扶は云《い》った。

「三時に鳴沢《なるさわ》へ御到着、井関《いぜき》に宿をおとりなされたということです」

「使者はほかへもいったようか」

「こちらだけのようでございました」

「では真野《まの》へ知らせて」

と幸太夫は家扶に命じた、

「――篠田《しのだ》、大村、時島《ときしま》、それから奉行職は残らず、できるだけ早く鳴沢へまいるようにと伝えてくれ」

家扶は承知してさがった。幸太夫はちょっといやな顔をした。どんなふうというほどはっきりしたものではないが、少しばかり消化不良を起こしたような顔をし、それから身支度をするために鈴《れい》を鳴らした。

真野忠左衛門《ちゅうざえもん》（次席家老、五十二歳）は、宗林町《そうりんちょう》の大河屋《おおかわや》久兵衛（藩の御用達、五十六歳）と碁を囲んでいた。――江戸家老、信夫杏所《きょうしょ》が帰国した、という知らせを聞いたとき、忠左衛門の碁は窮地におちいっていた。

「わかった」

と忠左衛門は家扶に云い、盤上をにらんだまま額の汗をふいた、

「――どうやら敗局のようだな、こんなはずはないのだがな」

「打ちかけといたしますか」

と久兵衛が云った、

「信夫さまの御帰国では、おいそぎにならなければいけますまい」

忠左衛門は「残念だな」と呟《つぶ》やいた。中止するのが残念なのか、負けそうな局面が

残念なのか、いずれにせよしんけんな口ぶりでそう呟やき、いかにも心残りなようすで、石を碁笥《ごけ》へ戻した。久兵衛はさりげなく、

「江戸家老の来藩はなんのためか」

とさぐりを入れた。さぐりを入れずにはいられない事情が（大河屋の立場としては）あったのである。忠左衛門はあいまいに口を濁したが、久兵衛は、

「財用の御調達ではないか」と問いかけた。

「さて、いかがなものか」

と忠左衛門は巧みにそらした、

「――ともかく、この一局は私の負けということにしよう」

そして盤上の石を集めだした。

篠田市馬《いちま》（年寄役《としよりやく》、三十八歳）は、夕餉《ゆうげ》の膳《ぜん》に向かったとき真野忠左衛門からの知らせを聞いた。彼は箸《はし》を投げるように置いて、「支度、支度――」と妻女にどなりながら立ちあがった。その勢いがあまり激しかったので、脇《わき》にいた伜《せがれ》の伊久馬《いくま》（七歳）が、おびえたようにふるえだした。

大村直人《おおむらなおと》（年寄役肝入《きもいり》、四十三歳）は、若杉泰二郎《わかすぎたいじろう》と話していた。泰二郎は勘定奉行《かんじょうぶぎょう》で二十七歳、直人の娘のしほのと婚約ができていて、その日は晩餐《ばんさん》に招いたのである

が、その支度のできるまで、直人の居間で話しているところだった。――話題は開墾地の用水堀普請《ようすいぼりふしん》のことで、これにはしほのも手伝いに出ていたから、彼女もそこで話に加わっていた。しほのは十九歳になる、堀普請の手伝いで、ちから仕事もするし、陽《ひ》にやけるから、浅黒い膚《はだ》がひきしまって、眼《め》つきにも口ぶりにも、健康でさわやかな力感が満ち満ちていた。

真野からの知らせを聞くと、直人は当惑したように、

「相変わらずだな」

と呟やいた。泰二郎の眼がきらっと光った。

「いまに始まったことではないが」

と直人は云った、

「前触れもなしというのはわがまますぎる」

「例の問題ですね」

と泰二郎が云った。

直人はそれには答えず、

「せっかくだが晩餐はまたの折にしよう」

と云った。泰二郎はきつい眼つきで直人を見た。

「鳴沢へいらっしゃるんですか」

「城代からそう申して来ている、奉行職もぜんぶということだから、そこもともすぐ帰って支度をするがいい」

と直人は云った、

「——よけいなことかもしれないが、場合が場合だからな、臍《へそ》を曲げられるといっそう厄介《やっかい》なことになるぞ」

「鳴沢へはまいりましょう」

と泰二郎は云った、

「しかし、ことによると皆さんのお気にいるようにはまいらないかもしれません」

「それはどういう意味だ」

「そのままの意味です」

と泰二郎は立ちあがった、「では鳴沢で後刻——」

しほのに別れを告げて、泰二郎は出てゆき、しほのが彼を玄関まで送りだした。

時島守鈴《しゅれい》（町奉行、三十五歳）は、妻の仕立てた袷《あわせ》の裄丈《ゆきたけ》を合わせていた。彼は「裄が長い」と云い、妻は「寸法どおりです」と云った。彼はむっとして、「寸法などはどっちでもおれの丈に合えばいいんだ」と云い、妻は妻で、やはりむっとして、

「そんなことをおっしゃっても殿方の裄丈はたいてい定《きま》っているのですから」とやり返した。はあそうですか、と彼は云った。すると六尺の男も四尺の男も同じ裄丈の着物を着るんですか。

「あなたの背丈は六尺でも四尺でもないでしょう」と妻は云い返した。わたくしは世間なみの着丈のことを申しているんですわ、はあそうですか、と彼はうなずいた。すると私は世間なみの人間ということになるんですね、それはどうもありがとう、それは、――と云いかけたとき、若い家士が「江戸家老帰国」の知らせを、告げに来た。

守鈴は（口から棒を突っ込まれでもしたように）背骨をまっすぐにし、あっけにとられたような眼で妻を見た。妻は冷ややかにその眼を見返し、つんとした声で云った。

「喉《のど》へ骨でもお閊《つか》えなすったのですか」

この夫婦は仲が良いので評判であった。

森千之丞《もりせんのじょう》（郡奉行《こおりぶぎょう》、二十九歳）はその日、開墾地の用水堀普請に必要な材木の伐《き》り出しをするため、和久平九郎《わくへいくろう》（作事奉行《さくじぶぎょう》、三十一歳）と共に山方《やまかた》をまわって来た。午後からでかけたのであるが、思いのほか時間をとられ、和久の家へ帰り着いたのは、もうあたりがくらくなる時刻であった。――平九郎の家へ寄ったのは、打ち合わせることが残っていたからで、二人とも草鞋《わらじ》ばきのまま庭へはいり、縁側で、平九郎が妻女に茶を命じていると、まだその茶の来ないうちに、若杉泰二郎があらわれた。

泰二郎は妻女に案内されて、縁側をいそぎ足にやって来て「江戸から信夫杏所が来た」と云い、刀を置きながら、二人のあいだへ坐《すわ》った。二人はびっくりして彼を見た。

「前触れなしに来たのはこっちの不意をつくためだ」と泰二郎は云った、「われわれは肚《はら》をきめなければならない、ここでしっかり相談をしておこう」

二

信夫杏所（江戸家老、五十八歳）は機嫌《きげん》よく酒を飲んでいた。

鳴沢は城下の東一里。ほとんど街道に沿っている温泉地で、湯治宿が十四五軒あり、芸妓《げいこ》などもいて繁昌《はんじょう》していた。「井関」は古くからの本陣であって、藩主の宿所もあるし、公式には武家だけしか泊めなかった。——主人の井関源右衛門は五代目で、年はまだ二十七歳だったが、杏所のことはよく知っていた。信夫家は代々の城代家老で、杏所も八年まえまでは城代を勤め、その「並びなき威勢」と、底ぬけの「わがまま」と、絶えまなしの「遊蕩《ゆうとう》」とで、誰知らぬ者もなかった。

——若い女中たちによく気をつけてくれ。

と亡父の源右衛門がよく母に云っていた。

ここへいらっしてもすぐ女中に眼をつける。

——信夫さまはお癖が悪い、お屋敷でもうっかりすると侍女に手をつけるそうだし、顔なじみになるとそんなことはないが、来たばかりの若い女中などはとくに危ない。そこをよく注意して、間違いのないように気をつけてくれ、というのであった。杏所はずっと独身ですごし、四十三歳になってようやく結婚したが、それは「自由に遊蕩する」ため、どんな良縁があっても拒み続けたのだと云われている。夫人は篠田氏で、結婚したときは二十六歳だったが、杏所の遊蕩癖は相変わらずだったし、八年まえ（自分からむりに望んで）江戸家老として赴任するときも、夫人は同伴しなかった。その後二回、法要のため帰国しただけで、夫人は八年間ずっと孤閨《こけい》を守っている。夫婦のなかにはまだ子がないし、杏所は江戸でもさかんに遊ぶという噂《うわさ》であった。

「だがもう心配はないでしょう」

と若い井関源右衛門は母親に云った、

「お年もお年だし、江戸でさんざん遊んだのだから、こんな田舎の女中などに眼をつけることはないと思いますね」

「たぶんそうでしょう」

と母親もうなずいた、

「それに、いまいる女中たちは不細工——な者ばかりだし、芸妓衆も大勢いることですからね」

まさしくそのとおり、杏所は芸妓を八人（それがこの土地にいる芸妓の全部だった）並べて、ひどく上機嫌に飲んでいた。

江戸から供をして来た従者は九人、みな二十代の若者ばかりで、林伝助と丸山三之助は家士、大沢五郎太夫は江戸邸の剣術師範、他の六人は家老職付の書記や使番《つかいばん》などである。五郎太夫は抜刀流《ばっとうりゅう》（田宮派という）の上手《じょうず》で、杏所の推挙により召し抱えられたのだそうだが、すっかり杏所に心酔しているらしく、つねにそのそばから離れないし、こんどの帰国にも、（師範役という職分を怠ってまで）供に加わって来たのであった。

「花助、おまえばばあになったな」

と杏所は年増《としま》芸妓の一人に云った、

「もう孫でも背負って毎日お寺まいりでもしているだろうと思ったのに、年は幾つだ、今年あたり本卦返《ほんけ》りか」

「はばかりさま」

とその妓《おんな》が云った、

「御前《ごぜん》はおっかさんと間違えていらっしゃるんでしょ、おっかさんがお雛妓《しゃく》だったころに、御前からくどかれたっていいますからね、あたしはやっと十八になったばかりですわ」

「ふむ、五十八か」

と杏所が云った、

「それにしては若くみえる、髪なんぞつやつやしているが、鬘《かつら》だな」

「はい、御前さまのおさがりですよ」

大沢五郎太夫が声をあげて笑った。

杏所がなにか云うたびに、五郎太夫は全身の動作で反応を示す。感に耐えないというふうに膝《ひざ》を打ったり、肩をゆすって笑ったりする。ほかの従者たちも杏所の「一顰《いっぴん》一笑《いっしょう》」に気をくばっているらしいが、五郎太夫の表現は露骨すぎて、逆に杏所その人を軽薄にするようだ。たしかに、こんな席での杏所は、軽薄な蕩児のようにふるまうし、名門に育ったというだけの、わがままで、こなれていない人間にしかみえない。だが城代家老としての過去を知っている者は（つまり老職や当時の側近は）、そのきわ立った業績と、まれにみる俊敏さと、そして「軽薄に隠れた」老獪《ろうかい》さを忘れてはいなかった。

日がくれて、燭台《しょくだい》の燈《あかり》がようやく輝きを増しはじめたとき、城下から老職たちが次つぎに到着した。——第一に篠田市馬、彼は杏所の夫人の実弟に当たる。ついで北幸太夫、真野忠左衛門、大村直人、川井、林田、堀内、吉岡などという人たち、少しおくれて、森千之丞、和久平九郎らもあらわれ、末席から「帰国の祝い」を述べた。

「これへ、これへ」と杏所は奉行職たちにもきげんよく呼びかけた、「こういうところで固苦しいことはやめだ、一つつかわそう、これへ来て受けてくれ」

そして一人一人に盃《さかずき》をやった。

酒宴はにぎやかに続けられたが、みんなかしこまっていた。くつろいでいるのは杏所だけで、芸妓たちまでが（全老職が集まったからであろう）ひどく神妙になり、いかにも窮屈そうに酌《しゃく》をしてまわった。——すると、最後に一人だけおくれて、若杉泰二郎が入って来て、末座に坐り、高い声で挨拶《あいさつ》を始めた。

みんなびっくりして振り向いた。あまりに突然であり、きぱきぱと高い声だったので、なにごとかと思ったのである。杏所も盃を持ったまま、なかば口をあけて彼を見た。

「もうよし、それでいい」と杏所はすぐにさえぎって云《い》った、

「こんな場所で式ばったことはやめだ、一つつかわすからこれへまいれ」

「私は御免こうむります」

「いらぬ遠慮をするな、盃をつかわすからまいれというのだ」

「いただきません」

と泰二郎が答えた。

正面からいどみかかるような調子なので、一座は急にしんとなった。杏所も黙って、疑わしげに泰二郎をにらんだ。

「どういうことだ」

と杏所が云った、

「私の盃を受けないというのか」

「私は御用繁多です」

と泰二郎は云った、

「御帰国とうかがったので御挨拶にあがったのです、酒をいただきにまいったのでもなく、そんないとまもございません」

そして彼は酒宴の席と、居並んだ芸妓たちを眺《なが》めまわし、

「これで失礼いたします」と云いながら立とうとした。

「待て無礼者」と大沢五郎太夫が叫んだ、

「きさま御家老に向かって――」

泰二郎が五郎太夫を見た。

「よせ」

と杏所が云った、

「かまうな、御用繁多とあってはやむをえない、好きにさせろ」

泰二郎はさっさと出ていった。

「土性骨《どしょうぼね》のありそうなやつだな」

と杏所は真野忠左衛門を見た、

「――なに者だ」

「若杉泰二郎」と忠左衛門が云った、

「殿じきじきの仰《おお》せで三年まえ勘定奉行に任命された者です」

杏所は黙って、ゆっくりとうなずいた。

三

その明くる早朝――。

若杉泰二郎の家で、和久平九郎と森千之丞とが、ひろげた図面を前に、事務のうちあわせをしていた。今日も山方をまわるため、二人とも野袴《のばかま》をはき脚絆《きゃはん》を着けていた。そこへまもなく、泰二郎の母親と、弟の小三郎（二十一歳）が出て来た。母親のかの女は握飯を盛った盆を持ち、小三郎は茶道具を持っていた。

「御苦労さまです」

とかの女は盆を置きながら云った、「お供の方がみえませんね」

「供の者は食べて来たそうです」

と平九郎が云った、

「いつもぞうさをかけてすみません」

「茶をここへ置きます」

と小三郎が云った。

かの女と小三郎はすぐに去った。

二人は握飯を食べ、茶をすすりながら、なおしきりに図面のほうへ眼をやっていた。堀普請《ほりぶしん》に必要な用材を、どの山からきりだすか。木の適否、運搬する距離、労力の多寡などについて、平九郎は作事奉行、千之丞は郡奉行として、それぞれの立場から検討し、主張する点がまだ幾つかあった。

「相当なものだ」

と平九郎が図面を見ながら呟《つぶ》やいた、

「彼は相当なものだよ」

千之丞は茶を飲もうとして眼《め》をあげた。

「若杉さ」

と平九郎は微笑した、

「ゆうべの勢いではきっとやるぞ」

「うん」

と千之丞はうなずいた、

「やるだろうね」

「みものだな」

「みものだ」と千之丞はまたうなずいた。

平九郎は首を振って、「いずれ書院会議があるだろうが、そのときこそ」と云いかけたとき、若杉泰二郎と大村の娘しほのとが出て来た。

泰二郎もしほのも、百姓のようなかっこうをしていた。泰二郎は継《つぎ》の当たった腰きりの筒袖《つつそで》に股引《ももひき》、しほのもほとんど同じ身形《みなり》で、ただ襦袢《じゆばん》の衿《えり》が鮮やかに白く、下に股引でなく裁著《たつつけ》をはいていた。——まるで野良へ出る百姓の男女という姿で、なにか話しながら出て来たが、こちらの森も和久も、（おそらく見慣れているのだろうが）かくべつおどろくようすはなかった。

「二人に頼みがある」

と泰二郎が云った、

「今日はこの人を山へつれていってくれないか」

「山へだって」

と平九郎が云った。

「堀普請のほうの手がちょっとあきますの」

としほのが云った、

「それで、まだお止山《とめやま》を拝見したことがございませんから、いちど見ておきたいと思うのですけれど」

「しかし道がたいへんですよ」

と千之丞が云った、

「道もけわしいが、道のない所も登ったりおりたりするし、往き帰り五里はありますからね」

しほのは微笑した。

「それはよく話したんだ」

と泰二郎が代わって云った、

「決して迷惑はかけないと云うから、すまないがつれていってやってくれ」

「私たちのほうはかまわないよ」

「ありがとうございます」

としほのが目礼した、

「ではあちらでお待ち申しております」

二人も会釈《えしやく》を返し、しほのは戻っていった。平九郎は握飯の残っている盆を押しやり、茶をぐっと飲んでから、

「なにか自分たちのすることはないか」

と泰二郎にきいた。

「ない、心配はいらない」

と泰二郎は答えた。

「黒書院《くろしよいん》の会議があるんだろう」

と平九郎が重ねてきいた、

「そのときおれたちになにかすることがあるんじゃないか」

「することがあればするよ」

と千之丞が云った、

「なにかあるならそう云ってくれないか」

「大丈夫だ」

と泰二郎は云った、

「ただみんなが動揺しないように、押えていてくれればいい、江戸家老はおれが引き受けるよ」

二人は顔を見交わした。

——相当なもんだ。

とでも云いたげに、互いの顔を見交わしながら座を立った。彼らは玄関で身支度をした。泰二郎も草鞋《わらじ》をはき、脇差《わきざし》だけ差して、見送りに出たかの女から菅笠《すげがさ》を受け取った。玄関の外には二人の供の者と、しほのが待っていた。——彼らは門を出てから、それぞれの笠をかぶった。そこで左右に別れるのだが、泰二郎がしほのに、なにか注意を与えているとき、一人の侍が近よって来て、

「若杉という家はどこだ」と呼びかけた。

泰二郎が振り返った。それは大沢五郎太夫であった。三人とも名は知らないが、ゆうべ酒宴の席で、泰二郎を「無礼者」と呼んだ男である。

「若杉の家はそこだ」と泰二郎が云った。

「笠をとれ、下郎」と相手が云った、

「この城下では侍に対する礼儀を知らんのか」

泰二郎は平九郎と千之丞に「いってくれ」と手を振った。二人は躊躇《ちゅうちょ》した。しほのも気づかわしそうな眼で見ていた。泰二郎は、

「いいからいってくれ」

と強い声で云い、彼らが歩きだすのを待って、五郎太夫に振り返った。

「この領内の百姓は」

と泰二郎は云った、

「仕事着でいるばあいに限って笠をぬぐ必要はない、殿お一人はべつだが、城代家老の前でも笠のまま通ることが許されている」

「そんな作法は聞いておらんぞ」

「では覚えたわけだ」

と泰二郎は云った、

「若杉になにか御用か」

「その声は、――」

「いかにも」

と笠のままうなずいた、

「私が若杉泰二郎だ、用事を聞きましょう」

五郎太夫は彼を見あげ見おろし、嘲弄《ちょうろう》するように唇《くちびる》をゆがめて「これはこれは」と云った。

「国許《くにもと》では勘定奉行が畑仕事をするのか」

「国許では」と泰二郎が云った、

「非番のときに遊んでいる侍はない、畑も打つ田も作る、必要があれば土もかつぐし泥溝《どぶ》もさらう、自分のためではない御奉公の足しにだ」

「侍には侍の御奉公がある」

と五郎太夫が云った、

「百姓や土方のまねをしなければ、満足に御奉公がならぬとは情けないはなしだ」

「そこもとは新参だな」

「なにが新参だ」

「譜代なら名を聞こう、こちらが名乗った以上そこもとも名乗るのが礼儀だ」

五郎太夫はふんと鼻を鳴らし、それから相手をじらすように、ゆっくりと自分の名を名乗り、

「江戸屋敷で剣術師範をしている者だ」

と云った。

「そうだろうな」

と泰二郎はうなずいた、

「譜代ならいまのようなことは云わぬはずだ」

「おれがなにを云った」

「侍には侍の奉公があるという言葉さ」

と泰二郎は云った、

「いま藩の御台所がどんな状態か、譜代なら知っていなければならない、いまこの藩では、侍だからといって徒食していられるようなゆとりは少しもない、老人病者でない限り、みな自分にできる働きをして、御内政回復の足しにしているのだ」

「ではおれなどは徒食しているというのか」

「そこをどいてもらおう、私にとって非番の日は大切なんだ」

五郎太夫は「待て」とどなった。

四

「待て、おれの問いに答えろ」

と五郎太夫は眼をむいた、

「いまの云い分だとおれは徒食していることになるぞ、たしかにそうか」

「それは私が答えるまでもない、そこもと自身で判断すべきことだ」

このあいだに近隣の者が四五人、こちらへ寄って来て問答を聞いていた。みな泰二郎の知人であるが、五郎太夫が、

「おれはそこもとの答弁を聞くぞ」

とわめきたてると、さらに近くへ集まって来て、

「若杉さんなにごとです」

とか、「喧嘩《けんか》ですか」などと呼びかけ、喧嘩なら助勢すると云わんばかり、五郎太夫の背後をふさいだ。

「なに喧嘩ではない」

と泰二郎が笠のまま首を振った、

「こちらは江戸から信夫さまの供をして来られたので、国許の事情に不案内だから、私の云《い》うことを誤解されたらしい、――だがもういいでしょう大沢さん、私はこれで失礼します」

そして彼は大股《おおまた》に去っていった。

五郎太夫も集まって来た人たちの眼から逃げるように、（屈辱の怒りでふるえながら）そこを去って信夫家へ戻った。――杏所はまだ鳴沢にいるが、彼と二人の家士は、夜明け前に城下へ来て、信夫家に草鞋を脱いだ。丸山三之助、林伝助の二人は、杏所に命じられた用件があり、すぐさまその奔走にかかったが、五郎太夫はかくべつ用がなかったから、「ひとつ勘定奉行をおどしてくれよう」と思って、若杉を訪ねたのであった。

「朴念仁《ぼくねんじん》ども」

と五郎太夫はひとりで舌打ちをした、

「田舎者のへぼ頭の朴念仁ども、みていろ、いまにおれがどんな人間かみせてやるぞ、くそ野郎めらが、覚えていろ」

その日いっぱい、五郎太夫はひとりでそう罵倒《ばとう》し続けていた。

杏所は午後に屋敷へはいった。ここでまた家臣たち（中士《ちゅうし》以上）が、帰国祝いに来るはずであった。しかし来たのは次席の真野忠左衛門だけで、忠左衛門は「他の者はみな御用繁多」のため来られない、と断わりを云った。

「そうらしいですな」

とそばにいた大沢五郎太夫が口を出した、

「お国許では老人と病人のほかは、みな内職稼《かせ》ぎでいそがしいと聞きましたよ」

杏所が不審に彼を見た。

「本当です」

と五郎太夫は云った、

「私はこの耳で、勘定奉行どのから聞きました」

「勘定奉行だと」

杏所が云った、

「そのほう若杉に会ったのか」

「その、道で会いまして、それで」

杏所は「よし」と手を振り、

「みんなさがっておれ」

と云った。彼らが去ると、杏所は妻を呼んで酒肴《しゅこう》を命じた。

「小助と差《さし》で飲むのは久しぶりだ、今日は大助小助《おおすけこすけ》でごゆっくりやろう」

忠左衛門は穏やかに笑った。

二人は古くからの親友であった。杏所が大助、忠左衛門が小助と呼ばれていたころから、杏所が江戸家老に赴任するまで口論いちどしたこともなく、親しいつきあいが続いた。――わがままで独善家で、人に好かれることのない杏所にとっては、心からうちとけて話のできるただ一人の友であるが、自分ではそれに気がついていないらしいし、その変わることのない友情も、忠左衛門の一方的な忍耐と努力によって、支えられて来たもののようであった。

二人は話しながら飲んだ。給仕には夫人の初世《はつよ》が坐《すわ》った。

初世は四十一歳という年より、はるかに若くみえる、面長のおっとりとした顔だちで、地蔵眉毛《まゆげ》と、やや尻《しり》さがりの眼とに、こぼれるような愛嬌《あいきょう》があった。豊かに、しかしまだひきしまっている胸、腰のまるみや、しなやかな手指などには、まだおんなざかりを思わせるような、媚《こび》と嬌《なま》めかしさが感じられた。――杏所はまったく彼女を無視していた。用事を云いつけるほかは、ほとんど話しかけることもなし、彼女を見ようともしない。

――昔からこうだった。

と忠左衛門は心のなかで呟やいた。

十五年まえに結婚したときから、妻に対する杏所の態度は冷淡であった。かくべつきらっているわけではないし、信夫家の主婦として、その位地は充分に認めていた。しかしそれだけであった。きらいもしないが愛しもしない。単に「妻」と認めるだけで、ほかにはなんの感情も持たないようであった。

「ときにあの勘定奉行だが」と杏所は話題を変えた、「――あの顔はどこかで見たように思うが、親はなんという者だ」

「若杉藤三郎といって、大番の頭《かしら》を勤めていたが、七年まえに病死したよ」

「ふむ」と杏所が云った。「――しかしあの若さで、どうしてまた勘定奉行などに抜擢《ばってき》されたのだ」

「殿じきじきの御任命だと、ゆうべ云ったはずだがね」

「どうして殿が彼を御存じなんだ」

「藤三郎の妻女……かのという人だが、それが殿の乳人《めのと》にあがったのだ」

と忠左衛門が云った、

「殿はよほどお気にいられたそうで、御殿からさがって帰国したのちも、つねに消息を問われたり、御下賜品《ごかしひん》が来たりしたし、御襲封あそばされて初の御入部《ごにゅうぶ》には、城中へ召されて懇《ねんご》ろにいたわられた、その後も御在国のときは、しばしば城中へ召されていたが、その縁で泰二郎も早くからお眼《め》にとまっていたのだ」

「そういうわけか」

と杏所は苦い顔をした、

「それであのように傲岸《ごうがん》なのだな」

「彼は傲岸ではなかったと思うがね」

「いや、御威光を笠に衣《き》ている」

と杏所は云った、「あの昨夜の態度は、勘定奉行というより御威光をひけらかす木偶《でく》のようにみえたぞ」

「それは珍しい意見だ」と忠左衛門は微笑した、

「この国許では、彼はいま誰よりも人望がある、役目にはきわめて忠実だし、才腕と実行力があるし、年には似あわぬほど温厚で謙遜《けんそん》だしね、——二年まえに大村直人の娘と婚約ができているが、それまでは、娘を持っている親たちが、上下を問わず彼に熱をあげていたくらいだ」

杏所はもっと苦い顔をした。忠左衛門はかたわらの初世夫人に向かって、「そうでしたね」と同意を求めた。初世はまぶしそうに眼を伏せ、なにやらためらうように、

「はあ」と低く答えた。

「ふむ」と杏所は云った、

「すると、よほど老獪《ろうかい》な人間とみえるな」

忠左衛門はとたんに失笑した。ちょうど酒を含んだところで、危なく（その酒を）ふきだしそうになり、からくも飲みおろしたが、むせて激しく咳《せ》きこんだ。「老獪」は杏所に対する定評である、その本人がひとを老獪と評したので、つい失笑させられたものだろう。

「いや、なんでもない」と忠左衛門は懐紙を出して口をふいた、

「なんでもないんだ、気にしないでくれ――失礼した」

杏所はいぶかしそうに、じっと旧友の顔を見まもっていた。

五

帰国して五日めに、杏所は老職会議を招集した。場所は城中の黒書院、全老職のほか各奉行にも通達があり、これらは第二次の会議に出るため、控えて待つことになっていた。

杏所は「御用金調達」のために来たのであった。

そのことでは春からもめていた。問題はいろいろあるし、財政難はこの藩に限らず、大藩は大藩なりに逼迫《ひっぱく》していたし、五万石あまりのこの藩でも、十数年まえから内外の債務が増大するばかりであった。そこへこの春、新しく御殿と庭を造るからといって、多額な費用調達の要求が来た。国許ではたびたび合議したが、そんな多額な金を出す財源がない。御用商の大河屋久兵衛に相談してみたけれども、「総額の一割くらいなら」と云うだけで、それ以上はどうする方法もなかった。——そのうちに江戸から、「開墾した新田へ課税してはどうか」と云って来た。そうすればそれをみかえりに大阪で借財ができる、というのである。この案には若杉泰二郎が反対した。

開墾した新田というのは、いまから十二年まえに着手されたもので、全面積百八十二町歩あまり。これを約九十家族の百姓が開墾したのだが、藩では「穫入《とりい》れから向こう十年間は年貢《ねんぐ》を免ずる」という約束をした。——現在、全面積の四分三強が新田となり、収穫は(もっとも早いもので)五年まえから始まっていて、収穫高もかなり多いのであるが、実際に作付けをしてみると、初めの計画とは水利の点が違って来たため、いま新たに用水堀《ようすいぼり》の普請《ふしん》を始めているのであった。

——十年間無税の公約がある。

と若杉泰二郎は主張した。

——この状態で課税するのはまったく無謀だ。

そう云って譲らなかった。

これでは埒《らち》があかないとみて、杏所は自ら(予告なしに)来たものであろう。黒書院の上座に坐った杏所は、初めから威猛高《いたけだか》で、会議というよりは、一方的に「要求を押しつける」という感じであった。

「御殿とお庭の新しい造営について、国許の諸公がどう思っているかは想像がつく」

と杏所は云った、

「これまで、どうしてその造営が必要であり、なぜいそがなければならないかについては、なにも申さなかった、申すことができなかった、というほうが正しいだろう、したがって諸公がこれを理解せず、協力を渋っていたこともよくわかる、だが、造営の工事はぜひとも今年じゅうに着手しなければならぬので、私がその事情を話すために来たのだ」

杏所はそこで言葉を切り、唇の片方の端を曲げながら、眼を細めて一人一人をぐるっと眺《なが》めまわした。それは次に云う言葉に一種の効果を与えるためだったらしい。それから一つ咳をし懐紙で静かに唇を拭《ふ》いた。

「新御殿と庭の造営は」

と杏所はゆっくり云った、

「――将軍家をお迎えするためだ」

老職たちのあいだに、眼に見えない動揺が起こった。杏所はもちろんそれを認め、いっそう言葉に重みを加えた。

「諸公も知ってのとおり、将軍家のお成りはゆゆしいものである」

と彼は続けた、

「ゆゆしいばかりではない、従来は徳川譜代の重臣、それもきわめて限られた範囲を出なかった、外様大名《とざまだいみょう》の藩邸へお成りになることなどはほとんど例がない、――これはわが藩家にとってなにものにも代えがたい名誉でありおそれながら殿のおためにも御面目至極のことだ」

杏所はそこをできるだけ重おもしく云い、敬虔《けいけん》に眼を伏せさえした。

さて新田課税の件であるが、と杏所はさらに続けた。自分のほうで調査したところによると、すでに予定の九割まで事業が完成し、五年まえから収穫があがっている。「向こう十年間無税」という公約があるには相違ない、しかしそれは藩政が平穏なときのことである。いま藩家は内政逼迫で、外にも非常な負債が累積《るいせき》しているし、家中《かちゅう》の侍たちも上下の差別なく、食禄扶持《しょくろくふち》をさいて加役《かやく》（献金）している状態である。ましてこんどは藩家にとって必要欠くべからざる調達であり、時期も切迫していることだから、公約を盾に、百姓だけが責任をまぬがれていてよい道理はない。諸公にもここをよく考えて、課税の断行をいそいでもらいたい、と杏所は云った。

そのとき入側《いりがわ》から「それは相成りません」と云う声が聞こえた。

杏所はもちろん、列座の人たちがみな振り向いた。そこには若杉泰二郎がいた。麻《あさ》裃《がみしも》で端座し、片手の扇子で袴《はかま》の膝《ひざ》を押え、きっと額をあげて杏所を見つめながら、

「その儀は相成りません」

と重ねて云った。

「北どの」

と杏所が城代家老に云った、

「これは彼などの出る席ではないはずだ、どうか秩序作法は守るようにしてもらいたい」

「それは御家老に申し上げたいことです」

と泰二郎が云い返した、

「あなたは上座に坐っておられるが、着座規則によれば御城代が第一と定《きま》っております、そうではございませんか」

杏所の顔が赤くなった。

「秩序作法のことはおきましょう、御老職がたがお認めになっていることですし、私には関係のないことです、しかし」

と泰二郎は声を高めて云った、

「新田に年貢を課するか否《いな》かの点は、私の役目ですから申し上げます、それは相成りません」

「どうして、――」

と杏所は低い声で反問した、

「どうしてならんのだ、現に私の調べでは」

「それはうかがいました」

と泰二郎はさえぎった、

「しかしその調べは間違っています、もし正確な事が知りたかったら、御自分でお調べになってください」

「このおれが」と杏所は云った、

「自分で歩いて調べるというのか」

「勘定奉行からの報告をお信じにならぬとすれば、御自分で調査していただくよりいたしかたはありません、国許《くにもと》の事情にくらく、開墾事業の困難さを知らぬ者が、御家老のお気にいるような数字だけあげても、実際にはなんの意味も価値もないものです」

「そのほう何歳になる」

と杏所がきいた。

「いま御自身でおっしゃったように」

と泰二郎はかまわず続けた「御内政回復のため一藩ぜんたいが窮乏に耐え、お役のほかにも、軀《からだ》の丈夫な者はそれぞれの働きをして、多少にかかわらず御奉公の足しにしております、とくに、新田開発は先殿《せんとの》さまの御遺業であり、完成のあかつきには藩庫を益することも大きいので、さきごろからは士分の者も、暇《いとま》いとまには堀普請の助《すけ》に出ています、これみなすべて御内政回復という唯一《ゆいいつ》の目的のためで」

「くどいくどい」

とこんどは杏所がさえぎった、

「そんなことを繰り返して聞くまでもない、江戸、国許の差別なく誰でも知っていることだ」

「いや、そうではございますまい、江戸ではよくわかっていないと思います」

杏所は、

「なんだと」と顔をひきしめた。

六

「もしわかっているなら」

と泰二郎は平然と云《い》った、

「新御殿や庭の造営などという問題は起こらないはずです」

「そのほうはその理由を知っているのか」

「将軍家のお成りとうかがいました、事実ならおっしゃるとおりゆゆしいことです」

泰二郎は扇子で膝をすっとなで、杏所の眼をまっすぐに見つめながら切り込んだ、

「——しかし、それはたしかなことですか、万に一つも間違いなくお成りがあると確定したのですか」

杏所は答えなかった。泰二郎は拍子三つばかり黙っていてそれからうなずいた。

「お答えにはおよびません」

と彼は静かに云った、

「たとえそれが事実であったにしても辞退すべきです。いま御家にとって大切なこと

は、栄誉や面目ではなく、御内政回復の一事だけです。将軍家お成りによって栄誉を得ても、公約破棄によって領民の信を失えば、御威光も御政治もめちゃめちゃになってしまいます、——新田に年貢を課する件は、どなたがなんとおおせられようとも相成りません。勘定奉行としてははっきり申し上げます、その儀は断じて相成りません」

杏所はあおくなり、膝の上の手がふるえていた。彼は微笑しながら城代家老を見たが、その微笑は（気の毒ながら）べそをかいているようにみえた。

「これはどうも」と杏所は北幸太夫に云った、

「まるでこれは、私が査問に掛けられているようだな、——よろしい」

と彼は泰二郎を見た、

「そのほうの申すとおり新田の実地を自分で調べるとしよう」

「かしこまりました、御案内は私がいたします」

「そのほうの都合のよいようにか」

と杏所はやり返して、首を振った、

「無用だ、案内などはいらない、私は自分の眼で事実を見る」

泰二郎は黙って低頭した。

杏所は列座の人に、「事実を検分したうえ、改めて会議を開く」と告げ、真野忠左衛門を眼で招きながら立ちあがった。——それに続いてほかの人たちも座を立ち、忠左衛門は杏所とともに休息所のほうへ去ったが、北幸太夫は泰二郎を呼び止め、おそろしく渋い顔をしながら近よって来た。

「やりすぎた、やりすぎたぞ」と幸太夫は云った、「任せてくれと申すからとくに任せたが、すっかり信夫どのを怒らせてしまったではないか、これではぶちこわしだ、われわれの面目までつぶしてしまったぞ」

「御家老は本当に怒ったでしょうか」

「それは自分でわかっているはずだ」

「それならしめたものです」

泰二郎はにっと微笑した、「私は怒らせてからの勝負だと思っていました、噂《うわさ》によると御家老はよほど老獪で、私などでは怒らせることはできないかと心配したのですが、本当に怒ったとすれば勝負はこっちのものです」

「仔細《しさい》を聞こう」と幸太夫が云った。

「あのかたはひとり天下でした」と泰二郎は答えた、「威勢並ぶ者なく、誰一人あたまを抑える者もなく、わがままいっぱいにやってこられた、こんどの将軍家お成りのことも、老中の阿部侯から座輿にほのめかされたのを、そのまま鵜呑《うの》みにして御殿造営ということになったのだといいます」
「どうしてそれがわかった」
「夏のうちに江戸へ問い合わせたのです、誰に問い合わせたかは申し上げられませんが、それが事実であることは、返辞のできなかったことで御家老自身が証明したも同様でしょう」
と泰二郎は云った、
「あの方は愚か者でも狂人でもない、ないと思います、したがって本気に怒って事実をたしかめれば、必ず是非の判断はつくと信じます」
「それが当たってくれればいいが」と幸太夫はいやな顔をし、首を振って呟《つぶ》やいた、「——一時《いっとき》おれは生きたそらもなかったぞ」
「じつは御家老に云うことがもう一つあったのです」
と泰二郎はまた微笑した、
「私はこう云うつもりでした、——家中《かちゅう》ぜんたいが窮乏に耐えているのだから、帰国したらまっすぐに屋敷へはいってもらいたい、井関《いぜき》へ泊まったり、芸妓《げいこ》をあげて酒宴をするなどとはもってのほかなことです、……こう口まで出かかったんです」
幸太夫はあっというような眼《め》で彼を見、「おまえという人間は」と首を振りながら云った。そして、首を振り振り、「若杉というやつは」と呟やきながら去っていった。

同じとき老職休息の間では、杏所と忠左衛門が話していた。

「どういうことだ、あれはどういうことだ」

と杏所は黒書院のほうへ手を振った、

「老職評議の席へ勘定奉行などが断わりもなく出て来て、許しも受けずにかってな暴言を吐く、――こんなことが国許では許されるのか、いつからこんな無作法な、順序を無視したことが許されるようになったのだ、いつからだ」

「そんなに高い声をお出しなさるな」

と忠左衛門が皮肉な口ぶりで云った、

「順序の無視という点にこだわると、また彼に突っ込まれますぞ」

「あの青二才が」と杏所は云った、「信夫家は代々の城代家老、北家などとは格段に家柄《いえがら》が違う、席次の第一座に着いたところで」

「いや、――」と忠左衛門はさえぎった、「それは順序を無視することになる、城中の席次には規則があって、評議の席では役付きなら城代家老が上座です、また、老職評議には三奉行が列するのが定りのはずでしょう」

「それは通例にすぎない、こんどは特別の評議であるし、私の発議で開いたのだから」

「いやいや」と忠左衛門はさえぎった、「今日の評議が特別であればこそ、勘定奉行は列席すべきだったのです」

「私は彼の罷免《ひめん》を命ずる」

忠左衛門は黙って太息《といき》をついた。杏所はもういちど「若杉泰二郎は罷免だ」と云った。忠左衛門は黙っていた。杏所はいらいらと、扇子を置いたり持ったりしながら、ややしばらく、忠左衛門がなにか云うのを待っていた。しかしこちらはやがて、「さて、——」と云いながら、立ちあがった。杏所は旧友を見あげて、「彼の罷免が気にいらぬのか」ときいた。

「いや、そんなことは、ない」と忠左衛門は一と言ずつ区切りながら答えた、「私は、気にいるも気にいらぬもない、しかし、彼は殿のお声がかりで、任命された、いまでも、殿とは、疎遠《そえん》ではないようだ」

「城代家老では罷免できぬというのか」

「北どのはお心のままだろうが」

と忠左衛門は考え考え云った、

「問題なのは家中ぜんたい、——さよう、家中ぜんたいの出かたが、問題でしょうね」

「それほど人望があるというのか」

「しかもその人望は、彼の実力を認めたうえに立っていますからね」

杏所は「ふむ」と鼻を鳴らした。

七

杏所はふと眼をそばめ、疑わしげに忠左衛門を見た。

「いま妙なことを云ったな」と杏所はきいた、「——殿がいまでも、彼と疎遠ではないと云ったようだが」

忠左衛門は自分の手指の爪《つめ》を見まもり、「私の推察にすぎないがね」と呟やいた。

「ただ推察しただけか」

「いずれにしても」と忠左衛門が云った、「将軍家のお成りは確定したことか、——とだめ押しをしたとき、こなたも気がついたと、私は思ったがね」

と忠左衛門は眼をそらした、

「……彼はなにか真実を知っていた、だからあのように、真向からだめ押しが、できた、——とくに、将軍家お成りなどということは、江戸邸でも知っている者は多くはあるまい」

杏所は扇子をぱちっと鳴らした。

——殿とおれだけだろう。

と杏所は思った。殿に侍して阿部美濃守《あべみののかみ》邸の招宴にいったとき、阿部侯が「周旋してもいい」と云った。殿は笑っていたし、帰邸してからも「つまらぬことを云う人だ」こんな話は誰にもしてはならぬ、と口止めをされた。殿は阿部侯の言葉をまったく信じないか、信じても拒絶するつもりかの、どちらかのようであった。お若いからだ、と杏所はそのとき思った。五万石あまりの外様《とざま》の藩邸へ、もしも「お成り」が実現すれば、天下の諸侯に対してひじょうな名聞《みょうもん》であるし、御代々の藩祖のためにもこの上なき栄誉である。そこでおれは殿には許しを受けずに、新御殿と庭の造営を計画したんだと杏所は思った。

「すると」杏所は眼をあげた、

「――殿と彼のあいだには、いつも連絡があるというのか」

「知りませんね、私はそう推察しただけです」

と忠左衛門は軽く会釈《えしやく》をし、そこをたち去りながら云った、「単なる推察です、それだけです」

杏所は去ってゆく彼の背中をにらんで「ふむ」と鼻を鳴らし、それからひどく立腹したようなあらあらしい声で「茶をもて」と命じた。

それから約十日、――

杏所は精力的に活躍した。まず領内の大地主の代表者七人を（一人ずつ）呼び、開墾地の実情をきいた。杏所が江戸で集めた情報は、彼ら大地主から出たものである。それを一人ずつじかに会ってたしかめたのだが、――彼らが新田開発に利害関係をもっており、ことに「向こう十年間無税」という点に、嫉妬《しつと》と脅威を感じていることは、彼らの口ぶりによくあらわれていた。杏所はそれに気がつかない、彼らの云うことは、杏所自身に好都合なので、疑ぐってみる必要がなかったからである。

――よしよし、あの青二才め。

と杏所は心のなかで揉《も》み手《で》をした。

――みておれ、ひと泡《あわ》吹かせてくれるぞ。

そして彼は踏査にでかけた。

杏所は家士二人（林伝助と丸山三之助）に、大沢五郎太夫をつれただけででかけた。下僕はつれず、自分では忍びのつもりで、野袴《のばかま》に草鞋《わらじ》ばき、笠《かさ》を深くかむっていた。行厨《こうちゆう》を家士に持たせてでかけたが、第一日でからきめにあった。

開墾地の山側をまわってゆくと、用水を引く堀普請《ほりぶしん》の現場へさしかかった。そこでは約七十人ばかりの者が、土を掘ったり、掘った土を畚《もつこ》に入れたり、かついでほかへ移したり、一人の休む者もなく働いていた。——大沢五郎太夫は先頭を歩いていたが、現場へさしかかると、大きな声で、「控えろ」とどなった。

「みんな控えろ、御家老信夫さまのおわたりだ」

と彼はわめいた、

「笠をとって控えろ」

大きな声だからよく聞こえる。働いていた人たちは一斉《いつせい》に鋤鍬《すきくわ》を置き、畚をおろして、こちらへ振り向いた。

「かぶり物をとれ」

と五郎太夫は叫んだ、

「御家老信夫さまのおわたりだ、控えろ」

彼らは笠や頰冠《ほおかむ》りを脱ごうとした。すると土を畚に入れていたのが、「いけません」と制止した。それは女の声であった。

「かぶり物をとるにはおよびません」と彼女はみんなに叫びかけた、「働いているときには、どなたがお通りになっても礼をする必要はないと、御定法《ごじょうほう》ではっきり定っています」

そして女は、五郎太夫のほうを見あげた。それは若い娘でむろん五郎太夫は知らないが、大村のしほのであった。

「あなたはどなたですか」としほのは五郎太夫に云った、「もし御家老さまなら、城下にそういうお布令《ふれ》の出ていることを御存じのはずです、あなたはどなたですか」

五郎太夫はなにかどなりそうになった。

「大沢、待て」と杏所が制止し、前へ出て来てしほのを見た。彼女をつくづくと見て、それから静かにきいた、「――そのもとはなに人《びと》の娘だ」

「私は年寄役大村直人の娘でございます」

「ほう」と杏所は云った、

「重職の娘が、そのようなことをするのか」

いしほのは杏所の顔を見た。珍しい動物かなにかを見るような眼つきである、そして、答える必要も興味もないというふうに、「さあみなさま続けましょう」と叫び、せっせと畚へ土を入れ始めた。

「なんという無礼な」

と五郎太夫はいきり立った、

「私は赦《ゆる》せない」と彼はふるえながらわめいた、

「御家老に対するこんな無礼を赦すことはできない、私はこいつらを」

「よせ五郎太夫」

と杏所は叱《しか》った、

「赦せぬかどうかはおれがきめる、さがっておれ」

五郎太夫は歯嚙《はが》みをしながらさがった。

杏所は（自分では）忍びのつもりであったが、ゆくさきざきで、百姓たちがこちらに見向きもせず、まれに礼をしても笠や頰冠りや鉢巻《はちまき》のままなので、しだいに不愉快になり、痼癪《かんしゃく》が起こってきた。「仕事着でいるときは侍に会っても礼をするにはおよばない」という布令が出たか出ないか、杏所は覚えがなかった。内政回復については、農産業奨励の趣意で新しい布令がいろいろ出された。それは国許《くにもと》から、そのつど請願があり、許可を与えてある。だが杏所はそんな瑣末《さまつ》なことに注意をはらったためしがない。したがって「御定法がある」と云《い》われれば、そうかと思うよりしようがないし、おそらく事実なのだろうが、現に自分でそれを体験してみると、「これは百姓どもを増長させるだけだ」と思い、「悪法だ」と思わざるを得なかった。

踏査のほうも、杏所の予測とは違っていた。午《ひる》ちかくまで廻《まわ》った地域は、開墾地のうちでも条件に恵まれた地勢らしかったが、それでもなお六割程度までしか耕地として完成していなかったし、住居はみな小屋掛け同様で、家らしい家は一棟もみ当たらなかった。

「休息しよう」

と杏所が云った、

「あれに見える小屋がいい、そう申してまいれ」

林伝助がすぐに走っていった。

八

丘が平地へとおりる、ふところの藪蔭《やぶかげ》に、厩《うまや》と板倉《いたぐら》のついた住居があり、百姓の老人と老婆《ろうば》たちが、その前庭で蕎麦《そば》の脱穀をしていた。林伝助が道からそちらへおりてゆき、彼らに声をかけようとしたとき、うしろで急になにか云いあう声がした。

「いけません、それはいけません」

という高い声が聞こえる。

振り返って見ると、馬をとばして来たらしい、若杉泰二郎が杏所の前に立ちふさがっていた。彼はいつかの仕事着で、草鞋ばきに菅笠《すげがさ》をかむり、片手で馬の口を取りながら、杏所に向かってつけつけと云っていた。

「堀普請の現場のことを聞いたので、念のため馬でおあとを追って来ました」

と彼は云った、

「先日の評議の席でも申し上げたとおり、百姓はもちろん、家中の侍まで手助けに出て、寸暇も惜しんで働いているのです、御検分は御自由ですが、どうか働いている者の邪魔をなさらないでください」

「私が邪魔をしたか」

と杏所が云った、「私はただ休息したいのだ、休息して弁当をつかいたいのだ、それもいかんというのか、わしは」

と杏所は叫んだ、「わしはこの領内では、休息も弁当を食うこともできないのか」

「どうぞ、――」と泰二郎は一揖《いちゆう》した、「そのへんに木蔭や草原がいくらでもあります、水が御所望なら泉のわく所へ御案内しましょう、しかし百姓家へお寄りになることは遠慮してください」

「わしに、このわしに」と杏所は赤くなって叫んだ、「――草原で、野天《のてん》で、……」

「無礼者」

と五郎太夫がわめいた、「きさま御家老に対して、この、もう勘弁ならん、もうおれは勘弁ならんぞ」

五郎太夫は刀の柄袋《つかぶくろ》をはずした。

「どうする」

と泰二郎が彼を見た、

「刀を抜いてどうする、私を斬《き》るというのか」

五郎太夫は殺気立った眼《め》で泰二郎をにらみ、刀の鯉口《こいぐち》を切った。泰二郎は平然と彼に背を向け、「斬るなら斬ってみろ」といわぬばかりに、まったく相手を無視したまま、「よくお聞きください」と杏所に云った。

「御家老がお立ち寄りになれば、いかにお布令があっても百姓たちは見ないふりはできません、お腰掛の支度もしなければならない、火をたいて湯茶の御接待もしなければならないでしょう、――御家老にそのおつもりがなくとも、彼らが仕事の手を少しでも放すことは」

「わかった」

と杏所がどなった、

「もう云うな、よくわかった」

そして恐ろしいような顔で泰二郎をにらみつけ、こんどはひそめた声で、するどく云った、

「――だが覚えておけ、おれはいまに、きさまを」

そして杏所は右手を出し、泰二郎の鼻さきで指をひらき、それをぐっと（空中のなにかをつかむように）強くゆっくりと握った。きさまをこう握りつぶしてくれるぞ、

という意味のようである。泰二郎は微笑し、黙って杏所の眼を見ながら「どうぞ」とでも云うように一揖した。

五郎太夫はついに抜かなかった。

杏所はそこで踏査を中止し、弁当もひらかずに城下の屋敷へ帰った。彼は風呂《ふろ》をせかせ、

「真野忠左衛門を呼べ」

と云い、酒肴《しゆこう》の支度を命じた。風呂を浴びて出ると、忠左衛門から「大河屋と碁を打っている」から後刻参上する、という返辞があった。

「つまらぬ男だ」

と杏所は云った、

「昔から久兵衛と打って勝ったためしがないのに、まだ性懲《しょうこ》りもなくやっているのか」

「あれだけが真野さまの病でございますね」

と妻の初世が云った、

「碁が始まるとまるで人が変わってしまうのですから」

「つまらぬ男だ」

と杏所は云った、

「酒にしよう、三人に相手をしろと云え」

林と丸山、それに五郎太夫の三人が相手に出た。酒ははずまなかった。あんなことのあったあとだから、席がはずまないのは当然であろうが、五郎太夫ははじめから乱暴に飲み、たちまち酔ってしまった。

「私はこのままでは江戸へ帰れません」と五郎太夫は云いだした、「あの若ぞうが御家老をあのように侮辱するのを見た以上」

「その話はよせ」

と杏所が云った。

「あいつは御家老を侮辱したのです、これが江戸へ聞こえたらどうしますか、江戸では殿でさえも御家老には遠慮なされている、殿でさえも」と五郎太夫は云った、「それをあの田舎者のひよっこめが、、、あの」

「やめろ」

と杏所が制止した、

「その話はよせ、おれが禁ずるぞ」

五郎太夫は黙った。しかしよほどくやしいとみえ、その眼から涙がこぼれ落ちた。

杏所は妻に「三味線を持って来い」と命じた。初世は困ったという表情で、お帰りがわからなかったからまだ手入れをしないままである、皮がだめになっているかもしれないが、と云って立っていった。そして戻って来ると、「やっぱり皮がだめでございます」と云って、箱に入ったまま杏所の前へ置いた。――杏所は出してみた。三味線の皮の裏側が、すっかりはしゃいで、胴から半ばはがれていた。「破れ三味線も乙なものだ」と云って、こんどは糸を調べたが、みんなもろくなっていて、使えるものは一筋もない。杏所は、「糸を買いにやれ」と云った。初世はますます困惑し、いまそういう店はない、と答えた。「遊芸に関する品は禁制になったので、どこでも売っていない」というのである。杏所の額に青筋が立った。

「そういうことか」

と杏所は箱を押しやった、

「よかろう、しまってくれ」

そしてまた妻を呼びとめ、

「江戸から来た者ぜんぶに酒を出してやれ、うん、小者たちにもだ」

酒は続けられたが、座の空気はしだいに重苦しく、険悪になるばかりであった。

杏所も酔いはじめ、

「小助はまだか」

と幾たびも云った。

「小助を呼びにやれ」

とどなり、それから、

「やめろ、呼ぶ必要はない」

とわめいた。——杏所は酔った。酔ったので、抑えていた癇癪がふくれあがり、制御しようとするともっとふくれあがった。誰も来る必要はない、誰にも会わぬぞ、小助が来たら追い返せ、などとわめいた。

「五郎太夫」と杏所はゆっくり呼びかけた、「そのほう先刻——このままでは江戸へ帰れぬ、と申したようだな」

「お聞きになったとおりです」

「だめだ」と杏所は冷笑した、「おまえにはできない、おまえにはそれだけの度胸もなし、腕もない」

「私に腕がないとおっしゃるんですか」

「おれは見ていた」

と杏所が云った、

「あのときおまえは刀の柄袋をはずし、柄へ手を掛けた、すると彼は、——それを認めながら、おまえに背を向けておれと問答を続けた」

「私は」

と五郎太夫は眼をむいた、

「私は、斬れば斬れたのです」

「おれは止めなかったぞ」

「私は」

と五郎太夫はどもった、

「しかし私は」

「おれは止めなかった」

と杏所は酒をあおりながら云った、

「おれはどうするかと見ていた、若杉泰二郎は背中を向けていたし、おまえは刀の柄に手を掛けて、その背中をただにらんでいるばかりだった、そうではないか」

九

五郎太夫は激怒のためにあえいだ。

「そのとおりです、しかし」

とふるえながら五郎太夫は云った、

「いかに私でも、藩の要職にいる人間を、独断で斬るわけにはいきません、だがもうわかりました、私に腕があるかないか、明日その証拠をごらんにいれましょう」

「そういくまいな」と杏所が云った。

「私がやると云ったら必ずやります、明日その証拠をごらんにいれますよ」

「まあ飲め、そういきまくな」

と杏所は云った。

「酒はまだあるぞ」

座が活気立ってきた。

一つの事がひっかかっていたためにはずまなかった空気が、その（一つの事）の処理がきまったので、みんなが初めて、開放されたような気分になったらしい、杏所はとくに陽気になって、つねになく深酔いをし、まだ日のくれるまえに酔いつぶれてしまった。

「おまえたちは鳴沢へいって飲め」

と杏所は三人に手を振った、

「おれは寝る、——おまえたちは鳴沢で騒いで来い、だが五郎太夫、……おまえには明日があるぞ」

五郎太夫はにっと唇《くちびる》で笑った。

「よし」

と杏所は横になった、

「よし、いって来い、妓《おんな》どもを呼んで存分に騒げ、おれは、おれは——」

そして彼は眠ってしまった。

三人は出ていった。初世は良人《おっと》を寝所へつれてゆこうとしたが、眠ってしまって動くけしきもない。やむをえず、侍女に手伝わせて枕《まくら》や掛け夜具を運び、そこへ寝かせて、あたりを片づけた。——杏所は熟睡した。夜の十時ころまで、高いびきで眠っていたが、やがて喉《のど》のかわきで眼がさめた。「水だ」と云うと、枕許《もと》で返辞が聞こえた。見るとそこに妻が坐《すわ》っており湯のみに水をついで彼に渡した。

「いま何刻《なんどき》だ」

「四つ（十時）を少し過ぎたようです」

「おまえずっとそこにいたのか」

「はい、お願い申したいことがございましたから」と初世は良人を見た。

杏所はいぶかしそうに妻を見た。

「さきほどうかがっていますと、若杉どのを御成敗なさるようなお話でございました」

「そういうことに口を出すな」

と杏所は眼をそらした、

「おまえなどの知ったことではない、真野は来なかったのか」

「わたくし、これまで一度もおねだりをしたことがございません」

と初世は続けた、

「一生に一度のおねだりでございます、どうか御成敗をおやめになってくださいまし」

杏所は妻を見た。初世の顔はあおざめ、(緊張のために)眼がきらきらしていた。

「どうしてだ」

と杏所が云った、

「それがおまえになにか関係でもあるのか」

初世は唾《つば》をのんだ。良人の眼をひたと見つめ、なにか云おうとして、舌がこわばって、すぐには言葉が出なかった。

「あれは」と初世はようやく云《い》った、「わたくしの子でございます」

杏所は首を傾《かし》げた、「誰の子だって、――」とき返すように。初世はもういちど唾をのみ、こくっとうなずいた。

「泰二郎はわたくしの子でございます」

「おまえの子とは」

「わたくし」と初世は云った、「わたくし、こちらへまいるまえに、いちど他家へ嫁いだことがございます、それは縁談のあったとき申し上げましたから、御存じでしょうけれど」そう云いながら、初世はぽっと眼のふちを赤らめた、「――十七歳で嫁ぎまして、半年そこそこで良人は病死しましたが、わたくしは身籠《みごも》っておりました」

杏所は妻を眺《なが》めていた。話を聞いているというより、なにか珍しいものでも発見したように、じっと眼を放さず眺めていた。

「その家の名は申し上げられませんけれど」

と初世は続けていた、

「良人に三つ違いの弟があり、わたくしと結婚してはという話がございました、けれどわたくしはその方《かた》がきらいでしたので、子を産むとすぐに実家へ帰ってしまいました」

その子が泰二郎である、と初世は云った。彼女が離縁したあと、その弟が家を継いで結婚し、泰二郎は若杉家へ養子にやられた。若杉では子がなかったので、「ぜひ」とせがんで養子にもらったのである。六年後に初めて男の子が生まれたが、泰二郎は長男として育ってきたのである、と初世は語った。

「産み残してきた子であり、よそへやられた子ですけれど」と初世は続けた、「自分の子の可愛《かわい》さには変わりはございません、一生に一度のお願いでございます、御成敗だけは、どうぞ堪忍《かんにん》してやってくださいまし、お願い申します」

初世はそこへ手をつき、頭をたれて、嗚咽《おえつ》した。

杏所はまだ妻の姿を眺めていた。彼ははじめて妻を見るような気持だった、そうだ、おれは今日まで妻をよく見たことがなかった、と彼は思った。すすめられるままに結婚し、彼女は信夫家の主婦になった。彼女はいつも主婦のいるべき場所にいたし、主婦のなすべき事をしていた。だがそれだけであった、当然そこにいるべき者がいるというだけで、それ以外の感情で彼女を見たこともなく、接したこともなかった。——しかしいま、彼ははじめて違った眼で妻を見、ふしぎな感動にひたされていた。

——初世は子を産んだことがある。

彼女が信夫家へ来るまえに、いちど結婚した経験があるという。杏所は聞いたようでもあるし、はじめて聞くようでもあった。（それほど無関心だったのであるが）。いちど人の嫁になり、その人に愛され、子を産んだ、——ということが杏所の眼を洗った。いまはじめて、杏所は初世の姿に「女」をみいだした。それはきわめて新鮮であり、深い感動を伴っていた。

——こんなに若く、まだこんなに美しい、まだみずみずしいくらいだ。と杏所は思った。

「こっちへおいで」

と杏所は云った、

「おまえの頼みは承知した、こっちへおいで」

初世は顔をあげた。そして、良人が微笑しているのを見て（まだ幾らか不安そうに）そっと膝《ひざ》ですり寄った。

「もう少しこっちだ」

と杏所は手を差し出し、初世の手を握って云った、

「おまえ、信夫へ来てからは子を産まなかったな、どうしてだ」

初世はぱっと頬《ほお》まで染め、「それは御存じのはずですわ」と口の中で呟《つぶ》やいた。

「云ってくれ、どうしてだ」

「放してくださいまし」と初世は握られた手を放そうとした、

「そんなこと、わたくし、存じません、お願いですから、どうぞお放しになって」

「いや、聞くまでは放さない」

と杏所は微笑しながら云った。

「なぜだ、よそでは子を産んだのに、どうしておれとの仲には、一人の子も」と云いかけて彼は絶句し、口をあけて妻を見つめた、

「――初世、……まさか、まさかいちども、いちどもそれが」

初世は手をふり放し、袂《たもと》で顔を隠しながら、逃げるようにその座敷から出ていった。

「このばか者」と杏所は自分に云った、

「この放埒《ほうらつ》な、情け知らずの盲人の、たわけ者、……これで眼《め》がさめたか」

そして彼はまた自分に云い返した、

「わかった、よくわかった、しかしまだ終わったわけじゃない。まだ時はある、償ないをする時はまだ充分にあるよ」

十

翌日早朝、――真野忠左衛門の家で、杏所が忠左衛門と話していた。「おれは甲《かぶと》をぬいだ」と杏所は云った、

「おれの時代は去ったらしい、調達《ちょうだつ》の件は取り消して帰るよ」

「みんなが安堵《あんど》することは受け合いだね」

「ただし一つ条件がある」と杏所は云った、

「若杉泰二郎には弟があるそうだ、若杉家は弟に継がせて、泰二郎をおれの養子にもらいたい、それが条件だ」

「そうさな、弟のほうが実子だから、たぶんいいだろうと思うが」

と忠左衛門が云った、

「しかし、彼には大村直人の娘が許婚《いいなずけ》になっているよ」

杏所はちょっとぎくりとした。堀普請《ほりぶしん》の現場でからきめにあったからである、だがすぐにうなずいて、

「よかろう」

と云った。

「おれはその娘も見た、似合いの夫婦になるだろう、すぐ話をまとめてくれ」

忠左衛門は承知した。用談がすむと、杏所はにやにやしながら、

「ゆうべは初世の寝所を捜すのに骨を折ってね」

と云った。

「どの部屋をあけても違うんだ」

と彼はくすくす笑った、

「しまいに初世が出て来てくれたんで助かったがね、妻の寝所を知らなかったとは、われながら、その、――」

そして彼は座を立ちながら云った。

「江戸へ帰るときは初世をつれてゆくよ」


（「小説倶楽部」昭和三十年十一月号）

しづやしづ

一

「――しづの苧環《おだまき》くり返しか」と貞吉は頭をゆらゆらさせた、「むかしをいまに、だろう、むかしをいまに、なすよしもがな、てんだろう、違うか」

「ひどく酔っちまったな」と小村屋のいうのが聞えた、「これはもう歩けそうもねえぞ」

「泊らせちまうさ」とだれかがいった、「たまにはそのくらいのこともさせなければ、いくら四丁目が辛抱づよくっても可哀《かわい》そうだ」

「しかし、場所が場所だからな」

「深川の網打場《あみうちば》じゃあ、小村屋さんの御人体《ごじんてい》にかかわるか、いいさ、私がいっしょに泊っていくよ」

そら始まった、とだれかがいった。だれの声だかよくわからないが、「八官町のおきまりだ」と笑い、「四丁目はかこつけで、本当は八官町が泊りたいのさ」といった。

するともう一人が、四丁目のかみさんは家付きで、おそろしく気が強いという評判じゃないか、といった。

それは桜橋の松田屋の声らしい。続いて小村屋がなにかいい、だれともわからない声が、また、八官町をやりこめた。

「私は帰らないぜ」と貞吉がいった、舌のもつれるのが自分でもおぼろげにわかった、「――しづの苧環、むかしのことをいったって始まりゃあしない、私は泊るよ」

二

「お呼びですか」という声がした、「どうなさいました、苦しいんですか」

貞吉は眼《め》をあいた。こちらをのぞいている女の顔が、すぐ眼の前に見えた。

「なにかいったか」

「あたしをお呼びになったって、――」と女が微笑した。女は手拭《てぬぐい》で、濡《ぬ》れた髪の毛を拭《ふ》きながら、貞吉に微笑しかけた、「お芳さんがいま知らせに来たんですよ」

「いまなん刻《どき》だ」

「九つ半（午前一時）ころでしょ」

「みんな泊ってるのか」

「八官町さんていう方だけよ、ほかの方たちはお帰りになったわ」

貞吉は「新兵衛か――」とつぶやいて、頭を振りながら起きあがり、枕《まくら》もとにある水を飲もうとした。

女は「おひやなら新しいのを汲《く》んで来ますよ」といい、髪の毛の先を、手拭で巻いて束ねながら、水差を持って立ちあがった。

貞吉は手をあげて、「ちょっと——」と呼びとめ、ここでは酒は飲めないのか、ときいた。

お飲みになりたいの。うん、少し醒《さ》めたらしいんでね、無理でなければ飲みたいんだ。表むきはいけないことになってるのよ、でもあがりたいんなら持って来ますわ。じゃあ、そうしてもらおう。でもお肴《さかな》がないかもしれませんよ、といって、女は出ていった。

貞吉は立って、帯をしめ直した。

「堅いばかりが能じゃないよか、ふん」と彼は呟《つぶや》いて、夜具の脇《わき》へ片よって坐《すわ》り、こぼれてくる髪の毛を搔《か》きあげた、「そういうことか、いいとも、好きなようにおだをあげるさ、ふん、おれだって——」

貞吉は耳たぶを引張った。

——たまにはやきもちのひとつもやかせてごらんな。

そういったときの、おひでの顔が、また眼のさきに見えるようであった。

「家付きの女房で、おそろしく気が強いっていう評判じゃないか」と彼はまた呟いた、「あれは桜橋の声だった。たしかに松田屋の文さんの声だった。……おそろしく気が強いって評判か、ふん、知ってやがるくせに」

女が戻って来た、「ごめんなさい」と声をかけて唐紙をあけ、貞吉を見て微笑した。

「おそかったでしょ、ごめんなさい」

女は背丈が高かった。痩《や》せがたで、三寸五分ちかくあるだろう。貞吉は女の背丈の高いのに初めて気がつき、「のっぽだな」といった。

そうなのよ、と女ははにかみ「ばかだから、ごはんを縦にたべたんですって」といい、坐って、酒肴《しゆこう》をのせた盆をそこへ置いた。坐るときにふんわりと留木《とめき》が匂《にお》った。

「刻はずれに済まなかった」と彼は一つ飲んでいった、「つきあってくれるだろう」

貞吉が盃《さかずき》を出すと、女は「どうしようかな」と首をかしげた。

「飲めるんだろう」

「あたしだめなの」と女はいった、「もう五年くらいも飲んだことがないのよ」

「五年くらいだって」

「でも頂くわ」と女は手を出した、「まねだけ注《つ》いでね」

貞吉が酌《しやく》をすると、女は左手で盃を持ち、右手を盃の下へ当てて、「見ないでね」

といいながら、危なっかしくすすった。あまりにうぶらしい手つきなので、貞吉は、こぼれてくる髪の毛を掻きあげながら、われ知らず微笑した。女はそれに気がついたのだろう、肩をすくめてくすっと笑い、「いやだ――」といいながら盃を返した。

「いやだ――見ないでっていったのに」

「よかったよ」と彼はいった、「花嫁が祝言《しゅうげん》の盃を飲むようだった」

女ははにかんだ眼でにらみ、「気持が悪いかもしれないけれど」と頭へ手をやりながら、立ちあがった。

一杯で気持が悪くなったのか。いいえ、おぐしがうるさいようだから、といって、女は貞吉のうしろへまわった。いいんだ、汚れてるからよしてくれ。でもちょっと撫《な》でつけさせて下さいな。あたしの櫛《くし》では気持が悪いでしょうけれど、ちょっと撫でつけるだけ、この櫛きれいなのよ、「ほんと」といい、女は貞吉の乱れた髪を撫でつけた。

「名前は聞いただろうね」と彼は低い声でいった、「酔ってたもので忘れちゃったが」

「ほんとの名前はおしづ、へんでしょ」

「へんじゃないさ」と彼はいった、「――私の番になってくれたんだね」

「番って」
「よく知らないんだが、あいかた、とでもいうのかね」
「いいえ」とおしづは含み笑いをした、「そうじゃないの、あたし手伝いなのよ」あたし
女は櫛を自分の髪へさしながら元のところへ坐って、燗徳利《かんどくり》を取りあげた。あたし
はここの女主人の友達で、女主人はおしげというのだが、病気になったので、手伝い
に来ていたの。ゆうべは客がたて混《こ》んだから、酒の酌にだけ出たのよ、と女は話し
た。
「そりゃあ悪いな」と彼がいった、「そういう人にこんな面倒をかけるなんて悪かっ
た」
「あら嘘《うそ》、あたしこそ悪いわ」と女は微笑した。「こんなのっぽのおばあさんで、あ
たしこそきまりが悪いわ」
「のっぽだけはたしかだ」と貞吉はいった。おしづはにらんで、酌をしながら、「今
夜は客が多くて、うさぎさんがあなたのお相手に出られなかったのよ」またこんどい
らっしゃいな、若くて可愛《かわい》くていいひとよ、といった。
まるでとりとめのないことを、次から次と話しながら、かなり飲んで気がつくと、
窓の障子が白んでいた。

「あら、雨戸を閉めなかったのね」とおしづが立ちあがった、「ごめんなさい、もう明るくなってるわ」

「少し障子をあけようか」

「そうね、ちょっと息抜きをしましょう」

そういって障子をあけ、「あらひどい霧」とつぶやいた。五月の明けがたの、冷えた空気がながれこんで来、貞吉の酔った頰《ほお》をひんやりとなでた。

「山か川か海でもあるといいんだけれど」と窓際《まどぎわ》に立ったままおしづがいった、「ここは家が建て混んでいて、なんにも見えないわね」

「山や海が好きなのか」

「山の見えるところにもいたし、海の見えるところにもいたの」とおしづがいった、「あたしいろんなことをして来たのよ、あなたなんか聞いたら、それこそびっくりするような、いろんなこと」

貞吉はふと眼をつぶった。おしづのいいかたに、胸にしみるような調子があり、その声がかなりしゃがれ声だということに気づいた。

——悲しい、辛《つら》いことがあったんだね。

そうきこうとして、貞吉は頭を振った。

「生きていれば」と彼はいった、「だれだっていろいろなことにぶっつかるさ、私だって、——私なんかいまだって」

おしづが障子を閉めた。少し荒っぽい閉めかたで、ぱたっと音がし、彼女は振向いてこっちへ来ながら、「よしましょう、こんな話」といった。貞吉が見ると、おしづの頬がこまかくひきつっていた。

どこかの部屋で、客の起きる物音がしはじめた。

三

三日目に、貞吉はまたその家へいった。

梅雨にはいったらしく、湿っぽい小雨の降る晩で、まだ宵《よい》のくちだったが、路地はひやかしの客も少なく、店もひっそりしていた。おしづはすぐに出て来て、はにかんだ微笑をうかべ、「濡れたでしょ」といいながら、手拭で彼の袖《そで》や裾《すそ》まわりを拭いた。そして、傘《かさ》や履物を片づけておくようにと、店にいた若い女に頼んでから、このまえとはべつの、いちばん奥にある四帖半《よじょうはん》へ彼を案内した。

「汚ないけれど、いいかしら、ここ、あたしの部屋なのよ」

「おちついていていいよ」

「いいわね」とおしづがいった、「どうせ、うさぎさんのところへいくんですもの、飲むうちだけの辛抱だから」

「うさぎさんだって」と彼は訊《き》き返した、「おしづさんはだめなのか」

「あたしはだめよ」とおしづは眼をそらした、「あたしは手伝いに来ているだけで、しょうばいに出てるんじゃないんですもの」

貞吉は「そうか」と溜息《ためいき》をついた。

「じゃあ、――」と彼はいった、「ここで飲むだけ飲んで帰る、ってわけにはいかないかな」

「さあ、どうかしら」

「いかないだろうな」と彼はいった、「料理茶屋じゃあないんだからな」

「そうね」とおしづがいった、「でもちょっと待っててちょうだい、あたしおしげちゃんにきいて来てみるわ」

そして、すらっと立って、出ていった。

戻って来るまでに、ちょっと暇どった。「だめなんだな」と貞吉はつぶやいた。二十八にもなるのに、場所のしきたりにも気がつかない、なにかいい方法があるかもしれないのに、その思案もつかないだらしなさ、ちぇ、と貞吉は舌打ちをし、「だから、てめえの女房にまで軽く扱われるんだ」と自分にいった。

おしづは酒の支度をして戻って来た。

「いいんですって」とおしづは舌を出し、蝶足《ちようあし》の膳《ぜん》をそこへ置いた、「あたしの好きなようにしていいんですってよ」

貞吉は「そいつは」といって、てれたように眼をそらした。

おしづは一つ酌をしてから、いまおいしい物を拵《こしら》えて来るから、「もう少しひとりで飲んでいてちょうだい」といい、ぽっと上気したような眼で、貞吉を見て、出ていった。――貞吉はゆっくりと、なめるように飲みながら待っていた。それは楽しい時間であった。そんなに安らかな、包まれるように温かな、おちついた気分を味わったことはない。結婚して五年になるが、こんなにくつろいだ、安らかな気持を感じたことは、貞吉にはいちども覚えがなかった。

「あそこはうちじゃあない」と彼は口の中でつぶやいた、「おれのうちじゃない、これからも、いつまで経《た》っても、決してこのおれのうちにはならないだろう」

おしづが戻って来た。くすっと笑いながら「できそくなっちゃった」といって、皿と鉢《はち》を膳の上へ置き、新しい燗徳利を持って、酌をした。鉢のほうは卵の黄身と味噌《みそ》とを火で煉《ね》ったもの、皿のほうは干鱈《ひだら》を焙《あぶ》って裂いたのへ、甘酢をかけたものであった。

「気取ったことをするね、美味《うま》いよ」

「上手にやればもっとおいしいんだけれど」とおしづは恥ずかしそうに笑った、「いそいだもんだから、それはできそくないよ」

貞吉は「これで充分だ、美味いよ」といい、一杯つきあわないか、と盃をさしだした。

おしづはこんども「どうしようかな」とためらい、それから受取って、用心ぶかく、すするように飲んだ。

「あなたはお堅いんですってね」と盃を返しながら、おしづがいった、「このあいだ八官町さんて方からうかがったわ」

貞吉は自嘲《じちょう》するように「新兵衛か」とつぶやいた。

「めったに茶屋あそびなんかなさらないんだって、だからあたし、もう来ては下さらないだろうって、思ってたのよ」

「いくじがないから」と彼がいった、「だれかさそって来ようと思ったんだけれどね、ずいぶん勇気をだしたんだけれど――迷惑じゃないかとも思ったしね」

「迷惑な筈《はず》がないじゃありませんか」とおしづはそっとにらみ、低い、つぶやくような声でいった、「あたし、うれしかったわ」

それは（また）胸にしみるような調子であった。貞吉は眼をそらしながら、だれかさそって来れば二人きりで話ができないし、逢《あ》いたいことは逢いたいし、「ずいぶん迷った」のだといった。おしづは急に、はずんだ声で、「あたし、頂くわ」といい、もう一つ盃を持って来るから、と立ちあがって出ていった。

貞吉は眉《まゆ》をしかめた。あやされるような楽しさで、胸がときめき、あまりに気持がうきたってきて、われながら「だらしがねえぞ」と思ったようであった。——おしづは戻って来たが、盃を膳の上に置くと、客があがったので花帳《はなちょう》をつけなければならない、「すぐに済むから」と引返していった。

貞吉は立って窓をあけ、独りで飲みながら、部屋の中を眺《なが》めまわした。

壁に掛けてある（包んだ）三味線。小さな茶箪笥《ちゃだんす》と鏡台。古びた長火鉢と、それを囲うように隅《すみ》に立ててある枕屏風《まくらびょうぶ》。道具らしい物はそれだけであるが、それらがみな、あるべき場所にきちんと片づいていて、おちついた気分をつくっていた。

——ふしぎだ、この部屋はまえから知っているようだ。

まえに幾たびも来て、飲み食いもし、寝起きもしたような気がする、と貞吉は思った。そうだ、露月町《ろうげつちょう》のうちの、おふくろの部屋がこんなだった。もっと道具はそろっていたし、唐紙の模様も違う。窓はなくて、廊下のほうが障子になっていた。よく見るとみんな違っているが、どことなく同じ感じがする。こうしていると、あのおふくろの部屋にいるようだ、と貞吉は心のなかでうなずいた。

おしづが硯箱《すずりばこ》と小さな帳面を持ってはいって来た。客がたてこみそうなので、ここで帳面をつけることにして来た。「うるさいでしょうけれどごめんなさい」と貞吉をみつめ、はにかみ笑いをして、「だって向うにいるとお顔が見られないんだもの」とささやいた。

貞吉は眩《まぶ》しそうに眼《め》をそらして、「私は構わない、うるさくなんかないよ」といい、その芸のない受けかたに（自分で）肚《はら》を立てたのだろう、盃を取って乱暴におしづへさした。

「だいじょうぶかな」とおしづがいった、「酔って帳面がつけられなくなりゃしないかな」

「そうしたら、私がつけるよ」

「あらまさか、こんなものをつけて頂いたら、それこそばちが当るわ」そういっておしづは顔をそむけながらささやいた、「――今夜、泊ってって下さいね」

四

貞吉はその夜おそく帰った。

おしづは泊ってゆけとすすめたが、客の多い晩でおちつけなかったし、泊ることがおしづにとって無理かもしれないと思い、九時ごろに立ちあがって、雨の中を帰った。

「またいらっして」とおしづが店の外まで送って来て、いった、「おうちのほうに悪かったら、お顔だけでも見せにいらっしってね」

貞吉はおしづの眼をみて、うなずいた。黒江町の通りへ出ようとして振返ると、おしづはまだ軒下に立って、じっとこちらを見送っていた。

明くる日の夕方、貞吉はまた網打場へいった。まえの日からの雨が、まだ降り続いていて、灯《ひ》ともしころだったが、その一画は昨日よりひっそりしていた。貞吉を見ると、おしづは「あッ」というように口をあき、顔がべそをかくようにゆがんだ。

「不動様の近くまで来たんでね」と彼は口ごもった、「すぐに帰るよ」

おしづは黙ったまま貞吉をあげ、ゆうべの部屋へとおした。部屋へはいるとすぐ、長火鉢の抽出《ひきだし》から、小さな紙包を出して、「いやだ、こんなことして――」といいながら、貞吉の手へ渡そうとした。

「お帰りになったあとでみたらこんなものがあるんですもの、いやだわ、あたし」

「だって」彼はどもった、「──じゃあどうすればいいんだ」

「お金なんて、いや」とおしづがいった。

貞吉はわけがわからず、「じゃあ、来られないぜ」といった。ただで飲み食いをするわけにはいかないからね、少なくって悪いが、それを取ってくれないんなら、もう来ないよ。困ったな、とおしづは紙包を持っている自分の手を見た。あたし、いやなんだけれど、困ったな。困るほど、ありゃあしない、たぶん不足だろうけれど取っておいてくれ、さもなければ本当に来られやしないよ、と貞吉がいった。

「そんならいいわ」とおしづがいった、「悪いけれどおあずかりしておくわ、その代り今夜はひまらしいから、ゆっくりしていらしってね」

「いや、今夜は用達しの帰りなんだ」と彼は首を振った、「この次にゆっくりしよう、今夜は早くひきあげるよ」

「つまらない」とおしづはいった、「つまらないわ、あたし、そんなら、いっそ来て下さらなければいいのに」

そういってすぐに「うそ、うそ」と強くかぶりを振り、貞吉にとびついて、「うそよ、ごめんなさい、来て下さるだけでいいの」と両手で抱きしめ、「お顔を見るだけでいいの、ごめんなさい」といいながら、そのままのどで泣きだした。

貞吉はおしづの肩を抱き、激しく頰ずりをしながら「おしづ」とささやいた。すると胸がいっぱいになり、息が詰って、あえいだ。おしづは顔をまわして、唇《くちびる》をよせたが、貞吉はぶきように避けた。

「あたし、悪い女ね」とおしづがすすりあげながら、ささやいた。「あたし、悪い女よ、あたしがどんな女だかっていうことがわかったら、あなたきっと嫌《きら》ってしまうし、もう来ては下さらなくなるわ」そして声を詰らせ、まるで苦痛を訴えるようにいった、「あたしにはいろいろなことがあったのよ」

「生きていれば、だれだっていろいろなことにぶっつかるよ」

「このまえもそう仰《おっ》しゃったわね」

「おしづは悪くはありゃあしない」と彼はいった、「生きてゆくっていうことは、男にだってなまやさしいものじゃないんだ、まして女の身となれば、どんなに苦しい辛いことがあるか、どんなに生きにくいかっていうことは察しがつくよ、もし悪いとすれば、それはおしづじゃあない、世間のほうが悪いんだ」

「そうじゃないの、あたしはそうじゃないの」とおしづはしゃがれた声でいった、「あたしは自分が悪かったの、世間の罪じゃなく、みんな自分が悪かったのよ、ほんと、あたしって悪い女なのよ」

そして急に貞吉からはなれ、酒の支度をして来る、と立ちあがった。袖口で眼を拭《ふ》きながら、部屋を出ようとして振返り、にっとはにかみ笑いをして「いやだ――」と低い声でいった。

貞吉は半刻ほどして帰った。用達しというのは嘘だったが、いってしまったてまえ、おちつくわけにはいかなかったのである。

おしづはやはり送って出て、また来てくれるようにといった、「またいらしってね、きっとよ」と繰り返し、手を伸ばして、そっと貞吉の腕にさわった。

明くる日、――貞吉は午《ひる》すぎに八官町の新兵衛を訪ねた。新兵衛は「井ノ伊」という足袋屋で、父親は亡《な》くなったが、継母のたよがまだ（四十二歳で）元気だったし、しょうばいのほうも職人を七人ほど使ってかなり繁昌《はんじょう》していた。新兵衛にはおもとという妻と、二人の子があるが、継母はよくできた人で、家内のおりあいも、うまくいっていた。貞吉が「井ノ伊」の店を訪ねるのは久しぶりで、新兵衛はすぐに酒の支度を命じたが、貞吉は「ちょっと出られないか」とさそった。

「出てもいいが」と新兵衛はさぐるような表情で彼を見た。「――なにか、あったのか」

貞吉はあいまいに首を振り、「ちょっとつきあってもらいたいんだ」といった。

新兵衛はなにかあるなと感じたらしい、手早く着替えをして、いっしょに外へ出た。「さきに一軒よってくれ」といって、新兵衛は三十間堀《ぼり》の「金八」という料理屋へさそった。小体《こてい》な店だったが、近ごろ店開きをしたのだそうで、家もしゃれた造りだし、凝った物を食わせるので評判だ、ということであった。そこで一刻ばかり飲んでいるうちに、また雨が降りだした。

貞吉はおしづの話をするつもりだったが、いざ二人で向きあってみると、なにも話すことはなかった。話せば笑われるか、意見をされそうだし、相談してどうしようということもない。これはなにもいわないほうがいい、と貞吉は思い直した。

新兵衛はやがて「なにか話でもあるのか」と訊いた。貞吉は首を振った。べつにそんなことはない、ただ一杯つきあってもらおうと思ったんだ。珍しいな、四丁目へいってから初めてだぜ、と新兵衛がいった。

「うちでなにかあったのか」

貞吉は「いや」と頭を振った。

「しっかりしてくれよ」と新兵衛がいった、「おまえ、露月町にいたじぶんとは人が変ったぜ、まるでしょっちゅう重荷でも背負ってるようじゃないか、婿《むこ》ってものはそんなに小さくなってなくちゃならないのか」

貞吉はびっくりしたように新兵衛を見た。新兵衛はもう酔っていて、その表情も、口ぶりにも、酔っているときの辛辣《しんらつ》な色があらわれていた。

「四丁目へ婿にゆくまえ、みんなで飲んだことがある」と新兵衛はいった、「桜橋の松田屋へいった文ちゃん、——小村屋と、おれ、——寺子屋じぶんからの友達四人だった、覚えてるか」

五

そのときおれたちが、婿になんかゆくなといったら、おまえはいばって、「河内屋《かわちや》のしんしょうを飲み潰《つぶ》してみせる」といった筈だ。そういばった筈だが、覚えてるかと、新兵衛はいった。

あのじぶんは、四人のなかでおまえがいちばん活《い》きがよかった。おれたちに酒の味を教えたのもおまえだ。露月町の「越前屋」といえば、糸綿問屋では知られた老舗《しにせ》だし、しち堅いので評判の家族だった。おやじさんは堅人《けんじん》だったし、兄貴の仲次郎さん、平吉さん、みんな堅かった。

おまえだけは向っ気が強くって、十六七から酒も飲むし、芝居小屋だの寄席《よせ》だのへ出入りはするし、ぐれたような仲間ともつきあってた。まさか河内屋を「飲み潰す」とは思わなかったが、おまえなら、婿にいってもしぼんじまうようなことはなかろう、さぞ活きのいい婿になるだろうっておれたちは話しあったものだ。

それがどうだ、いったとたんからしゅんとしちまって、ろくすっぽおれたちとのつきあいさえしなくなった。どうしてだ、河内屋にはもうしゅうともしゅうとめもいない、だれに気兼ねしてそんなに小さくなってるんだ。家付き娘のおひでさんが、そんなに怖いのか、そうなのか、と新兵衛はいった。

「このまえ松田屋のじいさんの、米の字の祝いで宴会があった」と新兵衛は続けた、「そのとき、おれたち三人で話したんだ、四丁目があれじゃあ、ひどすぎる、ひとつ活を入れてやろうって、それでむりに酔わせて、網打場へつれていったんだ、新吉原《なか》なんぞじゃあ、薬が効くまい、岡場所にしようといったのはおれだ、わかるか」

「わかるさ、よくわかるよ」と貞吉は力のない声でいった、「おれだって、われながらだらしがねえと思っているんだ、しょっちゅう思ってるんだ、けれども――」

「飲めよ」と新兵衛がいった、「おひでさんがいくら男まさりだって、まさか取って食うわけじゃあないだろう、しっかりしてくれ」

あの晩、おまえは酔って「昔を今になすよしもがな」ってしきりにいってた。気取るなよ、越前屋の貞の字がなんだ、いまはれっきとした河内屋貞吉、自分のかみさんと自分のしんしょうじゃねえか、びくびくするない、と新兵衛がいった。

だが、少しいいすぎたと思ったのだろう、貞吉の浮かない顔に気がつくと、「おい」と声をひそめた。

「本当になにかあったんじゃないのか」

「なにかって、――」

「このあいだうちをあけたことでよ」と新兵衛がきいた、「おひでさんと喧嘩《けんか》でもしたんじゃあないのか」

「そのくらいの情があればな」と貞吉は顔をそむけ、それから急に「いきなりだが」と新兵衛を見た、「少し都合してもらえるか」

「金か」と新兵衛がいった、「少しぐらいなら持ってるが、いくらだ」

「いや、いまじゃないんだ、近いうちに頼むかもしれないんだ」と貞吉はいった、「三十両ばかりあればいいと思うんだが、露月町の兄貴には頼めないんでね」

「仲次郎さんも相当だからな」と新兵衛は手酌《てじゃく》で飲んだ、「婿入りの晩だろう、聞いたよ、河内屋の婿になった以上、もう私と兄弟の縁は切れた、これからはどんなに困ったからといって、一文の補助もしないからって、みんなの前ではっきりいったそうじゃないか」

「おれの行状も悪かったんだろうが」

「いいにくいことをいう人だ、仲次郎さんという人は」と新兵衛がいった、「貞の字もおふくろさんの生きていたうちが華だったな」

そして「金のことは引受けた」といった。

貞吉はそこで新兵衛と別れた。新兵衛はなにもきかなかったが、「なにかある」とは察したらしく、貞吉がひと足さきに帰るというと、いいだろうとうなずき、「おれはもう少し飲んでゆく」といって、あとに残った。――貞吉は駕籠《かご》を呼んでもらって、「金八」からまっすぐに網打場へいった。雨になったためだろう、時刻はまだ四時くらいなのに、あたりはたそがれのように暗く、空気も冷えてきて、駕籠の中にいても肌寒《はだざむ》いくらいだった。

「そうだ、ぶっつかってみよう」と彼は駕籠の中でつぶやいた、「金のことをいいだしたのがきっかけだ、自分でも思いがけなかった、いうつもりはなかったのに、ふいと口に出ちまった、こういうのが、いいきっかけというやつかもしれない、そうだ、ひとつぶっつかってみよう」

黒江町から曲るところで駕籠をおり、手拭《てぬぐい》を頭からかぶって、その横丁へ走りこんだ。店は人のけはいもなく、狭い土間は暗くひっそりしていて、お芳という女が出て来るまで、幾たびも呼ばなければならなかった。――ねぼけまなこで出て来たお芳は「あらッ」と眼《め》をみはり、どうぞといって、おしづの部屋へ案内した。

「おしづねえさんは、うさぎさんたちとお湯へいってますの」とお芳はいった、「もう帰るじぶんですから、待って下さいな、あ、それから――、いつもどうも済みません」

貞吉は「なんだ」と訊《き》いた。お芳は「うさぎさんや自分がいつも花をつけてもらって済まない」といい、座蒲団《ざぶとん》を出したり、茶を淹《い》れて来たりした。

――おしづのしたことだな、と貞吉は思った。そうだ、二度めのときからだ、おしづはしょうばいに出ているのではないから、ほかの女に花をつけなければ、おれをあげるわけにはいかなかったんだろう。自分で花をつけて、しかも、おれが金を置いていったら返そうとした。

「おい」と彼は自分にいった。「この田舎者、しっかりしろ、みっともねえぞ」

おしづはまもなく帰って来た。廊下の向うが賑《にぎ》やかになったとおもうと「あら、ほんと」という、おしづのはずんだしゃがれ声が聞え、つぎに女たちのはやしたてる声が聞え、続いて、女たちのはやしたてる笑い声と、「ええ、いいわ、おごるわよ」といいながら、廊下をいそいで来る足音が聞えた。

貞吉は耳たぶをつまんで引張った。唐紙をあけて、おしづが貞吉を見、「ほんとだ、ああうれしい」といいながら、はいって来た。いらっしゃい、あたし、だまかされるんだと思ったわ、まさか今日いらっしゃるとは思わなかったものだから。いまお湯へいって来たところなの、こんな恰好《かっこう》でごめんなさいね。

おしづはそういいながら、湯道具を鏡台の脇《わき》へ置き、貞吉をじっと見て、微笑した。――湯あがりの頰《ほお》がつやつやとして、衿《えり》あしから頰まで、ぱっと血の色がさしていた。貞吉はまた耳たぶを引張り、おしづはもういちど微笑してから、「ちょっと待ってね」といって鏡台に向った。

ざっと髪を撫《な》でつけ、白粉《おしろい》をはいてから、おしづは貞吉のそばへ来て、改めて、「いらっしゃい」と神妙におじぎをし、それから低い声で「うれしいわ」といった。

「八官町と飲んで来たんだ」と貞吉はまぶしそうな眼つきをしていった、「今夜はゆっくりするよ」

六

夜なかの二時すぎ、――貞吉は寝衣《ねまき》の上に半纏《はんてん》を重ねて、夜具の上に坐《すわ》って飲んでいた。枕許《まくらもと》の膳《ぜん》には、喰《た》べ残した皿小鉢《こばち》と、燗徳利《かんどくり》が二本。おしづが十能《じゅうのう》を持ってはいって来て、長火鉢に火をいれ、それから出ていって、こんどは燗徳利を三本と、小《こ》鍋《なべ》を持って戻って来、小鍋を火にかけてから、こっちへ向いて貞吉に酌をした。

このあいだずっと、おしづは（ほとんど）休みなしに話していた。

彼女は芝の金杉《かなすぎ》に生れた。家は建具屋で、兄が二人あり、かなり豊かに育てられた。小さいじぶんから読み書きを習うかたわら、長唄《ながうた》や踊の稽古《けいこ》にかよい、十六の年までに、どちらも名取りになった。そこで謀叛心《むほんしん》が起こり、親たちに無断で芸妓《げいこ》になった。

「どうしてそんな気持になったのか、いまになってみると、自分でもわからないの」とおしづはいった、「お父っさんはやかましい人だったけれど、おっ母さんや兄さんたちには可《か》愛《わい》がられていたし、これがいやだ、っていうことはなに一つなかったんですもの」

彼女は柳橋で芸妓になった。

芸妓になった手順は話さなかったが、長唄か踊の関係でそうなったのだろう。そこにいまこのうちの主婦になっているおしげがいて、必要なことをしんみに教えてくれた。好きでなった芸妓だから、自分でも面白かったし、客もよく付いて、二年ばかりは天下を取ったような気持だった。親や兄たち、――ことに父親は怒って、「戻って来い」と幾たびもどなりこんで来たが、おしづはそのたびに逃げだして、いちども会わずにしまった。母は来なかったが、兄たちは三度ばかり来て、おしづの気持が動かないとわかったのであろう、「いやになったら、すぐに知らせろ」といい、それから暫《しばら》くのあいだは縁が切れたようになった。

　これらの話は順序立ったものではなく、あとさきになったり、脇へそれたり、記憶ちがいに気づいていい直したりするし、またその言葉つきはぎごちなく、いいたいことの半分もいいあらわせないというぐあいで、そのために却《かえ》って、話すことにしんじつさが感じられた。

「それからね、あたし、——いってしまうけど、人のおかみさんになったの」

「好きだったのか」

「ええ、正直にいうけれど好きだったわ」とおしづはいった、「あたしのほうからおかみさんにしてくれっていって、いっしょになったの、ばかね、よしたほうがいいって、みんなに意見されたのよ、そのひと堅気じゃなかったもんですからね」

「堅気じゃないって」

「恥ずかし、きかないで、——」とおしづは手を振り、貞吉に酌をしながらいった、「その人とは七年いっしょにいて、三年まえに別れちゃったの、これでおしまい」

貞吉はちょっと黙っていたが、やがておしづを見て、「苦労したんだな」ときいた。

ええ、苦労したわとおしづはうなずいた。お話にならないような苦労のし続けで、京、大阪から、九州の長崎というところまで、ながれていったこともあるのよ。長崎だって、と貞吉が眼をそばめた。いやだ、訊かないで、とおしづはまた手を振った。あたし、苦労するのは平気だったわ、ときには二日くらい喰べないでいたことがなんどもあるけれど、そんなことはなんでもなかったの。そしてその人が立ち直って、景気がよくなると女でいりが始まった。お定りね、あたしはばかだけれど、それだけはがまんできなかった。ほかのことならどんな辛抱でもするわ、でもそれだけはいや、それだけはがまんできなかった。すぐにとびだして、こっちから離縁状を送ってやったわ、とおしづはいった。

貞吉はおしづに盃《さかずき》をさし、酌をした。

「酔ってるのね、あたし」とおしづは盃をひと口にすすった、「ばかな話ばかりで、ごめんなさい」

「うちの人たちはどうしている」

「ふた親と下の兄さんは死んじゃったわ」とおしづはいった、「上の兄さんは麻布《あざぶ》で世帯《しょたい》を持って建具屋をやっているけど、ふた親と下の兄さんは一昨年の流行《はや》り病いで、いっぺんにとられてしまったわ」

「その——」と貞吉がきいた、「ご亭主になった人とは、すっかり縁が切れたのか」

「向うでは戻って来てもらいたいらしいの、でもあいだに人を立てて、はっきり離縁状も取ってあるし、それよりも、あたしの気持が変っちゃって、戻ろうなんて気はこれっぽっちも起こらないの、自分でもふしぎなくらいよ、きれいさっぱり、二度と顔も見たくないわ」

「それなら」と貞吉がいった、「私とうちを持っても、さしつかえることはないじゃないか」

おしづは頭を振り、「うれしいけれど、とても——」としゃがれた低い声でいった。

「よく聞いてくれ」と貞吉がいった、「さっき話したとおり、私は河内屋を出るつもりだ、どうしても女房とうまくゆかない、たぶん性《しょう》が合わないんだろう、ほかにどういいようもない、女房は私が不満らしいし、私は女房に歯が立たない、本当に歯が立たないという感じで、このままいっしょにいると、腑《ふ》抜《ぬ》けになってしまいそうなんだ」

「あたしお針もうまいのよ」とおしづがいった、「洗い張りもできるし、御飯も炊けるの、ほんとよ、嘘《うそ》つかない、自分でいうのはおかしいけれど、なろうと思えば、あたしいいおかみさんになれると思うわ、でも、――そういって下さるのはうれしいけど、とてもなれないわけがあるのよ」

「まえの人のことか」

「ちがう」とおしづはかぶりを振った、「それはあいだに人を立てて、はっきり縁を切ったっていったでしょ、そんなことじゃないの」

「じゃあどういうわけなんだ」

おしづはうつむいて、「いえないわ」とつぶやくようにいった。だれにもいえないことなの、どうかきかないで、これだけはどうしてもいえないことなんだから。それなら一つだけきくが、おしづは私が嫌《きら》いじゃあないのか、と貞吉がいった。するとおしづは「ひどい」と小さく叫び、とびかかるように貞吉へしがみついた。

「ひどいわ、知っているくせに」とおしづは彼を抱き緊《し》め、激しく頬ずりをしながら、ふるえ声でささやいた、「知っていてそんなことをいうなんて、意地わるよ、ごしょうだからいじめないで」

七

私はあきらめない、どうしてもおまえとうちを持ちたいんだ。河内屋を出て、おまえとうちを持って、自分で糸綿の商売を始めたいんだ、どうしてもだ、と貞吉は繰り返した。おしづはかなしそうに、それだけはできない、「それだけは堪忍《かんにん》してちょうだい」とかぶりを振るばかりであった。

「おまえが承知するまで来る」と貞吉はいった、「なん十たびでも、かよって来る、私は本気なんだ」

おしづは長火鉢の前へ戻り、銅壺《どうこ》の中へ燗徳利の一本を入れ、煮えている小鍋を、膳の上へおろした。貞吉が見ていると、おしづの口から嗚咽《おえつ》がもれ、頬が涙で濡《ぬ》れていた。おしづはそれをふこうともせずに、小鍋の蓋《ふた》を取りながら「召上ってみて」といった。

「煮詰っちゃったけれど、薩摩汁《さつまじる》っていうの、長崎で覚えて来たのよ、ほんと、わりかたおいしいのよ」

明くる日、貞吉は午《ひる》ちかいじぶんに帰った。

「またいらしってね」とおしづが弱よわしく笑いかけながらいった、「怒らないで、またいらしって、ごしょうよ」

それから貞吉は足繁《あししげ》く網打場へかよった。長くて二日おき、たいていは一日おきで、毎日かよう日も続いた。彼の顔を見るたびに、おしづは可哀《かわい》そうなほどよろこび、そのたびごとに済まながった。

「あたしが出られるといいんだけど」とおしづはいう、「おしげちゃんが病気だから、夜は出られないし、まさか昼ひなかよそでお逢《あ》いするわけにもいかないし、わがままばかりいってごめんなさい」

おしづはすぐにあやまる。なにかいってはいそいであやまり、小娘のようにはにかみ、そしていつも隙《すき》だらけなことを、貞吉は知った。芸妓になるために無断で家を出奔したり、堅気でない男に惚《ほ》れて、七年ものあいだ（九州くんだりまで放浪するほど）苦労したというような、激しい気性はどこにも感じられない。少なくとも貞吉には感じられなかったし、あまりにすなおで隙だらけなところが、むしろ不憫《ふびん》に思われるくらいだった。

「気をつけたほうがいいよ」とあるとき貞吉がいった、「おしづは火傷《やけど》をしても火の熱さがわからないらしい、そんなふうだと人に騙《だま》されるよ」

「あたしばかだからね」とおしづは微笑し、そして、まじめな顔でいった、「――でも、あたしみたいな女をだますとすれば、よっぽどの悪人だと思うわ」

貞吉は眼をみはった。みはった眼でおしづを見まもり、それから「うん」とうなずいた。

こうして網打場へかようあいだに、貞吉は一方で自分の計画を進めていた。八官町の新兵衛が相談に乗ってくれた。河内屋を出ることも、自分で商売を始めることも、新兵衛はよろこんで同意し、松田屋と小村屋を呼んで、資金を集めたり、手分けをして借家を捜したりしてくれた。これらのことは、露月町へも河内屋へも内密のままはこんだ。話せば事が面倒になる。さきに事実をこしらえてしまうほうが、「話は早い」という意見だった。

河内屋では妻のおひでが、うすうす勘づいていたらしい。貞吉が、にわかにおちつかなくなり、絶えず外出したり、泊って来たりするのだから、まるで気づかないというほうが不自然である。たしかに「なにかある」と思っているらしいが、態度にも口にも、それらしいことは決してあらわさなかった。貞吉はふと「おひでの思う壺《つぼ》にはまっているのではないか」と思い、妙なことにひどく不愉快になった。しかし、そのほうがうるさい手数が省けるし、こっちも気が楽だと肚《はら》をすえた。

その年は梅雨が長く、六月中旬になっても、晴れるかとみるとまた降りだす、という日が続いた。

神田横大工町の、柳原堤に面した通りに家を借りて、造作を直し、家具を入れた。間口九尺、奥行二間半の小さな家だが、「夫婦で商売にとりつくには十分だ」と思った。――家の支度が出来あがったとき、貞吉は三人におしづのことをうちあけた。網打場の女だというと、三人はあっけにとられたが、新兵衛だけはすぐに「あの女か」とうなずいた。初めての晩、貞吉が酔いつぶれて寝たあと、新兵衛はながいことおしづと話した。彼が貞吉のことをいろいろ話したということは、おしづの口から貞吉も聞いていた。新兵衛はその晩のことを覚えていたらしい。小村屋や松田屋が、不服そうな、がっかりしたような顔をすると、あの女なら自分も知っている、「いいじゃないか」と、少しためらいがちにいい、それからはっきり、「いいよ、あれなら大丈夫だ」といった。

「会ってくれればわかる」と貞吉がいった、「あさっての二十二日がいいんだ。こころ祝いをしたいから、三人で来てくれ、そのときおしづにも会ってもらうよ」

「ふしぎだな」と松田屋がいった、「こうしてみると、貞の字はすっかり昔に返ったようじゃないか、こんどのことが始まってから、顔つきまで変ってきたようだぜ」

「あんまり昔に返られても困るよ」と小村屋がいった、「なにしろ、相当な三男坊だったからな、うっかりすると手綱を切りかねないんだから」

「こんどのかみさんに頼むんだね」と新兵衛がいった、「つれ添う相手によって、性分まで変る者がある、どうやら貞の字はその口らしいや、こんどのかみさんに会ったら、よく三人で頼むことにしよう」

貞吉は苦笑しながら、黙って聞いていた。

その夜、――貞吉はいちど河内屋へ帰り、店の者に、「四、五日留守にするから」と断わって、すぐにとびだすと、駕籠《かご》をひろって深川へ向った。

おしづは浮かない顔で彼を迎えた。「どうしたんだ」と部屋へはいるなり、彼がきいた。「機嫌《きげん》が悪いようじゃないか、どうかしたのか」

おしづは首を振り、「なんでもないわ」少し頭が重いだけよ、といった。貞吉はぐったりとそこへ坐った。はずんでいた気持が挫《くじ》かれ、これまで奔走していた疲れが、いっぺんに出てくるようであった。お酒の支度をしましょうか、とおしづがきいた。うん、と貞吉は陰気そうにうなずいた。今夜はここのおかみさんに話があるんだが、飲んでからでもいいだろう。おかみさんって、おしげちゃんのこと。そうだよ。おしげちゃんになんの用があるの、おしづはちょっと色を変えた。

「おしづはこのうちを出るんだ」と貞吉がいった、「だから、代りにだれか人を頼んでもらうんだよ」

「あたしが、どうするんですって」

「このうちを出るんだ」

「からかわないでちょうだい」

「じゃあ、おかみさんの部屋へゆこう」と貞吉は立ちあがった、「さきに話をつけよう、そのほうがいい、そうすればからかってるかどうかわかるよ」

八

おしげは承知した。

寝床の中で横になったまま、「あなたのことは、うかがっていました」いちどおめにかかりたいと思ってたんです、といい、貞吉の話を聞き終ると、おしづに向って、「それごらんなさい」といった。

「あたしのいったとおりじゃないの、ちゃんといらっしゃったし、そんな苦労をなすってたんじゃないの」とおしげはいった、「それなのにあんたときたら、もう棄《す》てられたんだなんて」

「あ、いわないで」とおしづはあわてて遮《さえぎ》った、「ごしょうだから、いわないで」

「なにがどうしたんだ」

「あなたが四日おみえにならなかったら、もうきっといらっしゃらない、棄てられたんだなんていって、今日は朝から泣いたりしていたんですよ」

おしづは袖《そで》で顔を隠し、「ひどい」とからだを振り、「ひどいわ、おしげちゃん」と袖の中からいった。ああそれでか、と貞吉は思った。それであんな浮かない顔をしていたのか、と思い、おしげと眼を見あわせながら、苦笑した。

「このひと弱虫なんですよ」とおしげはいった、「気が強いくせに、弱虫なんです、でもおめにかかって安心しました。あなたならこのひとを仕合せにして下さるでしょう、どうか末ながく可愛がってやって下さい」

「いやだ、待ってよ」とおしづは遮り、抑えていた袖をとって、まじめな顔つきでいった、「そんなふうにいわないで、おしげちゃん、まだきまったわけじゃないんだから」

「きまったわけじゃないって」と貞吉がおしづを見た、「それはどういうことだ」

「あっちへいきましょう、あたし聞いて頂きたいことがあるの」

「いや、ここで聞こう」

おかみさんの前で聞こう、と貞吉はいい、おしづは、「向うへいきましょう」と首を振った。

おしげはとりなすように「あっちへいってあげて下さい、二人っきりで話したいんでしょ」と笑い、おしづに向って、「今夜は帳面は構わないから、ゆっくり話すほうがいいわ」といった。おしづは貞吉を促して立ち、自分の部屋へ戻ると、いま酒の支度をするから、といって引返していった。

このあいだに、外はまた雨になったとみえ、降る音は聞えないが、窓の外のどこかで、間遠にあまだれの落ちる音が聞えた。

その夜は気温があがって、かなり、むしむししたが、おしづは長火鉢《ながひばち》に火を入れ、角樽《つのだる》を持ちこんで来て、「今夜はあたしも頂くわ」などといい、膳拵《ぜんごしら》えにかなり手間がかかった。すっかり支度ができて、飲みはじめてからも、肝心なことはなかなかきりださず、「おしげちゃんていいひとでしょ」とか、「このごろ旦那《だんな》の足が遠のいているのよ」などと、ひとのことをとりとめもなく話した。――客のたてこむ時刻になり、このうちへもあがったし、裏隣りのほうも賑《にぎ》やかになった。

「話さないのか」と貞吉がいった、「いつまで待たせるんだ」

「もう少し待って」とおしづはまた盃を取った、「もう少し酔わなければだめ、これじゃあまだ話せないのよ」

「断わっておくが、私のほうはきまってるんだぜ」と貞吉は酌《しゃく》をしてやった。「家もはいるばかりになってる、河内屋と縁を切る手《て》筈《はず》もついてる、商売の元手も友達三人で出してくれる、みんなすっかりきまってるし、いまこのうちのおかみさんも、あんなによろこんでくれていたんだから」

「おしげちゃんは知らないのよ」とおしづは遮った、「だれも知らないことでわけがあるの、ごめんなさい、もう少し飲まして」

貞吉は酌をしてやった。

自分でも飲みながら、貞吉は待った。おしづは話しださなかった。肴《さかな》を替えに立ち、酒の燗《かん》をし、ふと雨の音に聞きいるかと思うと、またおしゃべりをはじめるというぐあいであった。貞吉も酔ってはくるし、そのとりとめのないおしゃべりが面白いので、つい時間の経《た》つのを忘れてしまった。——そんなふうにして、二刻ばかりも過したらしい。やがてうさぎさんという女の「もう店を閉めよう」という声が聞え、気がついてみると、あたりはいつかひっそりしていて、やや強くなった雨の音が聞えて来た。

「もういいだろう」と貞吉は坐《すわ》り直した、「話を聞こう」

「困ったなあ」とおしづは声をひそめた、「困ったな、いやだなあ」

「私は聞かなくってもいいんだぜ」

「だめなのよ」とおしづは首を振った、「あなたといっしょになるとしたら、どうしたって聞いて頂かなくちゃならないし、お聞きになったら、きっとあたしがいやになるにきまってるんですもの」

隠した子でもあるのか、と貞吉がきいた。おしづはかぶりを振った。子供は産んだことがない。「七年いっしょにいた人とも子供はできなかった」とおしづはいった。それなら遠慮ぬきにきくが、牢《ろう》へはいったことでもあるのか。まさか、牢屋へはいるほど悪いことはしないわ。じゃあなんだ、ほかになにがある、牢でもなく、子供でもなく、またまえのひととはきれいに縁が切れていて、ほかになにがそんなに「困ること」があるんだ、なんだ、と貞吉がたたみかけた。

「いいわ、いってしまうわ」とおしづは顔をあげた。酔っていた顔が、急に硬《こわ》ばって白くなり、唇《くちびる》がふるえた。よほど話すのがいやらしい、「困ったなあ――」と、もういちど呟《つぶや》いてから、盃《さかずき》を取って冷えた酒を飲み、それからうつむいていった。「あたしね、あたし、背中に刺青《ほりもの》があるの」

そして両方の袖でぱっと顔をおおった。

貞吉は茫然《ぼうぜん》と彼女を見まもった。おしづは袖で顔をおおったまま語った。まえのひとが堅気でないということは話したと思う、自分は正直にいってそのひとが好きだった。いまは塵《ちり》ほどのみれんもないし、どうしてあんなひとを好きになったかもわからない。けれどもそのときはのぼせあがり、そのひとと同じようになろうと思って、「そのひとがよせというのに」自分からすすんで刺青をした。三年まえ、そのひとと別れてから、急にその刺青がこわくなり、消そうと思っていろいろと手を尽した。けれども、消すことができない。いいといわれる薬も、名のある灸《きゅう》もためしてみたが、消すことはできなかった。

「そのために辛《つら》いおもいをして来たわ」とおしづは袖の中からいった、「これが火傷か、けがでもしたんならいいわ、それなら人に見られてもいいんだけれど、女のくせに刺青ですものね、みつかったら、どうしようかと思って、一日も気の休まることがなかったのよ」

貞吉は黙ってうなずいた。

九

「わかったでしょ」とおしづがいった、「こんなからだではとても、堅気なお店のおかみさんになんかなれやしないわ」

「なれるとも、立派になれるよ」

「いいえだめ、あたしがだめなの」

「まあ、おちつこう」と貞吉がいった、「おちついて話そう、――私はそれを刺青じゃなく、けがだと思う、つまずいて転んだけがだ、おしづはまだ若くって、夢中にのぼせあがっていた、だれだって若いときには、間違いをするし、だれだってからだか心に傷のない者はいやあしない、みんなそれぞれ、人に見られたくない傷を持っているよ、それよりも」

と貞吉はまた、坐り直した。自分が刺青をした経験がないから、おしづがそれほど思い詰めている気持を、ばかげているなどと笑いはしない。だが、それよりもっと大事なことがある、と貞吉はおしづを見た。

「初めて会ったときから、私はおしづがいつもひかえめで、すぐにはにかむのに気がついた」と貞吉は続けた、「そんな年になり、世間の苦労もしているだろうのに、まるで娘のようにうぶですなおだ、それがいまの話でわかった、もちろん生れついた性分もあるだろう、けれども、そんなにいつもはにかんだり、なにかするたびにすぐあやまったり、絶えず人のために気を使ったりするのは、刺青のせいだ」

おしづは袖をおろして、信じかねるように貞吉を見た。

「おしづはその刺青に礼をいってもいい」と貞吉はおしづの手を取った、「それがおしづをこんなにもいい気性にしたんだ、おしづは人に好かれる、だれにでも好かれるだろう、背中に刺青があるからという、その謙遜《けんそん》な気持が続いている限り、おしづはきっと仕合せになれる、きっとだ」

「じゃあ、――」おしづがどもった、「あなたも、あたしのこと、嫌《きら》わなくって」

「おれたちのうちへゆこう」と貞吉はおしづを抱きよせた、「明日いっしょにここを出よう、おれはもう一生おしづを放しゃしないよ」

「こわいな、いいのかな」とおしづは抱かれたままふるえた。「ねえ、あたし、こわいから、もっとしっかり抱いて」

貞吉は強く抱きしめて、唇を合わせた。

明くる日、おしづは荷物をまとめ、貞吉といっしょに網打場の家を出た。おしげは「もう会わないわよ」といって涙をこぼした。あんたは堅気になるんだから、二度とこんなところへ来てはだめよ、といい、「どうぞ、このひとを大事にしてやって下さい」と貞吉に繰り返し頼んだ。三人いる女たちも、名残りを惜しんで、お芳は黒江町の角まで送って来、そこで涙をふきながら、「ねえさんお達者で」といった。おしづは泣かなかった。おしげと別れるときも、女たちに別れるときも、きりっとしていた。

二人は駕籠で神田へ向った。

その翌日。――二十二日の夕方から、横大工町の家で祝いをした。おしづは丸髷《まるまげ》に結い、縞《しま》に飛白《かすり》のあるじみな単衣《ひとえ》と、黒繻子《くろじゅす》の帯という、やぼったい恰好《かっこう》で、化粧も殆《ほと》んどしなかった。酒や肴は近所の仕出し屋から取った。膳や食器も仕出し屋に頼んだし、「おしづさんは花嫁だから」といって、酒の燗なども（あまり飲めない）松田屋が受持った。新兵衛はいうまでもなく、松田屋も小村屋も、明らかにおしづに好感をもち、好感をもったことを少しも隠そうとはしなかった。みんないかにも気持よさそうに飲み、話も賑やかにはずんだ。

三人は一刻半ばかりでひきあげた。

「有難うよ、おしづさん」と小村屋が帰りがけにいった、「よく貞の字の嫁になってくれた、これで私たちも安心できるよ」

「くどいぞ、小村屋」と酔った新兵衛が遮った。「おまえ、同じことをなんどいうんだ、さあ、いいからもう帰るんだよ」

「頼んだぜ、おしづさん」とまた小村屋がいった。「貞の字はおれたちの大事な友達だからな、頼んだぜ」

おしづは微笑しながら送りだし、一人ひとりに「有難うございました」と礼を述べた。三人が帰っていったあと、ざっと片づけてから、貞吉とおしづは、べつに用意してあった膳を出し、向きあって坐った。

「さあ、きざなようだが、祝言《しゅうげん》のまねごとをしよう」貞吉はおしづに盃を持たせ、自分は燗徳利を取った。「いずれ時が来たら、改めて式をあげ披露《ひろう》もする、今夜は仲人《なこうど》もなしだけれど、これでがまんしてもらうよ」

「うれしいわ、このほうがいいわ」とおしづがいった、「でも見ないで、初めてで、恥ずかしいから」

初めてという言葉が、貞吉の心につよくひびいた。交互に三度ずつ飲むあいだ、おしづはふるえて、酒をこぼし、あわてて手で拭《ふ》いては、「ごめんなさい」笑わないで、といった。

「みろ——」と貞吉がいった、「おしづはみんなに好かれた、三人ともすっかり気にいったのが、わかったろう」

「いい方たちね」とおしづがいった、「みんないい方よ、あなたが羨《うらや》ましいわ」

「おしづが気にいったからさ」

「いい方たちだわ」とおしづは溜息《ためいき》をついた、「殿がたの友達同志って、なんともいえないほどいいものね、あたし羨ましくってやきもちがやけたわ」

「もうこわくはないね」

「ええ」とおしづはうなずいた、「もう、こわくはないようよ」

そして、べそをかくように微笑した。貞吉は「おいで」と手を出した。おしづは恥ずかしそうにうつむいた。それで、貞吉が立っていって抱くと、おしづはぶるぶると震えていて、とつぜんむせびあげ、「あなた」と低く叫びながらしがみついた。「おしづ」と彼は激しく抱きしめた、「ああ、おしづ」

おしづは声をころして泣き、まるで狂ったように、彼を力いっぱい緊《し》めつけたり、顔を振りながら唇を合わせたりした。

それからの幾時間をどう過したか、貞吉にははっきりした記憶がない。消えてゆくような陶酔のなかで、眼《め》をさましかけては眠り、ふと眼ざめかけては、またうとうとと眠った。――同じ夜具の中にいたおしづが、起きだしたけはいは知っていて、「まだいい」今日は朝寝をしよう、といった覚えはある。おしづがなにか答え、貞吉はまた眠った。

こうして、やがて彼が眼をさましたとき、おしづはそこにいなかった。

「おしづ」と彼は呼んだ、「なん刻《どき》ごろだ」

だが返辞はなくて、しんとした家の中に、隣りで米を搗《つ》いているのだろう、杵《きね》を踏む音が重おもしく聞え、雨戸の隙間《すきま》からさしこむ外の光りが、斜めにしまを描いていた。貞吉は夜具をはねてとび起き、「おしづ」と高いかすれた声で呼んだ。米を搗く、単調な、だるいような音が聞えるばかりで、返辞はなく、人のいるけはいもなかった。

貞吉はとんでいって、戸納《とだな》をあけた。そこにはおしづの荷物はなかった。彼はふるえながら、表の雨戸をあけて戻り、茶簞笥《ちゃだんす》や長火鉢のそこ此処《ここ》を、うろたえたようすで捜しまわった。——おしづは置き手紙をしていった。それは貞吉の枕許《まくらもと》に、結び文にしてあり、彼は立ったままでそれを披《ひら》いた。

——堪忍《かんにん》して下さい、あたし、やっぱり出てゆきます。

という意味で、その手紙は始まっていた。

いちどは心をきめた。あなたの仰《おっ》しゃるとおりにしようと決心したが、三人のお友達に会い、みんなの楽しそうな話しぶりを聞いていたら、あなたばかりではなく、お友達にも済まなくなってきた。みなさんのお情けがうれしければうれしいほど、からだに「あんなもの」のある自分がいとわしくなり、このままではとても、あなたのおかみさんにはなれない、なっては申し訳がないと思った。

——初めてあなたに会った晩、あなたの眼をひとめ見たときから、あたしはあなたが好きになった。逢《あ》えなくなるなら死ぬほうがいいと思ったし、お別れするいまも、死ぬほど辛い。けれど、どうしてもこのままでは気が済まない。どんなにお別れするのが辛いか、この済まない気持がどんなか、あなたにはわかって頂けると思う。

あたし、帰って来ます。

とその手紙はむすんであった。

たとえ、背中の「もの」が消えなくとも、自分でもういいと思うときが来たら帰ります。待っていて下さるわね、待たないでくれなんていえません。あたしばかだけれど、待たないで下さいなんていったら、あなたが怒るっていうことはわかります。外が白みはじめたようだから、まだ書きたいことがたくさんあるけれど、これでやめます。あなたの寝顔を忘れないように、ようく見ておいてから、出てゆきます。わがままばかりいってごめんなさい。しづ。

「ばか」と叫び、手紙を茶簞笥の上へ置くと、着替えをするのももどかしそうに、家を出て雨戸を閉め、「まず網打場だ」とつぶやきながら、あたらし橋のほうへと、駆けだしていった。

十

「――しづの苧環《おだまき》くりかえしか」と貞吉がいった、「おめえもう帰ってくれ、わかったよ」

「おまえ、酔っちまったぜ、貞の字」と新兵衛がいっていた、「もう一軒のあるじなんだ、小さくたって店を持ってるんだから、商売にさしつかえるほど飲んじゃあだめだ」

「わかったよ、今夜だけだ」と貞吉は頭をぐらぐらさせた、「明日は飲まねえ、飲むかもしれねえが、商売を忘れるほど飲みゃあしねえ、ほんとだぜ、嘘《うそ》じゃあねえ、ほんとだ、——ほんと、嘘つかない……か」

貞吉はぐたっと頭を垂れ、「ばかだからね」と口の中でささやいた。

「今夜は新の字が来たから飲んだんだ」と貞吉はいった、「来なくっても飲むけれど、いつもはこんなに酔やあしねえさ、大丈夫だから、安心して帰ってくれ」

新兵衛は溜息をつき「こう酔っちゃあ、しょうがねえな」とつぶやいた。貞吉は泥《でい》酔《すい》していて、新兵衛の言葉は聞えなかったらしい。「おめえばかだぞ、おしづ」と頭を垂れたまま、もつれる舌でいった。

「底ぬけのばかだぞ、おしづ、いまどこにいるんだ、どこでなにをしているんだ」と貞吉は耳たぶを引張った、「——いつ帰るんだ、いつになったら帰って来るんだ、おしづ、いってくれ、いつだ……」

貞吉の口から嗚《お》咽《えつ》がもれ、新兵衛は顔をそむけた。貞吉はみじめに嗚咽しながら、かすれた声で、また女の名を呼んだ。

（「週刊朝日」別冊初夏特別読物号、昭和三十一年六月）

あとのない仮名

一

源次《もとじ》は焼いた目刺を頭からかじり、二三度嚙《か》んでめしを一と箸《はし》入れ、また二三度嚙み、こんどは大根の葉の漬物《つけもの》を一と箸加え、それらをいっしょにゆっくりと嚙み合わせた。——お兼《かね》はつけ板に両肱《りようひじ》をのせ、頰杖《ほおづえ》をついたまま、源次の喰《た》べるのを見まもっていた。

「あたし、ね」とお兼が云《い》った、「男のひとがそういうふうに、目刺なんか頭からがりがり喰べるの、見ているだけで好きだわ」

源次は味噌汁《みそしる》を啜《すす》って、嚙み合わせたものを呑《の》みこんだ。そして次の目刺をまた頭からかじり、二三度嚙んでめしを一と箸入れ、二三度嚙むと漬物を一と箸加え、それらを口の中で混ぜて、さもうまそうに嚙み合わせた。魚の骨を嚙み砕くいさましい歯の音とともに、彼のばねのようにひき緊《しま》った頰の肉が、くりくりと動いた。お兼はその健康な頰肉の動くのを、さも好もしそうに見まもった。

「でもへんね」とお兼がまた云った、「いつも思うんだけれど、そんなにいろいろな物をまぜこぜに入れて、一遍に喰べてうまいかしら、味がごちゃごちゃになっちゃって、どれがうまいのかまずいのか、わからなくなっちゃうじゃなくって」

「おやじに小言を云われたもんだ」と云って源次は味噌汁を啜った、「小さいじぶん番たびどなられたっけ、魚を喰べるときは魚、こうこを喰べるときはこうこ、汁は汁と、ひと品ずつで喰べろ、これでもうちの先祖は侍だったんだぞ、ってな」

「あら」お兼は頬杖から身を起こした、「あんたのうちお侍さんだったの」

「どうだかな、おらあ知らねえしおふくろも信用しちゃあいなかったらしいが、おやじはいつもそう云ってたっけ——源《もと》、御先祖の名をけがすようなまねをするんじゃあねえぞ、ってな」

　古ぼけた小さな店だ。鉤《かぎ》の手につけ台をまわし、空樽《あきだる》に薄い座蒲団《ざぶとん》をのせた腰掛が、それに沿って七つ置いてある。つまり客は七人が限度ということで、つけ板の中も狭く、女主人のお兼一人でも、そこへはいれば自由に身動きができないくらいであった。——うしろに皿小《こ》鉢《ばち》や徳利などを入れる戸納《とだな》があり、その右手に三尺寸詰りの一枚障子があって、奥にお兼の寝間があるらしい。また、酒の燗《かん》をする銅壺《どうこ》や、肴《さかな》を煮焼きする焜炉《こんろ》その他、手廻《てまわ》りの物はつけ板の蔭《かげ》に置いてある。低い天床板《てんじょういた》は煤《すす》けて、雨漏りの跡がいっぱいだし、左右の壁は剝《は》げたので、板を打ち付けて保《も》たせてある、ということが一と眼《め》でわかった。——お兼のうしろの戸納の上には、白木の小さな神棚《かみだな》を中心に、まねき猫《ねこ》や飾り熊手《くまで》などの縁起物が、埃《ほこり》にまみれてごたごたと並べられ、その壁には成田山や秋葉山、川崎の大師などの、災難除《よ》け火除けの札がべたべた貼《は》りつけてある中に、「御利生様《ごりしよう》」と手書きにした大きなお札が三枚、とびとびに貼ってあった。

「よくはいるわね」お兼は幾度めかの茶碗《ちやわん》にめしをよそいながら云った、「これでもう五杯めよ」

「半分でいい、茶漬にするんだ」

「じゃあお茶を淹《い》れるわ」

「湯でいい、このこうこがうめえから、仕上げにざっとかっこみてえんだ」

「あたし漬物は自慢なのよ、漬物なら誰にも負けない自信があるわ、死んだおっかさんは面倒くさがって、いつも漬物屋から買ってばかりいたの、糠《ぬか》みそでも塩漬でも、出すときの匂《にお》いがいやだって、ほんとはそんなことをするのが面倒くさかったのね、おとっつぁんはいつも嘆いてたわ、世帯《しよたい》を持ってうちのおこうこが喰べられないなんて、世も末だなあって、――だからあたし十五六のころから、おかいのさんのおばさんに教わって、漬物のやり方を覚えたのよ、ほら知ってるでしょ、屋根屋の徳さんちのおかいのさん、あのおばさんの糠みそには秘伝があるんですってよ」

「ああ食った」と云って、源次は茶碗と箸を置いた、「これで大丈夫だ、酒にしよう」

「いまつけたわ」とお兼が云った、「あんたは変ってるのね、ごはんを喰べてっから飲むなんて人、あたし初めて見たわ」

「酒飲みじゃねえからだろう、おらあ酒はそう好きじゃあねえんだ」

お兼は源次の喰べたあとを片づけ、燗のぐあいをみて「もうちょっとね」と云い、身を起こして源次の顔をみつめた。

「ねえ」とお兼は囁《ささや》いた、「浮気をしない」そして恥ずかしそうに肩をすくめ、ちっと舌を出した、「こんなことを云うと嫌《きら》われるかしら」

「おれあ女房と二人の子持ちだぜ」

「どうかしら」お兼は媚《こ》びた眼つきで、首をかしげながら頬笑んだ、「とし、いえばその筈《はず》だろうけれど、あんたは世帯持ちのようにはみえないわ、口でここがこうだからとは云えないけれど、世帯持ちにはどこかしら世帯持ちの匂いがするものよ」

「おれの友達に福っていう」と云いかけて突然、彼は奇声をあげながら腰掛からとびあがった、「――ああ吃驚《びっくり》した、ちくしょうめ」彼は自分の足許《あしもと》を覗《のぞ》きこんだ、「いきなりとびだして、おれの足を踏んづけてゆきあがった、ああ吃驚した」

お兼は笑った、「臆病《おくびょう》ねえ、鼠《ねずみ》でしょ」

「らしいな、ちくしょう」源次は土間の左右を眺《なが》めまわしてから、大きな息をつきながら腰をおろした、「こっちの足からこっちの足を、さっさっと踏んづけてゆきあがった、なにもおれの足を踏んづけなくったって、土間にはたっぷり通る余地があるんだ、野郎、初めからおれをおどかすつもりだったんだな」

悪いのが一匹いるのよ、と云いながら、お兼は燗徳利と大きな盃《さかずき》をつけ板の上へ出し、摘《つま》み物の小皿と箸を並べた。

「いつかなんかあたしが寝ていたら、顔を踏んづけていったわ」

「顔って」源次は眼をそばめた、「おめえの、その顔をかい」

「この顔をよ、あたしとび起きちゃったわ」

源次は唸《うな》って云った、「そいつはぶっそうだな」

「それに懲《こ》りてさ、あたし冬でも寝るときには、ここから上だけ枕蚊屋《まくらがや》へはいるの」

お兼は胸から上へ手をすりあげてみせた、「——いまのもきっとそいつよ」

「なめてやがるんだな、人間を」源次は酒を啜って、ふと眼をあげた、「いまなんの話をしていたっけ」

「え、ああそう、世帯持ちの話だったわ、世帯持ちか独り身の人かは勘でわかるって」

「ところがそうじゃねえ、おれの友達に福っていう男がいるんだ、こいつはおれとおないどしで、いまだに独り身なんだが、どこへいっても世帯持ちだと云われる、かみさんに子供が五人ぐらいはいるってさ、ひとめ見ればわかるって、どこへいっても云われるんだ」

「損な人柄《ひとがら》なのね」とお兼が云った、「あたしもよく云われるわ、旦那《だんな》持ちで隠し子があるんだろうって」

「そうじゃあねえのか」

「あんたまでがそんな」お兼は片手をあげて打つまねをし、源次をにらんだ、「――亭主や子供がいるのに、浮気をしましょうなんて云えると思って」

「暮れてきたぜ、提灯《ちょうちん》を出すんじゃねえのか」

休んじゃおうかしら、とお兼が云ったとき、店の障子をあけて客が二人はいって来た。済みませんいま灯を入れますと云って、お兼はまず吊《つ》ってある小ぶりな八間《はちけん》をおろし、油皿の灯心に火をつけ、それを吊りあげると、「梅八」と店の名を書いた軒提灯にも火を入れて、表の障子をあけ、軒先に掛けた。――二人の客は源次からはなれて腰を掛け、陽気に話しだしていた。一人は四十がらみ、一人は三十二三。二人とも職人ふうで、話しぶりは歯切れがよく、しかもおちついていて、がさつな感じは少しもなかった。源次はかれらをちょっと見ただけですぐに顔をそむけ、手酌《てじゃく》で酒を啜りながら、聞くともなく二人の話を聞いていた。

お兼は酒の支度をし、摘み物の小皿や箸を揃《そろ》え、二人の前に掛けて、あいそを云いながら酌をした。

「よくあるやつさ、苦しいときの神だのみってな」と若いほうが話し続けていた、「――ふだん信心をしている者なら、神や仏も願いをきいてくれるだろうが、神棚も放《ほ》ったらかし、念仏をいちども口にしたこともないやつが、苦しまぎれに神仏だのみをしたって、神仏としても相談にのるような気分にはなれねえだろう」

「市公の話なら聞いた」と四十がらみの男が云った、「あんなに運の悪いことが重なれば、神や仏にもすがりたくなるのは人情だろうな」

「そんなてめえ勝手なこって、御利益《ごりやく》のあるわけはねえって、みんなせせら笑っていたし、おれもそのとおりだと思った、ところが、そうでもねえんだな」と若いほうの男が酒を飲んで云った、「井戸掘りの久さん、あのじいさんが云ってた、たとえ苦しまぎれにでも神仏を頼みにするのは、その人間にほんらい信心ごころがあるからだって、まるっきり信心ごころのない者なら、神仏にすがるということにさえ気がつかないだろうってな」

「なるほど、ものは考えようだな」

「火のないところに煙は立たないって、――こんなところに使うせりふとは思わなかったが、じいさんはまじめにそう云ってたっけ」

「おいおかみさん」ととし嵩《かさ》の男が、摘み物の小皿を箸で突つきながら云った、「まだ鮴《ごり》の佃煮《つくだに》かい、いくら突出しだからって、たまには眼さきの変った物にしても、損はねえだろうと思うがなあ」

「そんなこと云うもんじゃないわよ」とお兼は酌をしながらたしなめた、「ひとくちに佃煮って云うけれど、魚をとる漁師だって楽じゃないわ、冷たい風や雪や、みぞれにさらされながら、こごえた手足でふるえながら獲《と》るのよ」

二

「はいお一つ」お兼は若いほうの男に酌をしてから続けた、「そしてその魚を佃煮にするんだって、ちょろっかなことじゃ済まないわ、火のぐあいから味かげんや煮かげん、どうかしてよその店に負けないように仕上げようと、幾人も幾十人もの職人さんたちが、いっしょうけんめいにくふうを凝らしてるのよ、それだけじゃない、その佃煮を仕入れて売りに来るあきんどだって、とくい先をしくじらないために味の吟味もし、値段のかけひきもしたうえ、雨風をいとわず売って廻り、それで女房子を」

「わかったわかった」とその客は手をあげて遮《さえぎ》った、「わかったよ、その連中ぜんぶに礼を云うよ、——このちっぽけな鰲の一尾々々に、それほど大勢の人の苦労がかかってるとは気がつかなかった、おらあ涙がこぼれるぜ」

「帰るよ」と源次が云った、「勘定をしてくれ」

はいと答えてお兼が立って来た。そしてつけ板の蔭で銭勘定をしながら、さっきのこと本気よと囁いて、はいお釣《つ》りと、源次の手に幾らかの銭を渡した。

「またどうぞ」お兼は媚びた眼で源次をみつめながら云った、「またいらしってね、待ってますよ」

源次は頷《うなず》いて外へ出た。すっかり灯のついた横丁を、神田川の河岸《かし》へぬけてゆきながら、彼は握った手の中で銭を数え、渋い顔をして、それを腹掛のどんぶりの中へ入れた。

「浮気か、まあ当分おあずけだな」あるきながら彼は呟《つぶや》いた、「これっぱかりのはした銭で、浮気をしようもすさまじい、しかもまだ、たった五たびめじゃあねえか、しょってやがら」

源次はどきっとしたように、すばやくあたりへ眼をはしらせた。いま呟いたのは自分ではなく、誰かが自分を嘲笑《ちょうしょう》したかのように思えたからだ。彼は頭を振り、いやなことを云やあがる、と呟いた。神田川にはかなり船がはいっていて、荷揚げをしているのが二三あり、船から河岸のあたり、暗がりの中で提灯がせわしくゆらめき、人足たちの掛け声や、互いに呼びあう声がけいきよく聞えていた。

久右衛門町にかかると、その片側町は船頭や人足たち相手の、めし屋や木賃旅籠《きちんはたご》が多くなる。源次はその中の「信濃屋《しなのや》」という旅籠宿へはいった。狭い土間に洗足用の手桶《ておけ》と盥《たらい》が出してあり、帳場に女主人のおとよがいた。まだ時刻が早いからだろう、客のいるようすはなかった。

「あらお帰りなさい」おとよが源次を見て云った、「どうしたの、三日も姿を見せないで、どこへしけ込んでたのよ」

「いつもの部屋、あいてるか」

「知ってるくせに」おとよは帳面を閉じて立ちあがった、「ああそうそ、お客が来て待ってますよ」

「客だって」とき返しながら、源次は警戒するように逃げ腰になった、「どんなやつだ」

「あんたのお弟子で多平とか云ってたわ」

「またか」源次は舌打ちをした、「なんてしつっこい野郎だ」

「おなかがへってるらしいから、酒を出しておいたわ、知ってるんでしょ」とおとよが云った、「まだ坊やみたような、うぶらしい可愛《かわい》い子じゃあないの」

「ばかあ云え、もう二十三だぜ」と云って源次はまた舌打ちをした、「しかし、――あいつがここを突き止めたのは、さほどふしぎじゃあないが、あいつの捜してるのがこのおれだって、どうしておめえにわかったんだ」

「女の勘さ」おとよは微笑した、「名まえも幾つか云ったけれど、こういう人柄だと聞いて、あんただということがすぐにわかったわ、あんた本当はなんていう名まえなの」

「そいつの並べた名めえの中で、おめえのいいのを取っておけよ」

おとよは源次を部屋へ案内しながら、そんなら八百蔵にきめるがいいかと云った。あいつそんな名を云ったのか。いいえ、あの人の云った中にはなかったわ。じゃあおめえの亭主かいろおとこの名だな。ばかねえ、いま森田座へ出ている市川八百蔵のことよ、横顔がそっくりだわ。くさらせやがる、と源次が云った。

「おめえにゃあうんざりだ」源次は茶を啜りながら云った、「いくらおめえがねばったって、おれの気持は変りゃあしねえぜ」

「こんどはその話じゃあねえんだ」多平は股引《ももひき》をはいた足で窮屈そうにかしこまって坐《すわ》り、両手でその堅そうな膝《ひざ》がしらを撫《な》でた、「いそいで知らせなくちゃあならねえことがあったんで、冷汗をかきながら捜し廻ってたんだ」

「そしてここで暢気《のんき》に、酒をくらってるってえわけか」

「とんでもねえ、これは違うんだ」多平は強く頭を振った、「おらあすぐにまた捜しに出るつもりだったが、ここのおかみさんが、それよりここで待ってるほうがいいだろうって、きっと帰って来るからって、そして、おれがなにも云わねえのに酒を」

「わかったよ」源次は茶を啜り、上眼《うわめ》づかいに多平の顔をみつめた、「仕事の話でなけりゃあいいんだ、それで、——知らせてえこと、っていうのはなんだ」

「親方を捜してる者がいるんだ」

「そこにこういるじゃねえか」

「おら冗談を云ってるんじゃねえんだ」多平はまじめな口ぶりで云った、「それにこれは冗談じゃあなく、親方を捉《つか》まえて野詰めにするとかなんとか、穏やかでねえことをたくらんでいるらしいんだ、ほんとなんだ」

源次はちょっと考えていた。それから、火のない火《ひ》鉢《ばち》に掛けてある鉄瓶《てつびん》を取り、ちよっと指で触ってみてから、急須《きゅうす》へ湯を注いだ。

「それはいってえなに者だ」急須から茶碗《ちゃわん》へ茶を注ぎながら、源次はさりげなくきいた、「おめえはどこでそんなことを聞いたんだ」

「根岸の親方のうちです、忠あにいとおれの知らねえ男が話してるのを聞きました、嘘《うそ》じゃねえほんとのことです」

源次は茶を啜《すす》った、「ちょうどいいかげんだ、この茶はこのくらいの湯かげんでねえといけねえ、世間のやつらは無神経でなんにも知らねえから、こんな茶にも舌を焦《こ》がすような熱湯を注ぎゃあがる」

「まじめに聞いて下さい、親方は覘《ねら》われてるんですぜ」

「茶をうまく淹れるのも、ふざけた気持でできるもんじゃあねえさ」と源次は云《い》った、「――まあ飲めよ、飲みながらもう少し詳しく話してみろ」

源次のおちついたようすにもかかわらず、覘われる理由を思いだそうとし、思い当ることが幾らでもあることに気づいて、動揺し怯《おび》えているのが、隠しようもなく眼にあらわれていた。多平はそんなことには気がつかず、源次のびくともしないのを見て、たのもしく心づよく思ったようであった。

「詳しくといわれても」多平は手酌で一つ飲んでから云った、「おらあ片づけものをしながら聞いただけで、親方の名めえを繰返すのと、ぜがひでもとっ捉めえて、叩《たた》きのめしてやるんだって、どなりたてているのが耳へへえったんです、おっそろしく怒っていきまいてました」

「どんな野郎だった、風態《ふうてい》であきんどか職人かわからなかったか」

「どうだったかな、よく見なかったけれど、とし恰好《かっこう》は親方と同じぐれえでしたよ」と云って多平はちょっと声を低くした、「――あっしが考えるのに、女のことじゃねえかと思うんですがね」

ばかあ云え、源次は眼をそむけた。

「おらあよくは知らねえが、日暮里《にっぽり》の大親方の身内の人はみんな云ってますよ、親方の手にかかると植木もいちころだし、どんな女だってひとたまりもねえって」

「口を飾るこたあねえ、女たらし、って云ってるんだろう」と源次は渋い顔をした、「――だがみんなは本当のことを知っちゃあいねえ、女をたらしちゃあたのしんでる、さぞいい気持だろうが、罰当《ばち》りなやつだ、ぐれえにしか思っちゃあいねえらしい、おめえは鈍で、とうてい植木職としていちにんめえになれる男じゃねえが、そのおめえにもわかるだろう、たとえば柿《かき》ノ木にしたって、生《な》り年は一年おきで、次の年は休ませなければ木は弱っちまう、生り年でも実の数をまびかねえで、生り放題に生らせておけば、やっぱり木は弱っちまうもんだ」

「親方の女道楽と柿と、なにか関係があるんですか」

「女道楽だってやがら、へっ」源次はもっと渋い顔をした、「道楽ってもなあたのしいもんだ、生り年の柿、柿にゃあ限らねえ、生り物はみんなそうだが、毎年々々、生りっ放しに生らしてみねえ、木としたって面白くもなくなるだろうし、疲れて弱って、しまいには枯れちまうかもしれねえ」

「柿が生るのは面白ずくですかねえ」

「たとえばの話だ、――おれにも一つ飲ませろ」源次は多平の盃《さかずき》を取り、多平が酌をすると、薬でも飲むように、眉《まゆ》をしかめて飲み干した、「みんなは女たらしだなんて云うがな、女衒《ぜげん》かなんかなら知らねえこと、まともな人間が女にかかずらってばかりいたらどうなる、生りっ放しの柿ノ木が疲れ弱って、やがては枯れちまう以上に、男は疲れて弱って身がもちゃあしねえ、――みんなにはわからねえだろうが、おれが女たらしだとしたところで、これはそう云ったり云われたりするだけで片づくことじゃねえんだ」

「うん」多平は源次の云う意味を理解しようとして、暫《しばら》く頭をかしげていた、「――なんだか聞いていると、だんだんわからなくなるばっかりだが」

「そういうものよ」と源次は手酌で飲んでから云った、「いつだって本当の気持を話そうとすると、それがいちばんむずかしくって厄介《やっかい》だってことがわかる、とてつもなく厄介なことだってな」

「もしも親方を覗ってるやつに捉まったら、そんな云い訳はとおらねえと思いますがね」と多平が云った、「なにしろ親方のは相手の数が多いそうだから」

きいたふうなことを、と云って源次は手を叩いた。

三

源次が手を叩くと、待っていたように、中年増《ちゆうどしま》の女中が酒と肴《さかな》を持って来た。背の高い肉付きのいい軀《からだ》つきで、ちょっと頭が弱く、のっそりとして気のきかない性分だが、辛抱づよく、拗《す》ねたり怠けたりするようなことがないので、客たちみんなに好かれているという。名はおろく、としは二十六歳。彼女のおかげで信濃屋がもっているようなものだと、女主人のおとよは云っていた。

「いま持って来ようとしてたとこよ」おろくは盆の上の徳利や小皿を、跼《かが》んだまま膳《ぜん》へ移しながら云った、「お客が来はじめたから、お酌は堪忍《かんにん》してね」

「今夜は飲むからって、そう云っといてくれ」源次は出てゆくおろくのうしろへ云った、「手を鳴らしたらあとを頼むぜ」

「親方は飲めるようになったんですか」

「人は他人のことは好きなように云うさ」と源次は唇《くちびる》を片方へ曲げて云った、「四つ足であるくけだものには、二本の足であるく人間が可笑《おか》しいかもしれない、箔屋《はくや》は土方を笑うだろうし、船頭は馬子《まご》を軽蔑《けいべつ》するだろう、――自分の知らない他人のことを、笑ったり軽蔑したり、悪く云ったりすることは楽だからな」

「そのことなら、あっしはもうそらで覚えてますよ」と云って多平は手酌で飲んだ、「昔っから親方の口ぐせだったからな、まだこんなちびだったあっしまでつかまえて、繰返し繰返し、むきになってお説教したもんです」

「おめえおれをへこませようってのか」

「とんでもねえ、おらあ親方がむきになるの尤《もつと》もだと思った、なにしろ使いで根岸や日暮里へゆくと、きまって親方の悪口を聞かされましたからね、根岸や日暮里ばかりじゃあねえ、さっきも云ったとおり、身内の人たちで親方を悪く云わねえ者はねえんだから、おらあ子供ごころにも肚《はら》が立って、親方がいきまくのもむりはねえと思ったもんです、ほんとですぜ」

源次はいま初めて見るような眼つきで、多平の顔を見まもった。向うの広いこみの部屋で、客たちが食事をはじめたらしく、食器の触れあう音や、無遠慮な高い話し声が聞えてきた。多平の肉の厚いまる顔は、陽《ひ》にやけて黒く、にきびだらけで、ぎらぎらと膏《あぶら》が浮いていた。

「いきまく、だってやがる」源次は鼻を鳴らした、「おめえにはおれの云うことが、いきまくように聞えるのか」

「おらそれも尤もだって云ってるんだ」多平は眼を伏せ、声を低くした、「こんど親方を捜すのに、あっしは田原町のお宅へも寄ったんです、そうしたらおかみさんが」

「よせ、うちのことなんか聞きたくもねえ」

「おかみさんが薄情なことを云うんで」と多平は構わずに云った、「おらあ親方が気の毒になっちまった、世間の者はどうでも、子まで生した夫婦の仲なら、ちっとは親方の性分ぐれえわかってくれてもいいじゃねえかと思って、おらあ涙がこぼれそうになった」

源次はまた多平の顔を見まもり、まずそうに酒を舐《な》めて、おめえ女と寝たことがあるかときいた。多平はなにを云われたかげせないように、眼をそばめて源次を見返したが、すぐてれたようにそら笑いをした。

「おら、女は嫌《きれ》えだ」彼はてれ隠しのように酒を呷《あお》った、「おらだけのことかもしれねえが、夫婦になると女はいばりだして、亭主を顎《あご》で使うように変っちまう、そんなのをいやっていうほど見せつけられたもんだ、叱《しか》りゃ拗ねるしぶちゃ噛《か》みつくしって、端唄《はうた》の文句そっくりなんだ、――おら十二の年に親方の弟子にしてもらってまる八年、三年めえまでお世話になったから、おかみさんのことはてめえのおふくろよりよく知ってるが、初めのうちはこんなにきれえで気のやさしい人はねえと思った、それがいつのまにかだんだん変って、わけもなくふくれたり、つんけん人に当ったりするようになった」

親方がなにもかもいやになって、江戸で何人と数えられるほどの植木職を、惜しげもなく放《ほう》りだしちまった気持はよくわかる、自分には親方の気持がよくわかるんだ、と多平はりきんで云った。

「おれが植木職を放りだしたわけは、そんなこっちゃねえ、おめえも箔屋の眼で土方を笑うくちだ、いいか、女と寝たこともねえし女も嫌いだというおめえに、夫婦のことがわかるわけはねえ、こんなことは口にするだけばかばかしい、こんなわかりきったことを云うのは初めてだ、おめえが悪いんだぞ」

「おらあ親方のことが心配でしようがねえんだ」

源次は手を叩いた。そして急に上半身をぴくっとさせ、どこかに激しい痛みでも感じたように、顔をしかめながら短く唸《うな》った。

「どうかしたんですか」

「おれのいちばんぞっとするのは、おめえがいま云ったような言葉だ」と源次は自分のいやな回想をふり払うように、首を振りながら云った、「――あんたのためなら死んでもいい、女はどいつもこいつもそう云うさ、――おらあおめえの友達だ、おめえのことは忘れねえ、おめえのためならどんなことでもするぜ、って調子のいいときに云うのが男の癖だ、油っ紙に火がついたように、そのときは熱くなって燃えるし、その熱さはこっちにも感じられる、けれども燃える火は消えるもんだ、ええくだらねえ、またわかりきったことを云っちまった」

「親方は酔っちまったんだ」

障子があいておとよがはいって来た。盆の上に燗徳利《かんどつくり》が二本、おとよはそれを膳の上へ移し、あいている徳利を盆のほうへ取った。

「珍らしいわね」とおとよは源次に云った、「あんたがお酒を飲むなんて初めてじゃないかしら、どうかなすったの」

「おれじゃあねえこの男だ」源次は多平を見て云った、「たあ助、これを飲んだら帰れ、根岸で心配してるだろう、おれは大丈夫だ、おれのことなんかに構わず、おめえは自分のことを考えなくっちゃあいけねえ、いってえたあ助は幾つになったんだ」

「二十三です」多平は呟《つぶや》くような声で答えた。

「おれはその年にはもう独り立ちになってたぜ」

「あっしは親方の側《そば》にいてえんだ、親方もあっしのことを、いちにんまえの植木職にはなれねえと云ったが、根岸ではそれ以上で、あっしはてんからのけ者なんです」

「職を変えるんだな、どうして植木職になりてえかは知らねえが、自分をよく考えてみるんだ、人間にはそれぞれ性に合った職がある、性に合わねえ事をいくらやったってものになりゃあしねえ、ちぇっ」源次は舌打ちをした、「またこんなわかりきったことを云わせやがる、おれは説教されるほうで、人に説教するがらじゃあねえんだ」

「そんなに云うもんじゃないわ」おとよは多平に酌《しゃく》をしてやりながら云った、「せっかくあんたを捜し当てて来たんじゃないの、なんのことかあたしはよく知らないけれど、相談にのってあげてもいいじゃないの」

「客が混《こ》んできたようじゃないか」と源次が顎をしゃくった、「しょうばいは大事だ、ここにいることはねえんだぞ」

「おおこわい」おとよは肩をすくめた、「そんなふうに云うときのあんたを見ると、ぞっとするほどこわくなるわ」

「気に入らなければ河岸を変えてもいいんだぜ」

「ゆくわよ、気の短いひとね、そこがあんたのあんたらしいところには違いないけれど」と云っておとよは立ちあがり、嬌《なまめ》かしく微笑しながら、多平の肩へちょっと触った、「だいじょぶよ、このひと本当は気がやさしいんだから、ゆっくり飲んでらっしゃい」

酒がなくなったら手を鳴らして下さい、またあとで来ますと云って、おとよは源次をながしめに見ながら出ていった。

「いいおかみさんですね」と多平が低い声で云った、「それにきりょうよしだし、こんな旅籠《はたご》にいるのはもったいないようだ」

「おめえ女嫌いだったんじゃねえのか」

「それとこれとは違いますよ」多平はてれたように手酌で飲んでから、そっと云った、「――あの人、親方に首ったけですぜ」

「おめえは植木職にはなれねえよ」

「木の見分けはつかなくったって、人間のそぶりや眼《め》つきはわかりますよ」

「飲めよ」源次は片手を振った、「早く飲んで帰るんだ、根岸でどやされるぞ」

「根岸へは帰りません、親方を捜すのに、黙って三日も帰らなかった、あっしはもう親方の側をはなれませんからね、殺されたってはなれやしねえんだから」
「乞食《こじき》ができるか」源次はにやっとした、「おれは自分のひとり口も賄《まかな》えやしねえ、あっちでめしをたかり、こっちで銭をねだり、宿までただで泊りあるく、人の情けでその日その日をまじくなっているんだ、二人連れでできるこっちゃねえぜ」
「あっしが稼《かせ》ぐよ」多平は酔いで赤くなった顔をひき緊《し》めて云った、「おら軀も丈夫だし力だって人には負けやしねえ、たとえ荷揚げ人足をしたって、親方ひとりぐれえ不自由はさせやしねえよ、ほんとのことだ、おら本気で云ってるんだぜ」
「肚は読めてる、おめえの肚はみとおしだ」と云って源次は舐めるように酒を啜《すす》った、「泣きおとしでおれをまるめてから、植木仕事へひきずり込もうっていうこんたんだろう」
「おらあ飲む」と多平が云った、「いまおかみさんにいいって云われたんだ、今夜はつぶれるまで飲んでやる」
「酒代はめし炊《た》きでもして払うんだな、おらあ知らねえぞ」
「めし炊きぐれえ屁《へ》でもねえさ、こっちは土方だってするつもりなんだから」
「可哀《かわい》そうに、なんにも知っちゃあいねえんだな」と源次が云った、「土方や荷揚げ人足でどのくれえ稼げるか、きいてみて吃驚《びっくり》しねえほうがいいぞ」

四

おれは三十七だ。七だったな慥《たし》か、それとも八になったかな。わからねえ、どっちでもいい、おれには三十七だなんて気持はこれっぽちもねえ。二十三で日暮里の大親方から独り立ちになって、おつねと田原町で世帯《しょたい》を持った。おれの考えることやすることは、あのころとちっとも変っちゃあいねえ、変ったのはおれのまわりのものだ。世の中も人間も、町や世間も、人の気持までもどしどし変ってゆく。

「あいつはどうした」と源次が云《い》った、「今夜は帰っていったか」

女は荒い息をしながら、「いまそんなこと、きかないでよ」と跡切《とぎ》れ跡切れに云った、「もっと身を入れてくれてもいいでしょ」

たあ助のやつはちっとも変らない、多平はおれのところへ弟子入りをしたときのまんまだ。あいつは鈍で、勘が悪くてのろまだ。ちっとも裏肚《うらはら》なく、おれを頼りにしきっている。けれどもほかにとりえはなにもない、二十三になったいまでも、弟子入りをしたときそのまま、鈍で勘が悪くてのろまだ。そいつが気持だけは十年の余も経《た》ったいま、ちっとも変っていない、というのはどう考えたらいいんだろう。

「たあ助のやつは帰ったのか帰らねえのか」と源次がきいた、「今夜は追い帰せと云った筈《はず》だぞ」

「こんなときに」と女は舌のよくまわらない口ぶりで云った、「こんなときに、へんなこと云わないで、気が散っちまうじゃないの、もっとしんみになってよ」

「それみろ、あんまり乱暴にするからだ」

「ああじれったい」女は身もだえをした、「まるっきりうわのそらなんだもの、ちっとは本気になれないの」

「ろくべえに聞えるぜ」

「さあ」女には彼の云うことは聞えなかったらしい、「さあ」と繰返した。

多平のやつは田原町へいったという。おつねも三十五になったんだろう、二つ違いの筈だからな。みつ公は十四、秀次《ひでじ》は十三か。女の荒い息がひそめたふるえる呻《うめ》きになり、波をうつように高まって、くいしばる歯ぎしりの音が聞えた。娘も伜《せがれ》も、おれのことを親と思っているだろうか。おつねはぐちを云うような女じゃあねえ、おれの悪口も、恨みがましいことも口にゃあしねえだろう。あのとき以来ぷっつりとなにも云わなくなった。だが子供たちにはわかったにちげえねえ、おれが親らしくねえ親だという以上に、両親の仲がどうなってしまったかは、この三年ですっかりわかったことだろうし、悪いのはおやじだと、いちずに思いこんだにちげえねえ。女の動作がしだいにゆるやかになり、だがときをおいて、微風のわたるような痙攣《けいれん》が、しだいに間隔をひろげながら、昂《たか》まったり鎮《しず》まったりした。かね徳の隠居も相模屋《さがみや》のでこ助も、藤吉《ふじよし》のじじいもみんなけちん坊の出来そくないだ。まともなのは岩紀の隠居と、法念寺の方丈《ほうじょう》さんぐれえのもんだろう。そうだ、岩紀の隠居には無沙汰《ぶさた》をしている、ひとつ竜閑《りゅうかん》町へいってみよう、もう二年の余も顔出しをしちゃあいねえからな。

「あの人はここへ泊めたわ」女は源次の横へより添って躯をのばし、深い満足の溜息《ためいき》をつきながら云った、「だって、ゆくところがないし、あんたのことが心配で、側からはなれることはできない、っていうんですもの」

「もう三日めだろう、おれは勘定のことは知らねえぞ」

「わかってるくせに」女は巧みにあと始末をしてから、彼の肩へ手をまわした、「あの人、あんたのお弟子だったんですってね」

「三年まえまではな」

「あんたのこと褒《ほ》めてたわ、江戸で五本の指に数えられるほどの、えらい親方だって」

「いまは乞食同様、ごらんのとおりの態《てい》たらくさ」

「あたしには身の上話をさせるくせに、自分のことはなにひとつうちあけてはくれない、そんな薄情なことってないわよ」

「女房と二人の子持ち、初めにちゃんと断わったぜ」

「そんなことじゃないの、あたしの知りたいのは、それほどの腕を持っているのに、どうして植木職をやめたのか、いまどんなことをしているか、これから先どうするつもりかっていうことよ」

「熱い腕だな」と源次が夜具の中で身動きをした、「この腕をどけてくれ、熱くってしようがねえ」

「あたしには話せないのね、そういう話をするひとはほかにあるんでしょ」

「おれは絡《から》まれるのは大嫌いだ」

「多平さんに聞いたわ」女は寝衣《ねまき》の袖《そで》で顔を拭《ふ》いた、「広いかこいを持った或《あ》る植木職の親方が、ぜひあんたに跡を譲りたいって、いまでもあんたのこと捜してるっていうじゃないの、どうしてそこへおちつく気にならないの」

「そろそろいやけがさしてきたんだな」

「いやけがさしたって、――あらいやだ、ばかねえ」女は源次にしがみついた、「あたしのことはよく知ってるでしょ、あんたのことはべつにして、あたしは男には懲《こ》り懲《ご》りしてるし、あんたが来てくれさえすればそれで本望、あんたのほうで飽きればばしようがないけれど、あたしはもう一生、あんたのほかに男なんかまっぴらだわ、――それをいやけがさすだなんて、ばんたん承知のうえで意地わるを云うのね、にくらしい」

「痛え」源次は女の手を押し放した、「きざなまねをするな」

「ねえ、その親方の跡を譲り受けておちつきなさいよ、それだけの腕を遊ばせておくなんてもったいないじゃないの、おかみさんや子供さんたちも呼んで、おちついて仕事をする汐《しお》どきだわ、あたしのほうは気の向いたときに来てくれればいいの、このうちもあたしも、あんたのものだと思ってくれていいのよ」

「おめえにゃあわからねえ」源次は短い太息《といき》をついた、「誰にもおれの気持なんかわかりゃしねえ、おれの一生は終ったも同然なんだ、――ゑひもせす、おれはあとのねえ仮名みてえなもんだ、ねるぜ」

女はそっと身をすり寄せた。

「きれえな人だな」と多平があるきながら云った、「あんな旅籠屋にはもってえねえきりょうよしだ、若くって色っぽくって、おまけに親切でやさしくって、――親方の女運のいいのにゃあたまげるばかりだ」

「あれが若いだって」と源次は鼻を鳴らした、「もう二十八だぜ」
多平は聞きながして片手を出した、「小遣いにって、これを預かって来ましたよ」
「よけえなことを」源次は見もしなかった、「おれはいらねえ、おめえが取っとけ、いいから取っとけよ」
「そうはいかねえさ、あっしは知ってるんだ」多平は人の好《よ》い笑い顔で云った、「ゆうべ夜なかに、おかみさんは親方の部屋へ忍んでいったでしょう」
「ねぼけるな」と源次は眼をそらした、「夢でもみたんだろう」
「明けがたに親方の部屋から、そっと出て来るところも見ましたよ」
「ばかなことを云うな、おめえはねぼけたんだ、――それにまた、どっちにしろおれが小遣いを貰《もら》ういわれなんかありゃあしねえ、取っとけと云ったら取っておけ、その代りここでおめえとは別れるからな」
「別れるって、どうするんです」
「おれにゃあおれの用があるんだ」
「けれども、親方をつけ覘《ねら》ってる者がいるってこと、忘れたんじゃねえでしょうね、あっしはついてゆきます、殴られたって親方を独りにするこたあできねえんだから」
「ここで別れるんだ」源次は立停《たちどま》って、多平を睨《にら》みつけた、「誰がなんのためにつけ覗ってるか知らねえが、それはおれのことで、おめえにはなんのかかわりもありゃあしねえ、ついて来ると承知しねえぞ」

するどい眼つきと、容赦のない口ぶりに圧倒されたのだろう、多平は黙って、哀願するように源次の顔を見まもった。

源次はよせつけない表情でその眼を睨み返し、それから向き直って、あたらし橋のほうへ曲った。

「夜なかに忍んでいった、明けがたに出て来るのを見た、ってやがる」いそぎ足になりながら、源次は唾《つば》を吐いて呟いた、「――いつでもこうだ、忍んではいり、そっと出てゆくのは見ただろうと、だが、部屋の中のことはわからねえ、女が好き勝手にしているだけで、おれは手も出さなかったなんてことは、誰も信用しようとはしねえんだ、それが人間ってえもんだろう、生れたときからいっしょに育っても、お互いに心の中まではわからねえ、おとなになるにつれて、万人が万人それぞれの性分が固まってしまうからな」

またくだらねえわかりきったことを考える。そんなことにいま初めて気がついたわけじゃあないだろう。誰にだってわかりきってることだ、悲しいけれどもそれが人間なんだ、と源次は思った。

「そうわかっていても、みんなは悲しかあねえんだろうか」彼は柳原の土堤《どて》に沿って上《かみ》のほうへゆきながら呟いた、「——お互いにちぐはぐな、まるっきり違ったことを考えながら、あいそよく笑ったり、世辞を並べながら駆引をしたりしている、それでも生きていかれるんだ、だがどうしてだろう、そんなようで生きていて平気なんだろうか」

おめえは十六七の若ぞうのようなことを云う、と根岸のあにいに云われたことがあった。いまは十六七の若ぞうだって、そんな青っぽいことは云やあしねえぞって、——あにいはいい人だ、ずいぶん迷惑をかけたが、いつもよく面倒をみてくれた。じつにいい人だが、やっぱりわかっちゃあくれなかった。柳原河岸を左へ曲り、少しいって右へ曲り、また左へ曲った。武家の小屋敷のあいだに、酒屋や荒物、筆紙屋などがとびとびにあった。神田竜閑町へはいり、源次はまっすぐに「岩紀」という家へいった。それはかなり大きな構えで、黒板塀《くろいたべい》をまわし、こんな町なかには珍らしく、裏門が笠付《かさつ》きの柴折戸《しおりど》になっていた。——ここは別宅で、本宅は京橋にあり、刀脇差《わきざし》のしにせとして古くから知られている。

当主は岩月卯兵衛《うへえ》といって、組合の頭取を十年も勤め、大名諸家へ多く出入りしていた。この別宅には隠居の紀平がいるが、とくい先の諸侯の用人とか重職などを、ときどき招待する必要があり、そういう場合にはこの別宅を使うため、建物や庭には費用を惜しまず、凝った山家《やまが》の侘《わ》びたふぜいをあらわしていた。

横の潜《くぐ》りからはいった源次が、家の裏へまわってゆくと、薪《まき》を割っている下男の庄助に出会った。庄助は五十がらみで、骨太の逞《たくま》しい軀《からだ》をしてい、源次が植木を移すときには、よく彼の力を借りたものであった。

「植源《うえげん》さんじゃないか」庄助は手斧《ちような》を持ったまま腰をのばした、「ながいこと姿を見なかったが、どうしなすった」

「お庭をね」源次はきまりわるそうに云った、「お庭の木を見てえと思って伺ったんだが、もしかしてお客でもあるんなら、出直してきますよ」

「今日はお客はなしだ、ちょうど御隠居さんもいらっしゃるし、親方が来たと云えばおよろこびなさるだろう、いつもおまえさんの噂《うわさ》をしていらっしゃるからな」

「あっしの来たことはないしょにして下さい、勝手に職をやめちまってから三年、ずっと無沙汰のしどおしなんで、御隠居には合わせる顔もねえ、ちょっと見せてもらうだけでいいんだから」

「合わせる顔がないとは古風だな」と庄助は微笑した、「そんならまあ、好きなようにするさ」

五

源次は芝生に腰をおろし、両膝《りょうひざ》を手で抱えて、杉ノ木を眺《なが》めていた。惚《ほ》れぼれとした眼つきで、——それは七年まえに、彼が隠居の紀平に頼まれ、相州鎌倉《かまくら》から自分でひいたものであった。隠居は育ってからの木のなりや、枝ぶりを注文し、彼は請け負った。そのため木を捜すのに十日もかかり、鎌倉の山の中で五本みつけたが、その中から一本を選ぶのに三日も迷った。——そんなことは、それまで殆《ほと》んどないことであった。たとえ心をひかれる五本の木をみつけても、その中から一本を選ぶのに迷ったことはないし、選びかたを誤ったこともなかった。しかし、丈が四尺ばかりのその杉の苗木は、枯れた栗林《くりばやし》の中でみずみずしく、成長するいのちをうたいあげているようにみえた。冬の日光にあたためられた栗林は、どの葉も白っぽい茶色に枯れちぢれていたから、若い杉の濃い緑がいっそうひきたち、まわりの枯れたけしきとみごとに調和して、五本のうちのどの一本も、そこから動かすことはできないように感じられた。

「あのころまでだな」と源次はそっと呟いた、「あのころはまだよかった、まだ仕事が面白かったし、張りもあった、知らなかったからな」

いまその杉は一丈ちかい若木になっている。下枝から秀《ほ》まで、植えたときの枝が一本も欠けず、いかにものびのびと育っていた。葉付きもたっぷりしているし、木のいのちの脈搏《みゃくはく》が聞えるようであった。

「珍らしいな」とうしろで呼びかける声がした、「源次《げんじ》じゃないか」

源次はちょっと軀を堅くしたが、振り向きもせず、挨拶《あいさつ》もしなかった。どうです御隠居さん、と彼は杉ノ木のほうへ手を振った。

「御注文どおりに育ったでしょう」と源次は云った、「見て下さい、あっしの思っていた以上によく育った、うっとりするじゃありませんか」

自慢そうな言葉とは反対に、声の調子にあるそらぞらしさは隠しようがなかった。

紀平は不審そうに源次の横顔を見たが、聞き咎《とが》めたようすはみせなかった。

「どんなにいやなことがあっても」と紀平は云った、「ここへ来てこの杉を見ていると、心の隅《すみ》ずみまでさっぱりと、洗われたような気分になる、私はときどき、自分が杉ノ木の生れ変りじゃあないかと思うよ、ばかな話のようだが本当のことだ」

「杉にもひでえのがありますぜ」

「そこがむずかしいところさ」と云って紀平はあるきだした、「おまえに見せたいものがある、こっちへ来てごらん」

源次は気のすすまないようすで立ちあがり、紀平のあとからついていった。杉ノ木から左へゆくと、岩組みの庭に続いていた。大小さまざまな岩を組みあげて、その上に楓《かえで》が二十本ほど枝をひろげている。岩には苔《こけ》が付いて、その隙間《すきま》にはまたいろいろな種類の歯朶《しだ》が、それぞれの形と色をきそうようにその葉を垂れていた。ぜんたいは人工のものと思えず、ながい年月風雨を凌《しの》いできた自然の一部を、そのまま移したような、おもおもしくしんとした気分をひそめていた。

「あれを見てごらん」紀平は指さした、「おまえの植えた実生《みしょう》の杉や松や、やまはぜや樺《かば》などが、あのとおりちゃんと育っているよ」

源次はそっちを見ようとはしなかった。かたくなに口をつぐみ、麻裏草履の爪先《つまさき》で、地面になにか書いていた。紀平はそれを横眼《よこめ》で見てから、向うでちょっと休もう、おいでと云《い》って、母屋《おもや》のほうへあるきだした。源次はどうしようかと迷うようすで、しかしぐずぐずと、思い切りの悪い足どりでついていった。紀平は広縁へあゆみ寄ると、肩や袖を手ではたきながら、高い声で人を呼んだ。まだあの癖が直らねえな、と源次は思った。こっちは仕事をするからごみだらけになるが、隠居の着物には塵《ちり》ひとつかかりゃしねえ、悪い癖だ、と源次は眉《まゆ》をしかめた。

「さあ、ここへお掛け」紀平は沓脱《くつぬ》ぎにあがり、広縁へ腰を掛けながら、源次に自分の脇を叩《たた》いてみせた、「久しぶりだ、一と口つきあっておくれ」

「あっしはだめなんです」源次は腰を掛けて頭を振った、「だらしがねえって、よく御隠居に笑われましたが、こればっかりは生れつきでしょうがねえ」

「そうだっけな、根岸の親方とまちがえたよ」

源次は振り向いた、「根岸が来たんですか」

「ときどきな」と云って、紀平は奥のほうへ声をかけた、「おちよ――酒はいいからお茶をたのむよ」

奥で返辞が聞え、この隠居も変ったな、と源次は思った。長屋住いならともかく、岩紀の隠居ともある人が、襖越《ふすまご》しに用を命じるなどということはない。少なくともまえにはそんなことはなかった、と源次は思った。紀平はまた紀平で、源次が岩組みの庭から眼をそらし続けているのを認め、やっぱりあれが事の原因かなと思っていた。

「田原町のうちへ幾たびも使いをやったんだよ」と紀平は云った、「――おまえさんは二た月に一度ぐらいしきゃ帰らないそうじゃないか、おかみさんと二人の子供が、賃仕事をしてくらしてるっていうが、いったいどうしたということだ、おかみさんや子供たちを可哀《かわい》そうだとは思わないのかね」

「可哀そうなのは、うちのかかあやがきだけじゃねえ、どこの横丁、どこのろじにもうんざりするほど可哀そうなくらしはありますぜ」と源次は答えた、「あっしのうちだけに限っても、かかあやがきどもより、もっと悲しい哀れなやつが」彼は突然そこで言葉を切り、頭のうしろへ手をやった、「――こりゃあどうも、口がすべりゃあがった」

「云いたいことがあったら、聞こうじゃないか」と紀平が穏やかに云った、「日暮里の植甚の身内で、おまえさんの右に立つ者はなかった、いやお世辞でもからかいでもない、というまでもない、おまえさん自身が知っていることだろう」

「あっしはもうこれで」と云って、源次が立とうとしたとき、五十恰好《かっこう》の老女が、小女《こおんな》とともに茶菓を持って出て来、まあ喉《のど》をしめしておいでと、紀平が源次になだめるような口ぶりで云った。老女――おちよというのであろう、上品な顔だちの老女は、二人のために茶を淹《い》れ、菓子鉢《ばち》をすすめたのち、ほかに用事がないかどうかをきいて、小女とともに去っていった。

「さあ、飲んでごらん、四五日まえに宇治から届いた新茶だ」と云って紀平はひょっと顔をあげた、「そうそう、それで思いだしたが、ここで茶ノ木が育つだろうか、じつは麻布《あざぶ》のさるお屋敷で、みごとな茶畑を拝見したんだがな」

「新茶をいただくなんて、生れて初めてのことでね」源次は茶を啜《すす》ってから云った、「おごそかなもんなんだろうが、あっしなんかにゃ渋茶のほうが口に合います」

「話をそらすじゃないか、茶ノ木をやってみてくれないかね」

「根岸が伺ったとすると御存じでしょうが」

「ああ知っているよ」と紀平は源次の言葉を遮《さえぎ》った、「だがなぜだい、ここで善五とやりあったのがもとかえ」

「あいつはくわせ者です」

「おまえは箱根まで跟《つ》けていったそうだな、私はその場にいなかったから聞かなかったが、どうして箱根くんだりまで跟けていったんだね」

源次は茶を啜り、持った茶碗《ちゃわん》の中をみつめながら、いま考えると子供っぽくてきざで、思いだすだけでも、冷汗の出るような気持だが、あのときはしんけんだったと、詫《わ》びごとでも云うような口ぶりで語った。相変らず岩組みの庭のほうへは、頑《がん》として眼を向けようとしない。陽《ひ》にやけてあさぐろく、ひき緊《しま》った源次の顔の、両のこめみに癇癪筋《かんしゃくすじ》がうきだすのを、紀平は眼ざとくみつけながら、黙って聞いていた。——

五年まえ、そこは野庭造りだったのを、紀平が岩組み山水にすると云いだし、庭師の善五郎にその仕事を命じた。そのころ善五郎は五十六か七で、遠州古流とかいう造庭家として評判の高い男だった。源次はその評判を信じなかった。出入り先で善五の噂を聞き、彼の造った庭をいろいろ見たが、その人間の手にかかったという、筋の感じられるものはなかった。遠州古流がどんなものか知らないが、そういう名がある以上、そこには他の流儀とは違う型とか法があるだろう。少なくとも手がけた善五の呼吸が、生きているはずである。手職の仕事にはその人の癖とか特徴が出るものだ。仕立屋のようなこまかい仕事でさえ、その人間の縫いあげた衣類は、往来で見かけてもわかるという。善五の仕事にはそれがなかった。注文ぬしの気にはいるらしいし、地坪に合わせて纏《まと》める巧みさはめだつけれども、それらを支える動かない「筋」というものがないのである。——ここの野庭を岩組みにすると聞いたとき、源次は善五がどんなことをやるかと、ひそかにその動静を見張っていた。それで、善五が独りで箱根へでかけていったときも、そのあとを跟けていったのだ。善五郎は芦《あし》ノ湖《こ》で舟を雇い、左岸をめぐりながら図取りをした。源次も舟であとを追い、釣《つ》りをするようによそおって、善五が図取りをするのを仔細《しさい》に見た。

「そして造ったのがあの庭です」と源次は云った、「断わっておくが、これは悪口じゃありませんぜ」

六

「聞いてみると、芦ノ湖の左岸へはよく、庭師たちが図取りにゆくそうです」と源次は続けた、「そこには慥《たし》かに、自然に出来たとは思えないような、みごとな景色がつらなっていました、どの一角を取っても惚れぼれするような庭になる、あっしは唸《うな》ったもんだ、ここにこういう手本のあることを、知っているだけでもてえしたもんだ、こいつは本当にいい庭を造るかもしれねえぞ、ってね」

けれども、善五の造ったのは、図取りをした岸の一角をそのまま移したようなものであった。図取り絵取りをするのはいい、だが庭師なら自分のくふうがある筈《はず》である。絵取った下図をそのまま移すというのでは、本職の庭師とはいえないだろう。ちょっときような者なら、しろうとにだってできる仕事だ。

「おまけに、善五はもう一つしくじった」と源次は云った、「ちょうど十月のことで、そのあたりは楓がきれいに紅葉していました、はぜやうるしやぬるでなども、紅と黄色をきそいあっているようだったし、その下には実生《みしょう》の杉や松や、もう葉の散った二番生《ば》えの雑木などがあった、善五はそれを見おとしたんです、岩組みと楓だけはこくめいに写したが、そのほかの木は眼にはいらなかった」

それで岩組みの上に楓だけ植えさせたのだが、楓だけとすると芽ぶきから紅葉、そして散るのまでがいっしょである。そんな片輪な庭があるものではない、絵取った岩組みをそのまま写すなら、植える木にもそれだけの調和がなければならない。それで自分は苗木の杉や松、ぬるでやはぜ、うるしその他の灌木《かんぼく》も植え込んだのであった。

「するとそれをみつけて、善五のじじいが怒りゃあがった」と源次は云った、「これはおれの方式に外れている、遠州古流はきびしい流儀で、方式に外れたことはゆるせない、なんてね、――くそじじい、あっしはよっぽど芦ノ湖の一件をばらしてやろうと思った、腹が煮えくり返るようだったが、相手が年寄りのことだし、植木職が庭師をやりこめても自慢にゃあならねえ、あっしゃあ歯をくいしばって退散しましたよ」

「だが私は善五に手をつけさせなかった、見てごらん」と紀平は顎《あご》をしゃくった、「おまえの植えた木は一本残らず、そのままあのとおり育っているよ」

へえと云ったが、源次はやはりそっちを見ようとはしなかった。

「それはそれでいいんです」と源次は俯向《うつむ》いて云った、「植木職が庭師に盾をつくのは筋違いだ、いやならそっぽを向いてりゃあいいんだから、そうでしょう御隠居、――あっしが職をやめたのはそんなこっちゃあねえ、まるっきりべつな話なんだ」

「私はこのとしになって悪い癖がついてね、朝酒を飲まないと軀の調子がよくないんだ」と紀平が云った、「一と口やりながら聞きたいんだが、いいかい」

「ここは御隠居のお屋敷だ、どうぞと云うまでもねえだろうが、すっかりながいをしちゃって済みません、あっしはこのへんでおいとまにしますから」

まあお待ちと、紀平は止めにかかったが、源次は立ちあがって辞儀をし、逃げるように裏のほうへまわっていった。下男の庄助はもういなかったし、潜《くぐ》りを出るまで呼び止められることもなかった。

「あの隠居はへんに気がまわるからな」源次はいそぎ足に道を曲っていった、「心付でも包まれたら引込みがつかねえや」

彼は神田川の河岸へ戻り、柳原堤に沿って大川のほうへあるいていった。

あたたかくやわらかな軀の律動を、夢うつつのうちに感じながら、おとよかなと、おぼろげに源次は思った。まさか、そんなことはないだろう、信濃屋は当分よりつくまいときめたんだから。しかしおれは酔ってるようだな、酒を飲む筈はないんだが、どこで飲んだんだろう。喉でけんめいに抑えたすすり泣きのような声が聞え、短い間隔をおいて痙攣《けいれん》が、繰返し彼を包んだ。これは夢だな、夢の中で昔の女をみているんだ。それにしても誰だろう、この肌《はだ》の匂《にお》いには覚えがある。ほかにはない匂いだ、口もあまりきかず、いつも伏眼になっていて、そのくせこっちの気持をよくみぬいていたっけ。おれが今日のやつにあれが喰《た》べたいと思うと、ちゃんとそれが出たもんだ。

「ここはどこだ」と源次はよく舌のまわらない口ぶりできいた、「おめえ誰だっけ」

強くはないがはっきりした収縮と弛緩《しかん》とが交互に起こり、彼は緊めつけられて、なかば眼がさめた。あたりはまっ暗で、隙間をもれる仄明《ほのあか》りもなく、乾ききらない壁の湿っぽい匂いがした。相手の軀《からだ》が柔軟に重くなり、彼を緊めつけていた力が、ゆっくりと、しだいになにかが解けるように、波動を伝えながら静まっていった。

「麴町《こうじまち》のお屋敷だな」と源次がだるそうに云った、「市橋さまの中間《ちゅうげん》部屋だろう、――とすると、おめえは誰だ」

相手は答えず、そっと彼に頰《ほお》ずりをし、やすらぎの太息《といき》をつきながら軀をはなした。

麴町ではすぐに帰った。竜閑町の「岩紀」と同様すぐに帰った。市橋さまの屋敷では酒を出されたっけ、だが飲まなかったし、中間部屋でめしを喰べただけだ。待てよ、芝の悲願寺では一日がかりで木の手入れをし、晩めしを食って出た筈だ。そうじゃねえ、悲願寺じゃ寺男の小屋で寝たんだ。そうだ増造のじじいが酔っぱらって、いつまでもへたくそな唄《うた》をうたってた。すると、ここはやっぱり信濃屋だろうか。いや、そうじゃねえ、信濃屋ならこんなに壁が匂うわけはねえ。源次はまた、うとうと眠りにひきこまれるのを感じた。

「帰るわね」と囁《ささや》く声がした、「風邪をひかないように、――おやすみなさい」

源次は欠伸《あくび》をして寝返った。

「起きろよ、源《げん》さん」と咳《せき》をしながら呼ぶ声がした、「おらあ、もうおてんとさまが屋根の上だ、めしが出来てるよ」

「だめだ、くたくただ」と云って源次は掛け夜具を顔の上まで引きあげた、「おらあ二日分も仕事をしたんだ、もう少し寝かしといてくれ」

「御隠居さまが待っていなさるんだ、おめえに話があるってな、さあさあ、起きて朝めしを喰べちまっておくれ、まだ仕事が残ってるんじゃないのかい」

「今日はいちんちじゅう仕事をしたぜ」

「それは昨日だよ」と咳をしながら云うのが聞えた、「今日は橋立《はしだて》の手入れをするって、云っていた筈だがね」

橋立と聞いて、源次は眼をさまし、本能的に、女はどうしたかと左右を見た。乾ききらない壁の匂いが、六帖《ろくじょう》一と間の小屋の中に強く匂い、それが形容しようのない虚脱感と、たよりないような、うらがなしいような想《おも》いとで彼をくるんだ。あけてある戸口から、日光が眩《まぶ》しいほどさしこんでいて、かなり広い土間は暗く、小柄《こがら》な老人がこっちへ背を向けたまま、しきりに水の音をさせていた。

——向島だな、と源次は思った。伊豆清《いずせい》の向島の寮だ、そうだとすると女は、女は、——名は思いだせねえな、なんだかへんな名だったが、どうしてあの女だとわからなかったんだろう。

あの年寄りは庭番の角《かく》さんだ。ここは角さんの小屋で、角さんは独りで寝起きをしている。ではゆうべはどうしたんだろう、ここで寝ていたのか、それともここはおれたち二人だけにして、自分はどこかよそで寝たのだろうか。そうだ、酒をしいたのは角さんだ。おれはなにか癪《しゃく》に障って、やけなようになっていて、それで飲んだんだ。しかしなにが癪に障ったんだろう。へっ、なにょう云やあがる、この世に癪でねえことがあるか、男も女も、世間じゅうが寄ってたかって、おれを小突いたり振り廻《まわ》したり、眉間《みけん》を殴りつけたりして、いい笑いものにしやあがる。ざまあみやがれだ、と彼は思った。

「本当にもう起きなくっちゃだめだよ」と土間から角さんが云った、「御隠居さまが待ってるんだから、世話をやかせちゃ困るよ」

ああと云って、源次は起きあがった。

「まあいい、仕事はまたのことにしてもいいんだ、まあお飲み」と清左衛門が云った、「どうにも腑《ふ》におちないんでな、今日は正直なことを聞きたいんだ」

清左衛門は濡縁《ぬれえん》に座蒲団《ざぶとん》を敷いて坐《すわ》り、手酌《てじゃく》でゆっくりと酒を啜っていた。としは七十二か三であろう、痩《や》せた小柄な軀つきだが、焦茶色《こげちゃいろ》の膚《はだ》はつやつやとしているし、みごとに白くなった髪の毛と、一寸もありそうな厚い長命眉《まゆ》とが、焦茶色の膚をひきたてているようにみえた。日本橋の通一丁目にある「伊豆清」の店は、諸国の銘茶を扱うので府内に名高く、この清左衛門が一代で仕上げたものだという。二十年まえに隠居をし、向島の寮へひきこもったが、いまでも五日に一度は店へゆくし、大事なとくい廻りも欠かさなかった。妻女には早く死なれたが、身持ちは堅く、女あそびはしないし浮いた噂《うわさ》もなく、自分でも「しょうばいと酒だけがたのしみだ」と云っていた。この寮には庭番の角造のほか、めし炊《た》きのばあさんと、女中二人を使っている。その二人はどちらも温和《おとな》しく、きりょうよしで、一人は来てから十年、他の一人も七年くらいになるだろう。角造の話によると、二人とも幾たびとなく縁談があったのに、寮を出るのがいやだと、断わり続けているそうであった。——源次は日暮里の植甚にいるじぶんから、ずっとここへ出入りをしていたし、独り立ちになってからも、植木のことは任されてきた。だから、出入りをするようになってもう二十年ちかく経《た》つだろう。泊り込みで仕事をしたことも三度や五たびではないし、おまけによく口論をした。源次からみると隠居はけちで、仕事にはうるさく注文をつけるが、払いとなると十文二十文のことまで詮索《せんさく》する。注文どおりの木を捜すのに、十日も二十日もかかることが珍らしくないが、旅費や宿賃をきげんよく出したことはなかった。

十年ほどまえ、庭の半分をつぶして、荒磯《ありそ》の景色にするのだと云いだし、源次は一年がかりで三十本ばかりの松を集めた。それはほぼ彼の予想どおりに育ったし、清左衛門も気にいって、いまでは「橋立《はしだて》」と名付けて自慢にしているが、そのときの支払い勘定などは、源次のもちだしになったほどであった。いっそこっちから出入りをやめよう、と考えたことは数えきれないくらいだが、清左衛門にはふしぎに人をひきつけるところがあり、腹を立てながらも、顔を見に来ずにはいられないのであった。

「どうした、飲まないのかい」

七

源次は自分の平膳《ひらぜん》を見て、眉をしかめた。大きな燗徳利《かんどつくり》に、盃《さかずき》と小さな鉢が一つ、中にはきゃら蕗《ぶき》と小さな煮干が三尾、小皿に菜のひたしがあるだけであった。

「あっしが飲めねえ口だっていうことは」

「知ってるよ」と隠居が遮った、「私だって高価な酒を、嫌《きら》いな者に飲ませたくはないさ、これほどむだなことはないからな、しかしおまえさんはしらふでは云《い》いたいことも云わない、黙って、どんないやなことも自分の胸の中にしまったまま、人には話さず、独りで肝を煎《い》ったり癇癪を起こしたりしている、そのあげくが妻子を捨て職まで捨ててしまった」
「あっしは妻子を捨てたりなんかしゃあしません」と云い、源次は手酌で一つ飲んだ、「誰がそんなことを云ったんです」
「田原町へなんども使いをやったよ」
「かかあやがきはちゃんとやってる筈です」
「おかみさんはともかく、十三になる男の子までが、近所の使い走りをしていても、ちゃんとやってると云えるのかい」と清左衛門は云った、「もちろん世間にないことじゃあない、稼《かせ》ぎのない亭主を持ったために、妻子が手内職や走り使い、子守をして飢えを凌《しの》いでいる家族もあるだろう、だがおまえさんは違う、おまえさんは日暮里の身内ばかりでなく、植木職として、御府内に何人と数えられるほどの腕を持っている人間だ」
「冷汗が出らあ、よしておくんなさい」
「冷汗といっしょに、本音も出したらどうだ」と隠居は酒を啜《すす》って云った、「それだけの腕を持ちながら、いったいどういうつもりで職をやめたんだ、どうしてだい源《げん》さん」

源次はまた手酌で一つ飲んだ。どうして世間じゃこう酒ばかり飲むんだろう、と思って彼は顔をしかめた。飲むときも臭えしおくびも臭えし、後架《こうか》へはいっても臭え。たまにうまく酔えたときに、楽な気持で女と寝られるぐれえがめっけもんだ。そのほかには三文の得もありゃあしねえや、と源次は思った。

「返辞ができなければ、こっちから云ってやろうか」と清左衛門が云った、「三日ばかりまえのことだが、私は橋場の藤吉《ふじよし》さんに会ったよ、おまえの古い出入りだそうだね」

源次は盃を持った手で、顔の前を横に撫《な》でるようなしぐさをし、「たかが五年そこそこです」と云った。

「だとすると、よっぽど気が合ったんだな」

「しょうばいとなるとね」

「そうかな」盃を口のところで止めて、隠居はちょっと歯を見せた、「手のことから松の枝おろしまで、詳しく藤吉さんに話したそうじゃないか、――そこそこ二十年もつきあっている私には、ひとことも話したためしのないようなことをね」

源次はやけになったように、盃で二杯、続けさまに飲んだ、「口の軽い旦那《だんな》だ、こっちはそんなことすっかり忘れちゃってるのに、――手の話だなんて、きっと首でも吊《つ》りてえような気持だったんでしょうよ」

木や草を扱うには、生れつきの「手」というものがある。理由はわからないが、同じ条件で扱っても、その手を持っているのといないのとでは、木や草の育ちかたがまるで違う。植木職なかまでは知らない者のないことであり、同時に、それがどうしようもない天成のものであるため、口に出して話すようなことはなかった。

「それが聞きたいんだ」と云って清左衛門は、まっ白な長命眉をあげ、あげた眉をぐっと眼《め》の上へおろした、「手のことはまあいい、私も初めて聞いた話ではないし、べつに秘し隠しをするようなことでもないだろうからな、けれども兼徳さんで松の枝を切ったというのは、本当のところどういうことなんだ」

「きっと首でも吊りてえような気持のときだったんでしょう」

「それともしょうばい気で、話を面白くしたのかもしれないとね」

「あげ足を取っちゃいけねえ」源次は酒を呷《あお》った、「こんなことを、御隠居に話すのはいやだ、叱《しか》りとばされるにきまってるからね、けれども、藤吉の旦那が饒舌《しゃべ》ったとすれば同じこった、慥《たし》かに、兼徳のでこ助はあっしの植えた松ノ木の、いちばん大事な枝をばっさり切っちまいました」

「相談もしずにかえ」

「ひとことも」源次は首を振って云った、「御隠居にゃあわかるだろうが、注文どおりの木を捜し、それを移して来て、うまく育てるのはちょろっかなこっちゃあねえ、雨風、雪霜の心配から、土替え根肥《ねごえ》、枝そろえと、それこそ乳呑み児《ちのみご》を育てるように、大事にかけて面倒をみるもんだ、しかもほかの仕事と違って、百日や二百日で埒《らち》のあくこっちゃあねえ、木によっても違うが、少なくって三年、松なんぞは五年も十年も丹精して、どうやら形のつくもんだ、そうして、こんなら手を放してもいいというところまでこぎつけるころには、こっちの血がその木にかよって、女房子よりも可愛《かわい》い、しんそこからの愛情がうまれるもんだ、ほかの仕事だってそうかもしれねえが、こっちの相手は生きている木だ、幹も枝も葉も生きていて、こっちがその気になればぐちを云ったり、笑ったり、叱りつけたりすることができる、木はにんげん同様、生きているし話もできるんだ、わかりますかい御隠居」

清左衛門は黙ったままで頷《うなず》いた。

「それを兼徳のでこ助は、なにかの邪魔になるからって、いちばん大事な中枝《なかえだ》を一本、なさけ容赦もなく、付け根からばっさり切り落しちまやあがった」源次はゆっくりとうなだれた、「——苦労して育てて、ようやく形ができたというところです、あっしは切り口の白っぽい木肌を見たら、わが子の腕を切り取られたように、胸のここんところが」

　そこで源次は絶句し、徳利の酒を盃へしたんで飲んだ。それを見て清左衛門が手を叩《たた》くと、若いほうの女中が出て来、清左衛門は酒を命じた。その女中は二十五か六になるだろう、ふっくらとしたおもながな顔に、憂《うれ》いのある眉。下だけ肉のやや厚い唇《くちびる》は、紅を塗ったようにしっとりと赤かった。

「およそのところはわかったよ」と清左衛門は緊張した気分をほぐすように云った、「おまえの気持はほぼ察しがつくがね、しろうとじゃあない、おまえさんはしょうばいにんだ、植える木に愛情をもつのは当然だろうが、一本や二本のことじゃあない、愛情としょうばいとの、けじめをつけるわけにゃあいかないのかね」

「そういうことのできる者もいるでしょう、あっしにはできねえ」源次はうなだれていた顔をゆっくりとあげた、「だらしのねえはなしだが、あっしにはそういうけじめをつけるなんてことはできないんです、本当にできねえんです」

「人それぞれだな」

「それだけじゃあねえ、屋敷の名は云えねえが、ほかにもさるすべりや、梅や、つげなどで、勝手に秀《ほ》を詰めたり、枝をおろしたりされたことが五たびや七たびじゃあありません、しかし、可笑《おか》しなはなしだ」源次は頭を左右に振った、「向うは金持の注文ぬし、こっちはたかが御用をうけたまわる植木職でさあ、金を払って植えさせれば木はもうあっちのもの、枝を切ろうがぶち折って薪《まき》にしようが向うの勝手で、こっちに文句を云う権利はこれっぽっちもありゃあしねえ、つまるところ、ただいまのお笑いぐさだ、そうでしょう御隠居さん」

清左衛門がなにか云おうとしたとき、さっきの女中がはいって来た。源次はそっぽを向き、清左衛門に眼くばせされて、女中は燗徳利を源次の平膳の上へ置いた。空《から》になった徳利を盆に取って、出てゆきながら女中は源次を見たが、彼は気づかないようであった。

「人それぞれだ」と清左衛門が云った、「ほかの人間にはお笑いぐさでも、或《あ》る人間には生き死ににかかわる問題かもしれない、おまえさんの気持はわかった、けれども、職をやめてこれから先どうするつもりだえ」

「乞食《こじき》ですよ、このとおり」源次は酒を注いだ盃を眼のところまであげ、歯を見せて微笑した、「――自分の植えた木のあるとくい先を廻って、ちょっちょっと手入れをし、そこの旦那がたから茶や酒をふるまってもらって、おべっかを云ったり機嫌《きげん》をとったりするんです、うまくいけば心付にありつけるし、まずくいってもめしぐらいにはありつけますからね」

「そんな都合のいいことが続くと思うか」

「とくい先にもよりますがね」源次はまた微笑した、「まずその心配はねえようです」

八

「たとえば」と源次は続けて云った、「失礼だが御隠居さんは勘定だかくてけちだ」

「おまえがそう思っていることは知っていたよ」

「けれどもけちにはけちのみえがある。現にゆうべは泊めていただいたし、このとおり酒の馳走《ちそう》にもなってまさあ、もちろん、心付が貰《もら》えるなんとは思っちゃあいませんがね」

清左衛門は酒を啜り、ちょっと考えてから云った、「よかったらここへ住込みで、庭の面倒をみてくれないかな」

「庭のことなら角さんがいるでしょう」

「木のことは角造ではまに合わない」

「あっしも御同様でさ、これまで植えた木の世話はするがね、職をやめた以上、もう木のことには手を出さねえつもりです」

「人間は気の変るものだ、そう云い切ってしまわなくともいいだろう」清左衛門は穏やかに云った、「これは聞いた話だが、おまえさんに跡を譲りたいという親方がいるそうじゃないか」

「初耳ですね、なにかの間違げえだろうが、本当だとすれば頓狂《とんきょう》な野郎だ」と云って源次は盃を伏せた、「じゃあこれから橋立をみてきます」

そして彼はろくさま挨拶《あいさつ》もせずに、庭番小屋のほうへ去った。清左衛門がなにか云ったようだが、源次は振り向きもしなかった。

これから先どうするつもりかって、へっ、こっちできてえくれえだ。ねえ御隠居、おまえさんこれから先どうするつもりですかい、一代で伊豆清の身代をおこし、たいそうな金持になり、跡を伜《せがれ》に譲って隠居をしながら、いいとしをしてまだ店へかよい、ゆだんなく帳尻《ちょうじり》に眼を光らせたり、暇があればとくい廻りを欠かさないという。それでどうしようというんだ、そんなことをしていてこの先、どんなものを手に入れようというのかい。これまでにないなにか、この世のものでないようななにかが、手にはいるとでもいうのかい。これから先どうするかって、へっ、人間あしたのことさえどうなるかわかりゃあしねえ、ことにおれなんぞはもう一生が終ったも同様なんだ、けちじじい、おめえこそこの先どうしようというんだい。

手籠《てかご》をさげて、若いほうの女中が来、おやつですと云った。源次は敷いてある茣蓙《ござ》のほうへゆき、腰に挟《はさ》んでいた道具を外して置き、手拭《てぬぐい》で汗を拭《ふ》きながら、莫蓙の上へ腰をおろした。女中は手籠から茶道具と、皿に盛った饅頭《まんじゆう》をそこへ出し、茶を淹《い》れてすすめた。

「ありがとよ」源次は茶碗《ちやわん》を受取りながら、無遠慮な眼で女中を見た、「おらあどうも人の名が覚えられなくって困るんだが、おまえさんの名はなんてったっけな」

「ふつうはすみっていうんですけれど」女中は跼《かが》んだまま俯向《うつむ》いて、恥ずかしそうに答えた、「本当の名はゆうきちなんです」

「ゆうきち、男みてえな名だな」

「ええ、あたしの上に兄があって、生れて半年そこそこで死んだんですって」少し舌ったるい囁《ささや》き声で、女中は云った、「お父っつぁんがばかなくらい可愛がっていて、死なれたあと百日ばかり、本当にばかのようになったそうです、そして、こんども男の子を産めって、おっ母さんをしょっちゅう責めては、いまから名は勇吉にきめたって云うんだそうです」

「死んだ兄の名が勇吉だったんです」と女中は続けた、「それで、生れてくる子がたとえ女でも名は勇吉ときめた、だから男を産むんだぞって、飽きずにおっ母さんを責め続けたんですって」

「そうして女のおまえさんが生れた」

「ええ」と頷いて女中はくすっと笑った、「おっ母さんはまさかと思ったそうですけれど、お父っつぁんは云ったとおり、人別《にんべつ》にも勇吉と届けちゃったんですって」

「家主や町役《ちょうやく》がよくそれでとおしたもんだな」

「いろいろ文句があったんですけれど、おれの子に親のおれが付けた名だって、お父っつぁんは頑張《がんば》りとおした、って聞きました」

母がすみという呼び名を付けて、近所の人たちにも頼み、父親のいないところでは、すみと自分でも云い、人も呼んでくれた。けれども子供たちは耳ざといから、いつか本当のことを嗅《か》ぎつけてしまい、勇吉、勇吉とからかうのであった。あたしの名はおすみだって云い返すと、あくたれな子はそうじゃない勇吉だ、ほんとは男の子だろう、嘘《うそ》だって云うんなら捲《まく》って見せろ、などとからかった。おすみは泣きながら家へ帰ったが、子供は面白がって、なにかというと「捲って見せろ」とはやしたてるのであった。

「笑わないで下さい」と女中は囁くように云った、「あんまり云われるので、あたし自分のを見たんです、恥ずかしいけれど、幾たびも見たのよ、そして男の子のも見て、自分は片輪なんだと思いきめてしまったんです」

「子供のじぶんにはよくあることさ」

「ええ」女中はかすかに頬《ほお》を赤らめながら頷いた、「あたしの友達にせっちゃんという子がいて、その子も男の子にへんなことを云われ、自分のと男の子のとの違うのを見てから、やっぱり自分は片輪なんだ、って思ったと話していました」

それで一生嫁にはゆくまいと決心し、ずっと縁談を断わりとおしてきた。この寮へ女中勤めにはいってからも、縁談はたびたびあったけれど、やっぱり一度も承知をしなかった。むろん片輪などでないことは、としごろになるころにわかってはいたけれど、いざ結婚という話になると、片輪だと信じた、小さいじぶんの恐れが胸によみがえってきて、とても話を聞く気にさえならなかった。そうして、あなたと知り合ったのだ、と女中は云った。

「うまいな」源次は菓子を喰《た》べて云った、「これは並木町の銘菓堂の茶饅頭だな」

「ええ」と女中は眼を伏せて答えた、「あなたがお好きだというので、あなたがいらしったので買っておいたんです」

「うまい」と源次は云った、「おらあこの茶饅頭がだい好きだ」

おかしな名だと思ったが、ゆうきちとは知らなかった。二度めのときだっけかな、あたし本名はゆうきちっていうんです、って云《い》ったんだな。こっちはただおかしな名だと思っただけだが、まさかね。

「なにをこっそり思いだし笑いなんぞしているの」と女が云った、「ここに独り者がいるんですからね、罪ですよ親方」

「嫁にいくのはいやだが、男は欲しいというやつさ、嘘あねえや」

「なんだかおやすくないような話ね」女は源次に酌《しゃく》をし、自分も手酌で飲んだ、「親方その人に惚《ほ》れてたのね」

「ふしぎだ、今夜は酒が飲めるぜ」

「あたしも、うまいわ今夜のお酒」女は源次に酌をし、自分もまた手酌で飲んだ、「親方にはおめにかかったことがあるわね」

「ひとの酒だと思って、あんまり売上をあげるなよ」

「今夜はあたしの奢《おご》り、店もあけないのよ」

「おめえ独りでやってるのか」

「こんなおばあちゃんでは構いてがないでしょ、夫婦別れをしてっからまる二年、雄《おす》猫《ねこ》も近よりゃあしないわ」

「そうじゃあねえ、この店のことさ」

「うまく逃げるわね」女は媚《こ》びた眼でにらんだ、

「この店ならあたし一人よ、夕方からはかよいの女の子が二人来ますけれどね、親方さえよかったら今日は休みにしますわ」

　またか、また例のとおりか。女たらしってね、おれがなにをしたっていうんだ。夫婦別れをして二年だという。信濃屋のおとよは、亭主に死なれて五年になると云った。亭主は酒と女と博奕《ばくち》で、金をせびるとき以外は寄りつかない。小さな旅籠《はたご》でも、しょうばいをしていれば元手が必要だ。食物から衣料、器物や家具の修理など、毎日なにかで出銭がある。亭主はそんなことにお構いなしで、せびるだけせびり、断わりでもすればすぐに手をあげた。いつも軀《からだ》になま傷か痣《あざ》の絶えたことがないのよ、と云ったっけ。五年まえに博奕場で頓死《とんし》をしたとき、うれしくって祝い酒を飲んだくらいだという。それで男にはしんそこ懲《こ》りたから、二度と亭主を持つ気もなし、男もまっぴら。もちろんあんただけはべつだけれど、いっしょになりたいとか、いつまでも続くようになどとは思わない。そしてあんたと切れたらもう一生、男の人なんか欲しくはない、と云った。

「ねえ親方」と女があまえた声で云った、「今夜はあたしにつきあって下さるでしょう」

「ここへ来たのも初めてだし、おめえに会うのもこれが初めてだぜ」

「あたしは子供のじぶんから知っているような気がするわ」女は新らしい燗徳利《かんどっくり》を取って、源次に酌をし、自分の盃《さかずき》にも注いだ、「店は夕方からなんだけれど、親方がはいっていらしったとき、断わるのも忘れちまったのよ、――待っていた人が来てくれた、っていうような気がしたらしいわ」

「三日も泊り込みの仕事でくたびれてるんだ」

「そんならあとで揉《も》んであげるわ、あたしおっ母さんに躾《しつ》けられて、肩腰を揉むの上手なのよ」

「いつかまたな」と源次は云った、「なにか食う物を貰おう」

「薄情なひとね」女はやさしく睨《にら》んだ。

ここは並木通りで、田原町へはひと跨《また》ぎだ。薄情者か、ちげえねえ。おかしなはなしだが、他人から見ればこのおれも、おとよの頓死をした亭主とどっこいどっこい、ってえことになるんだろう。誰もなんにも知りゃあしねえし、知ろうともしやしねえ。人のことは丁半《ちょうはん》できめるように片づけてしまう、てめえのことは棚《たな》にあげてさ。うんざりだ、早く年寄りになって、誰にも構われずに、暢《のん》びりくらしてえだけだ。それにしても五十幾日か、敷居が高えな。

九

田原町の横丁の、表店《おもてだな》の家は格子《こうし》造りで、父親が生きていたころは、そこが看板書きの仕事場になっていた。いまは格子戸の中がすぐに土間で、上《あが》り框《がまち》には障子がたててある。源次は格子をあけて、「帰ったぜ」と声をかけ、上へあがろうとすると、人の足音がこっちへ来、中から障子をあけて、一人の少年が源次の前に立ち塞《ふさ》がった。

「よう、秀か」と源次が云った、「おふくろはいるか」

秀次は十三歳の筈《はず》だが、源次の眼《め》には十五六にもみえた。土間から見あげているためか、背丈も高く、軀ぜんたいが逞《たくま》しくなったように思えた。

「帰んなよ」と秀次は声変りしかけている声で、無表情に云った、「ここはおれたちのうちだ、おめえなんかの来るところじゃあねえぜ」

源次は口をあいた。自分の聞いたことがなんだか、まるで理解ができなかったのだ。

「なにを云うんだ、秀」と源次はあいまいに微笑しながら云った、「おめえねぼけてるのか、おれだぜ、ちゃんだぜ」

「うちにはちゃんなんぞいねえよ」と秀次は云い返した、「かあちゃんとねえちゃんと、おいらの三人だけのうちだ、帰ってくれよ」

「おいおい」源次は笑い顔で云った、「からかうのもいいかげんにしろよ、秀、おめえまさか、本気で云ってるんじゃあねえだろうな」

「自分でわからねえのかい」秀次は両手を太腿《ふともも》に沿っておろしていたが、その両の拳《こぶし》は見えるほどふるえていた、「――ここはおれたちのうちだ、ちゃんもいたけれど、ちゃんの名は人別から抜いちまった、家主のおじさんも町役の旦那《だんな》も承知のうえなんだ、嘘だと思ったらきいてみればわかるよ」

「人別から抜いたって」源次はまた口をあき、それから静かに云った、「このうちの世帯主はおれだ、世帯主のおれを人別から抜くなんてことが、できると思うのか」

「ねえちゃん」と秀次は奥に向かって云った、「差配《さはい》さんと自身番《じしんばん》へ知らせてくれ、うるせえことになりそうだからな」

返辞はなかったが、裏の勝手口の戸をあける音が聞え、源次はかっとのぼせあがった。

「おつね」と源次は奥へ向かって喚《わめ》いた、「出て来いおつね、これはどういうことだ」

「大きな声をだすなよ、みっともねえ」と秀次はおとなびた口ぶりで云った、「どういうことか、わけはそっちで知ってる筈じゃねえか、差配さんにも自身番にも話してあるんだ、あの人たちが来ねえうちに帰るほうがいいぜ、さもねえと無宿人《むしゆくにん》の咎《とが》でしよっ曳《ぴ》かれるからな」

源次は子供を殴りつけようかと思った。軀じゅうがむずむずし、両の拳がふるえた。しかし、眼の前に立ちはだかっている秀次には、母や姉や自分をひっくるめて、この家を守ろうとする決意のようなものが感じられて、源次は思わずたじろいだ。

「わかった、それならそれでいいんだ」と源次は顔をあげ、虚勢を張って云った、「また出直して来るよ」

「来なくってもいいよ」と秀次は云った、「誰も待っちゃあいねえからな」

毛を毟《むし》り取られ、皮を剥《は》がれたようなもんだ、と源次は思った。自分はそういう扱いをされるようなことをしたんだ、という悔恨と、仮にも親子じゃあないか、親子夫婦じゃあないか、といういきどおりとが、心の中で絡《から》みあい、立っている力が、足から地面へ吸い込まれてゆくように感じられた。

「そうか、そうか」源次はべそをかくように微笑して、片手をゆらっと振った、「いいよ、わかったよ、女房子から無宿人にされたなんて話は聞いたこともねえが、おれが悪かったんだろう、いや、おれが悪かったんだ、勘弁してくれ、みんな達者でな」

そして、源次は格子をあけて外へ出た。出たとたんに、六尺棒を持った番太と、二人の若い者を伴《つ》れた差配と顔を合わせた。かれらは源次の出て来るのを予期していなかったらしく、彼の顔を見るなりうしろへとび退《の》き、番太は六尺棒を斜に構えた。

「いや、いいんだいいんだ」源次は片手を振った、「もう済んだんだ、悪かったな、もう大丈夫だ、なにもごたごたはありゃあしねえんだから」

そう云っているとき、かれらを押しのけるようにして、半纒着《はんてんぎ》に股引《ももひき》姿の若い男が前へ出て来た。

「ようやっと会えましたね」

「なんだ、根岸の忠吉じゃねえか」

「この七日間、ずいぶん捜しましたぜ」とその若者は左右の番太や差配たちを見まわしながら云った、「五日めえに多平と会いましてね、昨日から神田川の側《そば》の旅籠宿で待ってたんです、これから来てもらえますか」

「来いといって、どこへ」

「根岸へですよ」と若者は云った、「親方が待ってるんです」

「多平はいまでも根岸か」

「来てもらえるんですか」

源次は差配を見、番太や男たちを見た。妻や子供たちに人別帳から抜かれ、無宿人にされた。無宿人、——そしていまは根岸へ呼びだされている。多平が云った、誰かが跟《つ》け覘《ねら》っている、捜しまわっているってな、それはこのことだったのか。この差配や番太たちのことはどっちでもいい、ここを温和《おとな》しく出てゆけばそれで済むことだ。しかし、根岸のあにいはどんな用があるんだろう、なぜおれのことを捜しまわっていたんだろう、と彼は思った。

「用が出来たんでね」源次は番太と差配たちに云った、「あっしはこれで失礼します、もうこの町内へ帰ることもねえでしょう、お世話さまになりました」

さあゆこう、忠公、と源次は云った。まるで屠所《としょ》に曳かれるなんとかのようだな、あるきだしながら、源次は思った。おれがなにをしたというんだ、云い遁《のが》れはしねえ、女房や子供、女たちには薄情だったかもしれないけれどもそれにだってわけはあるんだ。誰もわかっちゃあくれねえが、おれだって人間だ、犬畜生じゃあねえんだ。女たらし、薄情者、こんどは無宿人、そして罪人かなんぞのように、根岸へしょっ曳いていかれるのか。もういいや、どうにでもしてくれ、勝手にしやがれだ、と源次は思った。

根岸の清七は五十二歳。源次のあにき分であり、日暮里の植甚では一の身内であり、そして植甚の外仕事のいっさいを切り廻《まわ》していた。大親方の甚五郎は幕府のお庭方御用を勤め、千駄谷《せんだがや》御林の管理を任されている。ほかに国持ち大名諸家からの用は「外仕事」と云い、それを賄《まかな》っているのが根岸の清七であった。

「まあおちつけ」と清七が云った、「そこへ坐《すわ》れよ、楽にしろ」

清七の妻で五十歳になるおこんが茶と菓子を持って来、あなたの好きな並木町の饅《まん》頭《じゅう》よ、銘菓堂の茶饅頭、覚えてるでしょと云った。おこんは子を産まないためか若く、せいぜい三十五六にしかみえない。肌《はだ》も桃色でつやつやしく、ほどよい肉付きで、笑うと左の頰にくっきりと笑窪《えくぼ》が出た。

——あの女にも云ったのだろうか、源次は饅頭を摘《つま》みながら思った。向島の寮の女中だった、へんてこな名めえの女だったな、おんなじ饅頭だった、そうか、浅草並木の茶饅頭だったのか、おれが忘れてるのに覚えていてくれたんだな、しかし誰が頼んだ。おれはそんなことは、一度だって口にしたこともねえぞ。

源次は茶を啜《すす》りながら、饅頭を二つ喰べた。清七はきせるでタバコをふかしふかし、重い荷物でも背負っているように、肥えた自分の膝《ひざ》を見おろしてい、おこんは自分の可愛《かわい》い子でも見るように、眼を細め、唇《くちびる》をほころばせたまま、まじまじと源次の顔を見まもっていた。

「いつ喰べても」源次は唇を手で拭《ふ》きながら、おこんに云った、「銘菓堂の茶饅頭はうまいですね」

「源《もと》さんは昔っから好きだったわね」

「もういい」と清七が云った、「話があって呼んだんだ、おめえはあっちへいってろ」

「相変らずこうなのよ」

「うるせえ、あっちへいってろと云ったろう」

「わかりましたよ」と云っておこんは立ちながら源次を見た、「あとで晩ごはんを持って来るけれど、源さんなにがいい」

だが清七に睨まれると、おこんは首をすくめながら出ていった。源次は坐り直し、上眼《うわめ》づかいに清七を見た。

「おたいが死んだ」清七が低い声で云い、きせるをはたいた、「知っているか」

源次は片方へ首をかしげ、次に反対のほうへ首をかしげた、「――おたい、って誰ですか」

「おまえ、まじめなのか」

源次は眼をみはって、なにか云いかけたまま、口をつぐんだ。

「わかった、本当に忘れたらしいな」清七は頷《うなず》いて、きせるをそっと莨盆《たばこぼん》の上に置いた、「それじゃ済まねえことなんだが、相手がおまえじゃあしようがねえ、おたいとはな、池之端《いけのはた》の六助んとこの女中だ」

源次は考え考えきき返した、「ちぢれっ毛の太った、あの女ですか」

「そんな云いかたがあるか、仮にも人間ひとりが死んだんだぞ」

「済みません」源次はおじぎをしたが、なにか腑《ふ》におちないように口ごもった、「けれども、その女が死んだのと」

「首をくってだ」

「へえ、済みません」源次はまたおじぎをし、それから首をかしげた、「——あっしにはまだわからねえんだが、いったいその女が首を吊《つ》って死んだのとあっしと、なにか関係でもあるんでしょうか」

剛《こわ》いしらがの疎《まば》らに伸びた、清七の頬《ほお》が見えるほどひきつり、大きな眼がぎらっと光った。

十

清七夫婦のあいだにはいまだに子がないし、日暮里にいたときから、大きな声を出したり怒ったりしたことはなかった。けれども清七が本気で怒るときには、頬がひきつるのと、眼の光とですぐにわかった。昔からわかっていたことだし、それは大親方のかみなりよりも、身内の者たちをちぢみあがらせたものであった。いまにもなにかされるかと、反射的に身構えたとき、障子をあけて福太がはいって来た。としは源次と同じ三十七、小太りで肩がいかつく、ぶしょう髭《ひげ》が濃く、唇が厚くて大きかった。

「とうとう捉《つか》まえたぞ」と福太は源次の前へ音を立てて坐りながらどなった、「三十日の余もてめえを追っかけていたんだ、よくも鼬《いたち》のようにうまく逃げまわっていやがったな」

「話は静かにしろ」と清七が云った、「気の早いのが福の悪い癖だぞ」

「あにいはまあ聞いてて下さい」福太は源次を睨んだまま強く頭を振った、「こいつには云いたいことが山ほどあるんだ、そのたいていは自分の恨みや憎《にくし》みだから、今日までがまんして云わずにきたが、こんどはそうはいかねえ、こいつは日暮里の大親方はじめ、身内の者ぜんたいの顔に泥《どろ》を塗ろうとしていやあがるんだ」

　おれをつけ覘っている者があると、多平の云ったのは福だったのか、と源次は思った。それにしても、植甚の身内ぜんたいの顔に泥を塗る、という言葉には吃驚《びっくり》したようであった。

「ちょっと待ってくれ、福」と源次は坐り直した、「いま云ったことはどういうことだ、いや待て、そのまえに自分の恨みとか憎みとかってのは、どういうことか聞かせてもらおうか」

福太はとびだしそうな眼で、源次の顔をじっとみつめ、膝の上の拳をふるわせた。

「六助んとこのおたいが死んだことは聞いたか」と福太は云《い》った、「聞いたろうな」

源次は頷いた。

「可哀《かわい》そうに、首を吊って死んだそうだ、——書置にはおめえが夫婦になると約束してくれたが、としも二十八になってしまい、約束もあてにはならなくなった、もう生きている張合いもないから、と書いてあったそうだ」

「それは違う」源次は首を振った、「おれはそんな約束なんかしたことはないし、こっちからちょっかいをしかけたことさえないんだ」

「じゃあおすがのときはどうだ」

源次はまばたきをし、のろのろと下唇を舐《な》めた、「おすがって、誰のことだ」

「きさまはそういう人間だ」

もう少し穏やかに話せないのか、と清七がたしなめたが、福太は耳にもいらぬようすで、声は低めだが、その姿勢には殺気めいたものがあらわれてきた。

「きさまはそういう人間だ」と福太はけんめいに自分を抑制しようとしながら云った、「よく考えてみろ、まだ日暮里にいたじぶん、道灌《どうかん》山の下にあった掛け茶屋に、きれいなきょうだいの娘がいたろう」

源次は首をかしげながら、なにか口の中で呟《つぶや》いていたが、それを思いだしたのだろう、あっという表情で福太を見た。そのとき清七の妻のおこんが、茶菓子を持ってはいって来たが、清七がきつい眼つきで頭を振るのを見ると、なにも云わずに温和しく出ていった。

「おすがっていうのは妹のほうだった」と福太は云った、「おおよそ二十年まえ、てめえとおれは十八で、おすがは十五、細っこい軀《からだ》の、小柄《こがら》な、ひ弱そうな可愛い娘だった、てめえはそのおすがを、――まだほんの小娘だったおすがを、たらしこんで捨てやがった、覚えてるだろう」

源次は眼をつむった。とんでもない。それも違う、そうじゃなかった。あの娘はひ弱でもなく、小娘でもなかった。とんでもない、あんなに軀が丈夫で、いろごとに飽きない女はほかにいなかった、と彼は思った。

「きさまに捨てられてからおすがはぐれだして、自分から廓《くるわ》へ身売りをし、それから岡場所へおちて、御府内の岡場所を次から次へと渡りあるいた」と福太は続けて云った、「――そのあげくがけころ、夜鷹《よたか》にまでなりさがって、いまはゆくえ知れず、生きているのか死んじまったかもわからねえ、おれはあの娘が好きだった」

福太はそこで喉《のど》を詰まらせた。彼はもう外聞も恥もなく、抑えていた恨みと怒りを、手に取って叩《たた》きつけるように感じられた。

「おれは死ぬほどおすがを好きだった」と福太は云った、「あと一年か二年したら、嫁にもらうつもりだった、本気でそう思っていたんだぞ、それをてめえはめちゃめちゃにしちまやあがった、相手がてめえだということはあとでわかったが、そのときわかっていたら、おらあきっとてめえを殺していただろう」

そうだったのか、それで福は独身のままでいたのか、と源次は思った。いや、まさか、どんなに一徹な人間だって、一人の女のために独身をとおすなんて、そんなことがある筈はないし、もしあるとすれば尋常な人間じゃあない。そんな男はどこかが狂っているんだ、と源次は思い直した。

「てめえが女たらしだってことを知らねえ者はねえ、これまでにどれほど女をたらし、どれほどの女を泣かせ一生をだめにしたか、自分も数えきれねえだろう、おまけにだ」と云って福太は自分の両の膝がしらを力いっぱい摑《つか》んだ、「――おまけにてめえは女房子まで捨てちまって、安飲み屋の女なんぞを、次から次と騙《だま》しあるいているそうだ、おすがのことだけなら、いまでもてめえを殺してやりてえが、自分の女房や子供までみすてるような男には、殺す値打もありゃあしねえ」

きさまは女ばかりでなく、木や草までたらしこむやつだ、と福太は続けた。植木職としては慥《たし》かに腕っこきだし、それは大親方も身内の者もみんなが認めている。けれども、きさまの手がけた木が、すべて注文どおりに育ち、一本のしくじりもなかった、というのは不自然だ。人間のすることなら、どんな名人上手にだって誤りや仕損じはある。それが人間であることの証拠だ、そうじゃあねえか、と福太は云った。源次はなお黙っていた。

「これはおれがてめえに云いたかったことだ」と福太は坐り直した、「だが、これから云うことは恨みや泣きごとじゃあねえ、植甚の身内ぜんたいの外聞にかかわることだ、いいか、腹を据《す》えて聞けよ」

「まず初めに」と福太はすぐに続けた、「てめえはとくい先へいって自分の植えた木の手入れをし、妙なぐちをこぼしては金をねだり廻っているという、てめえはねだったことなんぞねえと云うだろうが、そのたびにめしを食い包み金を貰《もら》えば、つまりねだりにゆくっていうことに変りはねえ、なぜなら、てめえはもう植木職じゃあねえからだ」

源次は屹《きっ》と顔をあげたが、やっぱりなにも云わなかった。

「てめえのことはいろいろ聞いた」福太は嘲笑《ちょうしょう》するように云った、「――どこそこの庭へ植えた松の、いちばん大事な枝を切られたとか、どこそこではなになにの木の枝を、邪魔だからといって切られたってな、——竜閑町の岩紀さんでも、伊豆清の向島の御隠居のとこでも、そのほかかね徳さんふじ吉さんでも、同じような泣きごとを並べたっていう、それもただ気をひいて、僅《わず》かな包み金をねだるためにだ、そうじゃあねえのか」

「根岸のあにい」と源次は清七に云った、「おれにも少し話させてもらえますか」

清七は夕バコに火をつけながら、福太を見た。福太は待っていたように膝をにじらせて、「云いたいことがあったら云ってみろ、聞くだけは聞いてやる」と云った。

「人間てなあおかしなもんだ」と源次は低い声でゆっくりと云いだした、「子供のときからいっしょに育っても、相手の心のなかや考えていることまではわからねえ、口に出して云ってみたって、信じる者もあるし信じねえ者もある、人間には酒の好きなやつもいるし、饅頭の好きなやつもいる、酒の好きなやつに饅頭の話をしたってわかりゃあしねえ」

「ごまかすな」と福太が云った、「酒だの饅頭だのと、よけいなことをぬかさずに、云いてえことをはっきり云ってみろ」

「おらあ女をたらしたことはねえ、誰も信じねえかもしれねえが、おらあ女をくどいたこともなし、ちょっかいをだしたこともねえ、そんなことは一度もしたことはなかった」と源次は云った、「――福には悪いが、おすがという女もそうだ、おめえはひ弱な小娘だって云ったし、そう信じているんだろう、けれども本当はそうじゃなかったんだ、いや、まあ聞いてくれ、どんなふうにそうじゃなかったか、ってことは云やあしねえ、云っても信じちゃあもらえねえだろうからな、しかし違うんだ、違うんだ、そうじゃあなかったんだよ、福」

「およそ二十年まえのことだ、てめえの云うことが嘘《うそ》か本当かってことを、いまここで慥かめるわけにはいかねえ、おらあ聞くだけは聞くと云ったんだ、いいから云いてえことをすっかり云ってみろ」

「信じようと信じめえと勝手だが、おらあ一度だって女に手を出したこたあなかった」と源次は云った、「――いつでも女のほうから寄ってくるんだ、うぬ惚《ぼ》れてると思うなら思うがいい、だが、こっちにはなんの気もねえのに、番たび女からせがまれてみろ、うんざりするどころか反吐《へど》をはきたくなるぜ」

「どうにでも云えるさ、証拠はねえからな」

「おすががひ弱な小娘だった、っていう証拠はあるのか」

「女房や子供たちをみすてたことはどうだ」と福太がやり返した、「人間のすることにいちいち証拠なんかはねえ、と云いてえんだろう、いかにも、証拠をどれだけ集めたって、人間のしたことの善悪はきめられるもんじゃあねえだろう、だがな、ときには動かねえ証拠ってものもあるんだぞ」

十一

「さっきも云ったように、てめえはとくい先へいっては、どこそこの屋敷へ植えた松ノ木の、いちばん大事な枝を断わりなしに切り落されたとか、どこそこではなんの木の枝、どこそこではなんの木と、育てた木の大事な枝を断わりなしに切られた、と泣きごとを並べた、そうだろう」と福太が云った、「——そう云ったことに間違えはねえだろうな」

「そうだからそうだと云ったんだ」

「嘘をつけ、本当のことはわかっているんだぞ、てめえは自分で木の枝を切った、松ノ木もほかの木も、みんな自分で切り落したんだ、ちゃんと見ていた者がいるんだぞ」

源次はなにか云おうとしたが、口から言葉は出なかった。彼は片手で額を横撫《よこな》でにし、俯向《うつむ》いて自分の膝をさすった。

「さあ」と福太が云った、「なんとか云ってみろ、なにが嘘でなにが本当だ」

源次は考えていてから、根岸のあにい、冷やでいいから酒を一杯貰えまいか、と清七に云った。福太は、ごまかすなと云った。清七はそれを制して妻を呼び、酒を持って来るように命じた。おこんは不審そうな顔をしたが、まもなく湯呑茶碗《ゆのみぢゃわん》に酒を注いで持って来た。源次はそれを受取ると顔をしかめて半分ほど呷《あお》った。

「おらあ女房子の手で人別をぬかれ、無宿人にされちまった」と源次は云った、「――罪はおれにあるんだろう、三年も家族を放ったらかしにしていたんだから、だがな福、なぜおれが職をやめ、うちをとびだしたか、っていうことにゃあ、それなりのわけがあるんだ」

「またうまく云いくるめるつもりか」

「そう思うなら思うがいい、だが聞くだけは聞いてくれ」と云って源次はさもまずそうに酒を啜った、「――女房のおつねは、おれが初めて惚れた女だ、かね徳の隠居所でなかばたらきをしていたのは、福も知ってるだろう、口かずの少ない、羞《はにか》みやの温和《おとな》しい娘だった、おれは生れて初めて、こんな娘もいたのかと思い、隠居に頼んでむりやり女房に貰った、田原町へうちを借りて、それから今日まで十五年か、子供も二人生れたし、貧乏世帯《じょたい》だが食うに困るようなことはなかった」

それが三年まえの九月、頼まれて朴《ほお》ノ木を捜しにいった。青梅《おうめ》から八王子、御嶽《みたけ》の奥まであるきまわった。そうしてようやくこれはと思うような木をみつけ、それをひいて江戸へ帰ったのが八日め。頼まれた屋敷の庭へ移して、すっかりあと始末をしてから家へ帰ったのが、十二日めであった。

「おらあくたびれていた、半月ちかく湯にもはいらず、ろくな物を喰《た》べずに山あるきをしてきたあとだ、とにかく湯にはいって、うちのめしをゆっくり喰べようと、それだけをたのしみに帰ったんだ、ところが」と云って源次は酒をきれいに飲み干した、「――ところが、おつねのやつは、おれの顔を見るなり、めしの支度はそこに出来てるよ、って云ったまんま勝手へいっちまやがった、――めしの支度はそこに出来てるよって」

源次はそこで歯を見せた。笑ったのではない、自分では笑ったつもりだったかもしれないが、それはむしろ泣きべそのように見えた。

「おつねは変っちまった、生れて初めて、心から惚れた女だったが、もうおれの惚れたおつねじゃなくなっちまった」源次は頭をぐらっと揺らした、「――なぜだかわからねえ、諄《くど》いようだが、おらあ半月ちかくも仕事で山あるきをし、埃《ほこり》だらけで骨までくたびれて帰ったんだ、それをお帰りなさいでもなく、さぞ疲れたでもねえ、いきなりそっぽを向いて、めしの支度はそこに出来てるよ、って」

「てめえのひごろのおこないが悪いから、どこか女のところへしけ込んでいたとでも思われたんだろう」

「夫婦とは一生のもんだ、おらあそう思ってた、ところがおれの場合はそうじゃなかった」と源次は云った、「夫婦なら亭主のおこないが悪かったら、そう云ってくれる筈《はず》だ、おつねはなに一つ苦情らしいことも云わず、やきもちをやいたこともなかったのに、急に化けでもしたように人間が変っちまった、おれのおつねじゃなく、見も知らねえ女になっちまったんだ」

「植木だっておんなしこった」と源次はすぐに続けた、「おれが木を選ぶんじゃねえ、木のほうでおれを呼ぶんだ、そしておれの移した木は、殆《ほと》んどおれの思ったように育つ、九分九厘《くぶくりん》まで失敗はなかった、だからとくいにも重宝がられたし、大親方も看板を分けてくれたんだろう、だがな、福、——おれの手で植えおれの手で育てた木も、いつかはおれの手からはなれていっちまうんだ」

「そんなことはわかりきってらあ」

「福の云うとおり」と源次は構わずに続けて云った、「おれの泣きごとはみんな嘘だった、松ノ木もほかの木も、大事な枝を切り落したのはこのおれだ、植えた木は或《あ》るところまでは思うように育つ、秀《ほ》の立ちかたも枝の張りかたも、こっちの思惑どおりに育つけれども、或るところまでくると手に負えなくなっちまう、自分で引いて来て移し、大事にかけて育てた木が、みるみるうちに自分からはなれて、まるで縁のねえべつな木になっちまうんだ」

「だから枝を切ったっていうのか」

「そうだ、だから切ったんだ」

「木は育つもんだ」と福太が云った、「盆栽ででもねえ限り、植えた木は必ず育ってゆくもんだ、それを庭に合わせて手入れをするのが、植木職のしょうばいじゃあねえか」

「それでおらあ職をやめたのさ、自分の手塩にかけた木が、自分からはなれてゆくのを見ちゃあいられなかった、うちをとびだしたのもそのためだ、自分の女房子が自分の女房子でなくなっちまったら、もうおれのうちじゃあねえ、おれと女房子とはもう赤の他人なんだ」

「それなら人別をぬかれたのに文句を云うことはねえだろう」

「むろん文句なんか云やあしねえ、ただ、もしかしたらわかってもらえるかもしれねえと思って、話したまでのこった」

「てめえの云うことは、どこまでが本当でどこからが嘘かわからねえ」と福太は云った、「だがここで、はっきり断わっておくぞ」彼は言葉の意味を強めるためだろう、ちょっと息をぬいて、声をひそめた、「——これからはとくい先へ近寄るな。きさまはゆく先ざきで、植甚の名を笑いものにしている、職をやめたんだからもう植木に手を出すな、わかったか」

「そのくらいでいいだろう」と福太を制して清七は源次に云った、「——福の云ったことは、日暮里の身内ぜんたいの意見だ。おまえのためにも、この辺でほかのしょばいに変るほうがいいんじゃないか。それなら相談にのってもいいぜ」

「ねえあんた、今夜浮気しない」

「おらあ文無しだぜ」

「お金ならあたしが少し持ってるわ」

「ここはどこだ」

「入谷《いりや》よ、知ってるくせに」

「知ってるくせにか」と云って源次は酒を啜《すす》り、頭を垂れた、「——人間なにを知りゃあいいんだろう、おれのおやじは看板書きで、おれも看板書きにするつもりだったんだろう、字を教えて源次という名を付けた、源平の源という字だ、源《もと》って読むんだが、そう呼んでくれたのはほんの二三人で、ほかの者はみんな源次《げんじ》って云った。——源次《げんじ》、源次《もとじ》、——そして女たらしだって、——おらあ一度だって女をたらしたことなんぞなかった」

「親方のような人なら、女は誰だってころりよ、もう一杯ちょうだい」と女が云った、「あたし今夜は酔っちゃうわ、いいでしょ」

「おらあ」と源次は口ごもった。

「文無しでしょ、もう五たびも聞いたわ、ここはあたしの店、ちっぽけだけれどあたしがこの店のあるじよ、今夜は表を閉めちゃうわ、ねえ、二人でゆっくりやりましょうよ」

「飽きるほど聞いた文句だ」源次はまずそうに酒を啜った、「——だらしがねえ、だらしがねえぞ源《もと》、てめえは世間からおっ放《ぽ》り出されたんだ、女房子にもみはなされた、これからどうやって生きてゆく、橋の袂《たもと》にでも坐《すわ》るか」

「なにをぶつぶつ云ってんのさ、ねえ、お酌《しゃく》して」

「ゐひもせす」と源次は呟いた、「——おらあもう、あとのねえ仮名だ、ゐひもせすで仮名は終りだからな」

「ちょいと」女は彼の首に手を絡《から》んだ、「ねえ、あっちへいかない、ねえ、ちょっとでいいから横になろうよ」

うるせえ、と源次は云おうとしたが、首を振り、腹掛のどんぶりの中から財布を出すと、それを女の手に渡し、立ちあがって店から外へ出ていった。どうすんのよ、あんた、とうしろから女の呼ぶ声が聞えた。

たそがれの入谷で、まえには田圃《たんぼ》といわれたが、いまでは武家の下屋敷などが出来、名高いさいかち並木などもなくなっていた。

源次はこれというあてもなく、昏《く》れてきた道をあるいてゆきながら、幾たびも片手で眼《め》をぬぐった。

「福太のやつは、そんなことで女房を貰わなかったのか」と彼は呟《つぶや》いた、「――あの娘がどんな女だったかも知らず、見かけだけでそこまで惚れることができる、とはどういうことだろう、おれのこともあいつのことも、どっちも可笑《おか》しなもんだ、人間ってものは、生れたときに一生がきまるものらしいな、福のやつもこれからの一生を変えることはできねえだろう、えらそうなことを云ったって、どうなるもんか、ざまあみろ、――そうさ、そういうおれだっておんなしこった、人間なんてみんなそんなもんさ、ざまあみやがれ」

源次はまた眼をぬぐい、迷い犬があるくような、力のない足どりであるいていった。

やがて向うに遠く、濃いたそがれの中に、はなやかに灯の明るい一画が見えてきた。

「なか（新吉原）だな」と彼はまた呟いた、「ああいう世界もあるんだな」


（「別冊文藝春秋」昭和四十一年六月）

解説

木村久邇典

さいきん、歴史小説についての論議が、いちだんとかまびすしいようである。過去にこころみられなかったこの分野への照射が、あたらしい視点から、より多くのひとびとによっておこなわれるのは、もちろん喜ぶべきことにはちがいない。

ただ、それらの論説のなかに、山本周五郎が歴史小説作者のひとりとして、かならずといってよいほど、登場させられていることについては、わたくしは若干の疑問をもっている。たんに髷《まげ》ものの小説を主として書いた作者、というだけの意味で、山本周五郎が安直に〝時代もの作者〟ないしは〝歴史小説作者〟として分別されてしまってよいものかどうか、ということへの疑義が、澱《おり》のようにわたくしの心底にこびりついてはなれないからだ。

たとえば、佐藤勝氏は『山本周五郎における歴史意識──「樅《もみ》ノ木は残った」の場合』（「國文學」昭和五十年三月号）という文章のなかで、原田甲斐《かい》が家従の塩沢丹三郎との別宴の場で抱く感慨を引用してつぎのように論断する。甲斐は〈丹三郎のありかたについてこう思う。「国のために、藩のため主人のため、また愛する者のために、自からすすんで死ぬ、ということは、侍の道徳としてだけつくられたものではなく、人間感情のもっとも純粋な燃焼の一つとして存在して来たし、今後も存在するだろう。——だがおれは好まない」「たとえそれに意味があったとしても、できることなら『死』は避けるほうがいい。そういう死には犠牲の壮烈と美しさがあるかもしれないが、それでもなお、生きぬいてゆくことには、はるかに及ばないだろう」「犠牲の壮烈と美しさ」ということばは、ここでは「人間感情のもっとも純粋な燃焼の一つ」であるゆえのものとして理解されているが、しかしそうであればそこに当代の倫理的規範であろうとした儒教の入りこむ余地はあまりないことになる。たとい当代が武家社会の硬直的な倫理のまだ十分には確立していない時代であったとしても、それがどの程度にここに登場する武士たちを規定するのかということについて、作者の計量は十分ではない〉とし、さらに佐藤氏は〈甲斐のいう「人間のかなしさ、弱さ」に対して作者は何の歯どめもしかけていない。従ってここで甲斐のいう「人間のかなしさ、弱さ」は時代・歴史のいかんにかかわらないまさしく人間一般の持つ「かなしさ、弱さ」の実感的表明ということになり、それだけ甲斐のいう「人間」は歴史をになわず、またそれだけ現代日本人の伝統的なものに馴致《じゅんち》しやすい心情に無限になだれこんでくることを許す性質のものになっていると解すべきであろう〉と論難し、「生きる」ことの原理が〈「堪忍《かんにん》や辛抱」に収斂《しゅうれん》されていること、もう一つは「侍の本分」の問題が「侍に限らない、およそ人間の生きかた」一般の問題に普遍化されていることである〉したがって、〈生物的個体の生命の生の保持ということが至高になり、その限りで身分制社会の問題が捨象される、ということ。そこに歴史意識の働く余地はない〉と批判しているのである。

佐藤氏の意見には聞くべきものがあることもちろんであるが、このような読み方は、『樅ノ木は残った』が伊達《だて》騒動を背景として描かれた小説というだけで、なにがなんでも〝歴史小説〟でなければならぬとする、きわめて大まかな前提に、なんの疑いも持たずに寄りかかってしまったものと評すべきではあるまいか。

山本周五郎自身が生前に言っている。「歴史と文学」と題する講演のなかで、〈歴史の中には文学はない〉といい〈歴史と小説は、一緒にはならないものだと私は思います。歴史は歴史、小説は小説。歴史と小説は劃然と別個のものだと思うのでありま す〉と断言し、さらに〈私がたとえば『将門《まさかど》』を書くといたします。私が『将門』の伝記の中で、私がこの分はかきたいと思うからこそ、——現在、生活している最大多数の人たちに訴えて、ともに共感をよびたい、というテーマが見つかったからこそ――小説を書くわけでございます〉と明瞭《めいりょう》に発言しているのである。

つぎの言葉はより注目さるべきであろう。〈現在、こういうアトム（原子）時代の生活をしながら、私の、その小説から、読者の共感をよびおこすことができた、とするならば、それはまさしく現代小説であって、背景になっている時代の新旧は、問うところではない、と思うのであります〉

この講演は昭和三十六年五月に行われたものである。『樅ノ木は残った』を書き終えた三年後の時点であり、同講演中で『樅ノ木……』についても触れている。つまり山本周五郎には『樅ノ木……』を〝歴史小説〟として構成しようとする意図は薄く、小説は普遍妥当性をもつ人間像を創造することにあるとする持説を、ここでもこころみようとしたのである。「わたしの作品は、頭に丁髷《ちょんまげ》こそ乗せてはいるが、全部、現代小説のつもりなんだよ」山本はよくそうわたくしに語った。

本書に収録した諸短編についても、もちろん、そのような普遍的な立場から書かれたものとして、作者の意図を読みとっていただきたいのである。

『討九郎馳走《とうくろうちそう》』（昭和十七年三月成武堂刊『内蔵允留守《くらのすけるす》』初出）は武骨一徹の徒士組《かちぐみ》支配兼

高討九郎が、心ならずも馳走番を申し付けられ、役目御免を申し出るが主君水野忠善《ただよし》は許さない。ところが忠善の参覲《さんきん》出府の留守中に尾張大納言義直《よしなお》が岡崎城に立ち寄ることになり、討九郎を大酔させて、翌早朝、矢矧《やはぎ》川の深浅を供の家臣に命じて密《ひそ》かに測らせようとする。義直の意図を見抜いた討九郎は馬を駆って現場を取り押え、家臣を斬《き》って義直の行手に梟首《きょうしゅ》し、大納言のたくらみを粉砕する。ことの次第を江戸表へ急報すると、主君忠善から墨付があって〈申し遣わすこと、そのほうに馳走番を命じたる仔細《しさい》、いまこそ合点まいりたるべし。よき仕方なり褒《ほ》めとらす〉との旨《むね》である。討九郎は今にして主君が自分を馳走番に任じた真意をさとるのだ。忠善の討九郎への信頼と、討九郎の捨身の奉公を描いて、一読、硬質でさわやかである。戦前の山本作品の〝武家もの〟の典型的な好短編といえよう。

『義経の女《むすめ》』（昭和十八年十二月号「少女之友」）は伊《い》予守《よのかみ》義経の娘が、鎌倉（頼朝）の召しに応じて、夫の有綱と別れ、死を決して鎌倉へ赴く心をきめるけなげさを記した作品である。あきらかに『日本婦道記』に気脈を通ずる小説であるが、「少女之友」という少女雑誌に発表されたということに一驚せざるを得ない。発表舞台がどんな種類の雑誌であれ、第一級の作品をと志した作者の真剣な努力に脱帽する。

『主計《かずえ》は忙しい』（昭和二十四年三月号「講談雑誌」）は、昭和十五年の「奇譚《きたん》」四月号に

『春風祝言』の題名で発表された作品を、十年後に改筆した "こっけい物" である。前作に比して格段の練達を加え、のびやかな筆づかいと、人物造型に雲泥《うんでい》の鋭さを示している。せっかちな人間をユーモラスに描写するのは、作者のもっとも得意とする〝芸のうち〟であった。主計は親友の祝言の費用にと頼まれて、妹の内緒金を借りて融通してやるが、親友の結婚相手というのが実は主計の妹だった、という設定は抱腹させる。

『桑の木物語』(昭和二十四年十一月号「キング」)は主従間の友情の物語である。短命な家系に生れた藩公の正篤《まさあつ》に学友の悠二郎はいう。〈……殿、死ぬことをお考えなさいますな、大事なのは生きているうちのことです、できるだけ充実した生きかた、広く深いゆるみのない生きかたを考えましょう、そのときが来るまで、生きられるうちに充分に、生れてきた甲斐のあるように生きることを考えましょう〉

後日の藩の人事改革の折り、悠二郎は何の故《ゆえ》か遠ざけられてしまう。悠二郎は怏々《おうおう》として楽しまないが、十年後、正篤に呼びつけられ、正篤からつぎのような言葉を聞く。〈二人はあまりに近し過ぎた/すべてに深入りをし過ぎていた、おれが藩政をみるばあい、相当てあらな事を、やらなければならぬ、一部に不平や非難のおこることは、必至だ/家臣の非難はそのまま藩主には向かない、必ず側近の者にゆく、おまえがもしおれの帷幄《いあく》にいれば、おれにもっとも近しい者として、おれの寵臣《ちようしん》として、家《か》中《ちゆう》の怨嗟《えんさ》はおまえに集まるだろう、——おれはそうしたくなかった、おまえをそういう立場には置きたくなかったのだ〉『桑の木物語』という表題は、二人に共通の思い出の桑の木から醸《かも》した桑酒をくみかわす、という結びのシーンに由来している。

主君と家臣との信頼が、封建社会の主従関係を越えて、お互いの真実の友情、理解によって結びついているという人間関係を作者は好んで取りあげた。『松風の門』『大《おお》炊介《いのすけ》始末』などがそれである。われわれはここにも作者の人間観の一端をみてとることができる。なお悠二郎が幼時、梅干のたねを鼻の両方の穴へ一つずつ自分で捻《ね》じこみ、息が詰って、ひっくり返り泡《あわ》を吹いた、という一件は作者自身の経験だという。

わたくしは『桑の木物語』は、『柳橋物語』『むかしも今も』『おたふく物語』と並ぶ、終戦直後の作者の代表作だと考えている。前記三作は純然たる〝下町もの〟であるが、『桑の木物語』は〝武家もの〟と〝下町もの〟に両属する作物であり、そこはかとないユーモア味も持ち、しかも両者が見事に融合されているという意味で、その後の作品活動に新展望をもたらした小説と評価しうると思う。

『竹柏記《ちくはくき》』（昭和二十六年十月—二十七年三月号「労働文化」）は、シリアスな〝武家もの〟の作品である。

高安孝之助は、親友の鉄馬の妹杉乃に、岡村八束《やつか》という愛人がいるのを承知で強引に嫁に迎えた。それは杉乃に以前から好感を寄せていたからであり、しかも岡村は孝之助の支配下に属していて、ひじょうに悪質な汚職を行なっていることをつかんだからである。孝之助は未然に岡村の失敗をつぐなってやる。だが、やけっぱちになった岡村は、逆にならず者を使って孝之助をゆすろうとする卑劣な行為に出たり卑怯《ひきよう》な果し合いを挑《いど》んできたりする。しかし人間の運はどこでツキが変るか知れたものではない。新しい殿様の乗った馬が逸走したのを身を以《も》ってとめたことから八束の出世の道が開け、ついには側用人《そばようにん》にまで昇進する。一方、高安は勘定奉行の職を平凡に勤める日々だが、妻の杉乃は、二児をもうけた今日でさえも夫に心を許そうとはしない。平穏そうにみえていて、つめたく暗い家庭生活だった。もともと杉乃との結婚に当っては反対が多く、叔母の千寿には〈女というものは初めて愛した人は忘れられないものよ。その人とならどんな苦労をし、どんなにおちぶれても悔いはない、いっしょに死ぬなら、死んでも後悔はしないというくらいに思うものよ〉と忠告されたくらいであった。

——自分が望んでこうしたのだ、辛抱づよく待つことにしようと決心した孝之助は杉乃に云う〈私は才分も拙《つた》ない、富裕でもない、貴女《あなた》にとっては不足であろうし、愛して貰う資格はないかもしれない、けれども私は貴女を世の風雪から護《まも》る、／この一生が終るまで愛してゆく、どんなことがあっても不幸や悲しみから、貴女を護る〉。この枯死するまで色を変えないという竹柏を、妻の居間から見えるところへ移し直したのも、そうした心を託してのことであった。

帰国した藩主に従って江戸から帰った岡村の、明夕自宅で知友と会食する、高安さん御夫妻が主賓ですから、ぜひとも来て頂きたい、という懇望もだし難く、孝之助は杉乃には事情を知らせずに岡村邸を訪れる。

けれども招かれた客は重職ばかり、孝之助夫妻が主賓などとは嘘《うそ》っぱちで、岡村は客たちの前で平然と孝之助たちを無視してみせる。帰宅した孝之助は深く傷ついていた、〈杉乃が自分の愛をよろこばないとすれば、自分の愛などはお笑い草ではないか。／結局おれは臆病《おくびょう》で退屈な人間にすぎなかった。帳尻《ちょうじり》を合わせる能だけの律義之《りちぎの》助《すけ》だ〉。そして孝之助は杉乃に詫《わ》びる。しかし杉乃はそのとき逆に孝之助に謝るのである。彼女は七年まえ、岡村八束の正体を知ったときから孝之助の真実を理解していたのであった。〈あのときから今日まで、昼も夜も、いつもあなたに申し訳がない、済まないと思っておりました、でも、それを口にだして云うことができない、……口にだせないなら、黙って縋《すが》りついて泣けばいい、あなたはそれだけで、きっとわかっ

て下さるに違いない〉

孝之助の態度は、マイホーム主義に徹した凡庸なサラリーマンの一典型と読む読者もあるかもしれない。しかし、岡村のような危険な才子よりも、多くの凡庸な、竹柏のごとく装いを変えぬ人士によって、一藩の政治は成り立っているものだ、と作者は説いているようにも読める。恋人のある女性を無理じいに強奪するというタイプの作品は、この作者としては珍しい設定だが、これは作者自身の最初の結婚の体験によった由《よし》である。結婚以後の孝之助のありようも、作者の日常を下敷きにしたものであったろう。「自分の書く小説は、丁髷をのせていたとしても、すべて現代小説」だとした作者の主張がよくあらわれている作品だといえよう。

『妻の中の女』（昭和三十年十一月号「小説倶楽部《クラブ》」）は〝武家もの〟の佳作である。

江戸家老信夫杏所《しのぶきようしよ》の突然の帰国は、江戸藩邸に将軍家を招くために御殿を新造すべく資金を調達することが目的だったのだが、内実は藩公自身が望んだことではなく、阿部侯が話のはずみに周旋方を買ってもよい、と云い出されたことを、杏所が先走って実現に奔走しようとしたまでのことだったのである。内政逼迫の国許《くにもと》ではもとより不賛成で、なかでも勘定奉行の若杉泰二郎は反対の急先鋒《きゆうせんぽう》であった。国情を実検して杏所は初めて窮迫の実態に目をみひらく。この泰二郎というのは、実は杏所の妻初世が、前の亡夫との間に産んだ子で、杏所は彼を養子に迎えることにし、御殿造営も取り消す——という結尾も巧みであるが、放蕩者《ほうとうもの》の杏所が、これまで触れたことのなかった妻の中の〝女〟に目を見開く発見が新鮮に描かれている。その発見が読者の発見と重なるように精緻《せいち》に設計されているところに注目したい。発端の重職各家の情景を同時に進行させる手法も『樅ノ木は残った』の序の章の手法を援用したものであろう。

『しづやしづ』（昭和三十一年六月「週刊朝日」別冊初夏特別読物号）は作者が〝岡場所もの〟と分類した作品である。貞吉は河内屋《かわちや》の入婿《いりむこ》になって以来、それまでの放埓《ほうらつ》も収まるが、妻と相性が悪いために家庭は暗く、すべてに消極的な男に変ってしまう。それを案じた友達仲間の新兵衛や松田屋や小村屋が景気づけの友情で連れていったさきの網打場で、貞吉はおしづに出会うのである。彼女はその店の主《あるじ》おしげと友達で、手伝いにきていたのだった。おしづはのっぽで、一言めには自分のことを「ばかだから」と云い、ぽうっとはじらうのである。貞吉はそれから足繁く通い、おしづの苦労に満ちた半生も知り、やくざな亭主と別れたゆくたても承知したうえで、妻と離縁し河内屋を出ておしづと結婚しようと決意する。友人たちもみな賛成で、資金も出し合って新しく店を構えてくれるという。しかしおしづは、先夫と一緒だったとき背中にきざんだ刺青《いれずみ》があるために、貞吉の申し出は断わりたいといった。もちろん貞吉は一言でハネつけおしづを説得し、新しい横大工町の家に友人を呼んで祝いをした。友人たちが帰り、二人だけの盃事《さかずきごと》が済んで貞吉が酔いつぶれ、そして翌朝目ざめてみると、おしづは置き手紙をして居なくなっていた。〈みなさんのお情けがうれしければうれしいほど、からだに「あんなもの」のある自分がいとわしくなり、このままではとても、あなたのおかみさんにはなれない、なっては申し訳がないと思った〉というのである。

おしづはもちろん自分の置かれた境遇からの脱出を望んでいた。しかしおしづはついに自分を許すことができず、せっかくの脱出の望みも自らあきらめる。そうしなければおしづは人間として生きていけないと考えたからであった。その哀れさ、けなげさ、美しさ、かなしさが、読者におしづの仕合せを願わずにいられない共感を呼ぶのである。貞吉の妻の性格がいまひとつ不明瞭なのは、惜しまるべき瑕瑾《かきん》であろう。

『あとのない仮名』（昭和四十一年六月「別冊文藝春秋」）このあと山本作品には『おごそかな渇き』（中絶）と『枡《ます》落し』の二編があるばかりである。文字通り最晩年の作品。

題材も〝下町もの〟のしかも〝職人もの〟に属する作品であるが、文字どおり名工の名人芸をみるような一分の隙《すき》もない巧緻をきわめた小説である。植木職の源次《もとじ》は、非常な才能に恵まれた職人で、天成の美貌《びぼう》もあって女房や子供までありながら女出入りがたえない。まわりの者は彼を〃女たらし〃と呼ぶが、実のところ源次のほうからちょっかいをかけたことはただの一度もなかった。三年まえの秋、朴《ほお》ノ木捜しをたのまれて山に入り、十二日めに帰宅してみると、女房のおつねは〈おれの顔を見るなり、めしの支度はそこに出来てるよ、って云ったまんま勝手へいっちまやがった、——めしの支度はそこに出来てるよって〉〈夫婦なら亭主のおこないが悪かったら、そう云ってくれる筈《はず》だ、おつねはなに一つ苦情らしいことも云わず、やきもちをやいたこともなかったのに、急に化けでもしたように人間が変っちまった、おれのおつねじゃなく、見も知らねえ女になっちまったんだ〉と源次は思う。それから彼の人間不信が始まり、植木職という自分の職業にも自信がもてなくなる。〈植えた木は或《あ》るところまでは思うように育つ、秀《ほ》の立ちかたも枝の張りかたも、こっちの思惑どおりに育つけれども、或るところまでくると手に負えなくなっちまう、自分で引いて来て移し、大事にかけて育てた木が、みるみるうちに自分からはなれて、まるで縁のねえべつな木になっちまうんだ〉と源次は思うのである。それで源次は植木職人をやめる。〈自分の手塩にかけた木が、自分からはなれてゆくのを見ちゃあいられなかった、うちをとびだしたのもそのためだ、自分の女房子が自分の女房子でなくなっちまったら、もうおれのうちじゃあねえ、おれと女房子とはもう赤の他人なんだ〉源次にとって現在の望みとは〈早く年寄りになって、誰にも構われずに、暢《のん》びりくらしてえだけ〉である。

ここには過去の已れの精進も無意義なものにしかみえない、からだの中をうそ寒い風が吹きわたっている虚無的な男がいるばかりである。どんなに充実した行動派に思われている人間も、孤独地獄に悩まされることがあるものだ。作者は無間奈落《むけんならく》におちこんだ人間にも限りない愛情を示しているようにもみえる。それとも、過去四十年間、営々と創作活動に打ち込んできた自分自身をふり返ったとき、ふとよぎった無常の思いだったのだろうか。人間の向日性を信じ、事業の不成功を予見しつつも、中道にして斃《たお》れるまで、おのれの能力に見きりをつけない人間像を造形し続けた山本周五郎としては、源次はきわめて例外的な人間像だと云える。その意味で『あとのない仮名』は、山本全作品中でも特異な位置を占める作物だということができるであろう。

（昭和五十年五月、文芸評論家）

「討九郎馳走」は実業之日本社刊『山本周五郎士道小説集』（昭和四十七年七月）、「義経の女」は実業之日本社刊『山本周五郎浪漫小説集』（昭和四十七年十二月）、「桑の木物語」は太平洋出版社刊『山本周五郎傑作選集第三巻』（昭和二十六年十月）、「竹柏記」は新潮社刊『山本周五郎小説全集第三巻』（昭和四十四年一月）、「妻の中の女」は文化出版局刊『山本周五郎婦道物語選（上）』（昭和四十七年十二月）、「しづやしづ」は宝文館刊『なんの花か薫る』（昭和三十三年一月）、「あとのない仮名」は文藝春秋刊『ひとごろし』（昭和四十二年三月）にそれぞれ収められた。なお、「主計は忙しい」は本書が初収録である。

表記について

新潮文庫の文字表記については、原文を尊重するという見地に立ち、次のように方針を定めました。

一、旧仮名づかいで書かれた口語文の作品は、新仮名づかいに改める。
二、文語文の作品は旧仮名づかいのままとする。
三、旧字体で書かれているものは、原則として新字体に改める。
四、難読と思われる語には振仮名をつける。

なお本作品集中、今日の観点からみると差別的ととられかねない表現が散見しますが、作品自体のもつ文学性ならびに芸術性、また著者がすでに故人であるという事情に鑑み、原文どおりとしました。

（新潮文庫編集部）

山本周五郎著
おさん
純真な心を持ちながら男から男へわたらずにはいられないおさん——可愛いおんなであるがゆえの宿命の哀しさを描く表題作など10編。

山本周五郎著
おごそかな渇き
〝現代の聖書〟として世に問うべき構想を練った絶筆「おごそかな渇き」など、人生の真実を求めてさすらう庶民の哀歓を謳った10編。

山本周五郎著
つゆのひぬま
娼家に働く女の一途なまごころに、虐げられた不信の心が打負かされる姿を感動的に描いた人間讃歌「つゆのひぬま」等9編を収める。

山本周五郎著
ひとごろし
藩一番の臆病者といわれた若侍が、奇想天外な方法で果した上意討ち！　他に〝無償の奉仕〟を描く「裏の木戸はあいている」等9編。

山本周五郎著
栄花物語
非難と悪罵を浴びながら、頑なまでに意志を貫いて政治改革に取り組んだ老中田沼意次父子を、時代の先覚者として描いた歴史長編。

山本周五郎著
月の松山
あと百日の命と宣告された武士が、己れを醜く装って師の家の安泰と愛人の幸福をはかろうとする苦渋の心情を描いた表題作など10編。

山本周五郎著

花匂う

幼なじみが嫁ぐ相手には隠し子がいる。それを教えようとして初めて直弥は彼女を愛する自分の心を知る。奇縁を語る表題作など11編。

山本周五郎著

風流太平記

江戸後期、ひそかにイスパニアから武器を密輸して幕府転覆をはかる紀州徳川家。この大陰謀に立ち向かう花田三兄弟の剣と恋の物語。

山本周五郎著

艶書

七重は出三郎の袂に艶書を入れるが、誰からか気付かれないまま他家へ嫁してゆく。廻り道してしか実らぬ恋を描く表題作など11編。

山本周五郎著

菊月夜

江戸詰めの間に許婚の一族が追放されるという運命にあった男が、事件の真相を探り許婚と劇的に再会するまでを描く表題作など10編。

山本周五郎著

朝顔草紙

顔も見知らぬ許婚同士が、十数年の愛情をつらぬき藩の奸物を討って結ばれるまでを描いた表題作ほか、「違う平八郎」など全12編収録。

山本周五郎著

夜明けの辻

藩の内紛にまきこまれた二人の青年武士の、友情の破綻と和解までを描いた表題作や、〝こっけい物〟の佳品「嫁取り二代記」など11編。

山本周五郎著

天地静大（上・下）

変革の激浪の中に生き、死んでいった小藩の若者たち――幕末を背景に、人間の弱さ、空しさ、学問の厳しさなどを追求する雄大な長編。

山本周五郎著

松風の門

幼い頃、剣術の仕合で誤って幼君の右眼を失明させてしまった家臣の峻烈な生きざまを描いた「松風の門」。ほかに「釣忍」など12編。

山本周五郎著

深川安楽亭

抜け荷の拠点、深川安楽亭に屯する無頼者たちが、恋人の身請金を盗み出した奉公人に示す命がけの善意――表題作など12編を収録。

山本周五郎著

ちいさこべ

江戸の大火ですべてを失いながら、みなしご達の面倒まで引き受けて再建に奮闘する大工の若棟梁の心意気を描いた表題作など4編。

山本周五郎著

山彦乙女

徳川の天下に武田家再興を図るみどう一族と武田家の遺産の謎にとりつかれた江戸の若侍。著者の郷里が舞台の、怪奇幻想の大ロマン。

山本周五郎著

四日のあやめ

武家の法度である喧嘩の助太刀のたのみを、夫にとりつがなかった妻の行為をめぐり、夫婦の絆とは何かを問いかける表題作など9編。

山本周五郎著

あんちゃん

妹に対して道ならぬ感情を持った兄の苦悶とその思いがけない結末を通して、人間関係の不思議さを凝視した表題作など8編を収める。

山本周五郎著

彦左衛門外記

身分違いを理由に大名の姫から絶縁された旗本が、失意の内に市井に隠棲した大伯父を天下の御意見番に仕立て上げる奇想天外の物語。

山本周五郎著

やぶからし

幸せな家庭や子供を捨ててまで、勘当された放蕩者の前夫にはしる女心のひだの裏側を抉った表題作ほか、「ばちあたり」など全12編。

山本周五郎著

花も刀も

剣ひと筋に励みながら努力が空回りし、ついには意味もなく人を斬るまでの、平手幹太郎（造酒）の失意の青春を描く表題作など8編。

山本周五郎著

楽天旅日記

お家騒動の渦中に投げ込まれた世間知らずの若殿の眼を通し、現実政治に振りまわされる人間たちの愚かさとはかなさを諷刺した長編。

山本周五郎著

雨の山吹

子供のある家来と出奔し小さな幸福にすがって生きる妹と、それを斬りに遠国まで追った兄との静かな出会い――。表題作など10編。

あとのない仮《か》名《な》

新潮文庫　や-2-27

昭和五十年十月三十日　発行
平成二十年八月二十五日　三十八刷改版
平成三十一年三月五日　四十四刷

著者　山《やま》本《もと》周《しゅう》五《ご》郎《ろう》

発行者　佐藤隆信
発行所　株式会社　新潮社
郵便番号　一六二―八七一一
東京都新宿区矢来町七一
電話　編集部(〇三)三二六六―五四四〇
　　　読者係(〇三)三二六六―五一一一
http://www.shinchosha.co.jp

価格はカバーに表示してあります。

乱丁・落丁本は、ご面倒ですが小社読者係宛ご送付ください。送料小社負担にてお取替えいたします。

印刷・錦明印刷株式会社　製本・錦明印刷株式会社
Printed in Japan

ISBN978-4-10-113427-7 C0193